Даниэла Стил

Только с тобой

АСТ
МОСКВА

УДК 821.111(73)
ББК 84(7Сое)
С80

Danielle Steel
FRIEND FOREVER

Перевод с английского И.А. Никитенко

Оформление А.А. Кудрявцева

Печатается с разрешения автора и литературных агентств
Janklow & Nesbit (UK) Ltd. и Prava I Prevodi
International Literary Agency.

Стил, Даниэла
С80   Только с тобой : [роман] / Даниэла Стил; пер.
с англ. И.А. Никитенко. — Москва: АСТ, 2014. —
287, [1] с.

ISBN 978-5-17-079412-6

Трое мальчишек и две девочки познакомились в детском саду маленького провинциального городка, поклялись быть друзьями навеки, что бы ни случилось, — и сдержали клятву. Обычно детская дружба длится недолго, но только не эта. Гэбби, Билли, Иззи, Энди и Шон — такие разные, такие непохожие — останутся друг для друга самыми близкими людьми навсегда. И именно дружба станет им опорой, когда детская беззаботная пора закончится и наступит взрослая жизнь с ее взлетами и падениями, радостями и печалями, страстями и страданиями, разочарованиями и отчаянной борьбой за успех и счастье...

УДК 821.111(73)
ББК 84 (7Сое)

Глава 1

Процесс поступления в школу Этвуда начинается задолго до занятий, еще зимой. Собрания, собеседования, встречи психологов с детишками доводят родителей до исступления. Конечно, братья и сестры тех, кто уже учится в Этвуде, всегда имеют небольшое преимущество, но в целом у каждого ребенка есть шанс. В Сан-Франциско наберется немного частных школ, похожих на эту по методике обучения. Большая часть школ, заработавших свое честное имя много десятилетий назад, все еще придерживается раздельного обучения для мальчиков и девочек, но в Этвуде дети учатся все вместе, независимо от пола, к тому же детский сад здесь примыкает к школе, чтобы малыши могли безболезненно влиться в процесс обучения. Именно это всегда делало Этвуд для каждого родителя вожделенным учебным заведением, куда следует пристроить своего отпрыска.

Письма, уведомлявшие о поступлении, школа начинала отправлять уже с конца марта. Родители ждали их почти с тем же нетерпением, с каким ждут уведомления из Йельского университета или Гарварда. Наверное, эта суета была несколько преувеличенной, но ведь за малышей всегда переживают больше, чем за взрослых детей. Поговаривали, что Этвуд и вовсе лучшая школа Сан-Франциско, поскольку здесь уделяли особое внимание каждому ребенку, стараясь найти индивидуальный подход. Пробиться сюда было непросто и очень почетно. Здесь училось около шести с половиной сотен детей, и учителей нанимали только самых лучших. Как правило, выпускники Этвуда легко поступали в высшие учебные заведения и делали успешную карьеру.

Когда же Этвуд в очередной раз открыл двери первых классов, а по сути, детских садов, в Сан-Франциско стояло жаркое бабье лето, столь редкое для этого города. Была среда, и с самого воскресенья термометры показывали около тридцати трех градусов, даже ночью температура не опускалась ниже двадцати семи. Такой зной накрывал город лишь пару раз в год, заставляя жителей изнывать в душных офисах. И всегда вслед за жарой в Сан-Франциско неизбежно приходили пронизывающие ветра и густые туманы, заставляя ежиться от сырости, а температура падала почти на двадцать градусов.

Мэрилин Нортон любила жаркую погоду, но только теперь ощутила в полной мере, каким кошмаром становится девятый месяц беременности в жару. Ей предстояло рожать через пару дней, и это снова был мальчик, причем на этот раз крупнее своего старшего брата. Щиколотки и колени Мэрилин настолько отекли, что она сама себе напоминала слониху. Засунуть ступни в резиновые шлепки казалось непосильной задачей. На Мэрилин были белые шорты, резинка которых обхватывала снизу невероятных размеров живот, обтянутый футболкой мужа. Ее собственная одежда давно на ней не сходилась, но, к счастью, мучиться оставалось недолго. Хорошо хоть она успела побывать на первой школьной линейке Билли до начала схваток. Конечно, окажись Мэрилин в родовом блоке раньше срока, ее муж Ларри был бы с ней, а малыша Билли вел бы за руку в школу их приятель, живший в соседнем доме, однако все сложилось наилучшим образом.

Как радовался сынишка, впервые ступая на школьный двор! Здание начальной школы недавно отстроили заново, и в первый учебный день перед ним толпились взволнованные родители с детишками.

Билли страшно нервничал, тискал в руках старый футбольный мяч и широко улыбался всем и каждому, словно хвалился недавно выпавшими передними зубами. Рыжие кудри трепал теплый ветерок, и Мэрилин, от которой сын унаследовал цвет волос, поглядывала на него с нежностью. Билли с раннего детства был послушным и не доставлял родителям хлопот. Он всегда старался угодить маме, а от папы перенял интерес к футболу.

— Весь в отца! — с гордостью говорил Ларри Нортон, когда его малыш внимательно смотрел с ним матчи и даже комментировал игру. — Однажды тебя возьмут в национальную сборную!

Ларри играл в футбол, бейсбол и баскетбол, а также частенько бывал на гольф-полях с клиентами. Каждое утро он совершал пробежку и отжимался. Его жена Мэрилин тоже была подтянутой, спортивной и до последних месяцев беременности играла в большой теннис, пока бегать за мячом не стало слишком тяжело.

Мэрилин было тридцать. Она встретила Ларри Нортона сразу после колледжа, восемь лет назад, когда они оба работали в страховой компании. Ларри был старше ее почти на восемь лет, но выглядел шикарно. Мэрилин он приметил сразу и подтрунивал над ней, называя «рыжая-бесстыжая», заставляя бедняжку отчаянно краснеть. За Ларри бегали толпы девиц, но главный приз достался именно «рыжей-бесстыжей», которая в двадцать четыре года превратилась в миссис Нортон. Вскоре она забеременела, и на свет появился душка Билли. Пять лет спустя Мэрилин решилась на второго ребенка, и Ларри был вне себя от радости, узнав, что у него снова будет сын. Малышу уже выбрали имя — Брайан, и до его рождения оставалось совсем немного времени.

Учительница возле двери посмотрела на Билли с теплой улыбкой, а малыш отчаянно засмущался и крепче вцепился в ладонь матери. Девушка улыбнулась шире и протянула ему руку. Похоже, эта симпатичная блондинка недавно окончила колледж, и во взгляде читался энтузиазм выпускницы. Бейдж на груди сообщил Мэрилин, что перед ней помощница классного руководителя — мисс Пэм. У Билли на груди также был бейджик с именем. Мэрилин чуть подтолкнула сына вперед, в классную комнату, где уже играли и общались около дюжины детишек. Классный руководитель, примерно одного с Мэрилин возраста, заметила новеньких и предложила Билли оставить рюкзак и мяч, чтобы поиграть с детьми. Согласно бейджу, это была мисс Джун.

Билли замялся, а затем покачал головой. Он переживал, что кто-нибудь украдет его мяч. Мэрилин заверила его, что все будет в порядке, если положить мяч в шкафчик. Она помогла сыну найти среди других шкафчиков, распахнутых настежь, тот, на котором было написано его имя, и Билли запихнул туда рюкзак и мяч. Мисс Джун предложила ему поиграть в конструктор, пока не подойдут остальные одноклассники. Билли нахмурился и посмотрел на маму. Та кивнула на горку строительных блоков.

— Тебе же нравится строить замки, — напомнила Мэрилин. — Я буду рядом. — Она указала на глубокое кресло возле учительского стола.

В кресло она опустилась с явным трудом, живот так и тянул вниз, и не рухнуть в объятия мягкого плюша, даже упершись руками в подлокотники, оказалось непростой задачей. Мэрилин даже не представляла, как будет выбираться из кресла. Наверное, ей потребуется подъемный кран.

А пока мисс Джун показала Билли, где лежат запасные блоки для конструктора, и он немедленно занялся возведением крепости. Он был высоким и крепким мальчиком, и Ларри чрезвычайно гордился этим, утверждая, что его сын непременно будет играть в национальной лиге. Он сумел заразить Билли страстью к футболу, сделать свою мечту мечтой сына. Билли был выше и крепче своих сверстников, однако никогда не применял в спорах с детьми физическую силу. Наоборот, он был чутким и добрым, и это удивительное сочетание крепости и мягкости поразило экзаменационную комиссию Этвуда. «Неужели и второй сын будет таким же чудным подарком?» — думала порой Мэрилин с улыбкой.

Меж тем Билли уже забыл о своих волнениях и целиком погрузился в строительство.

Мэрилин, сложив руки на огромном животе, смотрела то на него, то на детишек, заходивших в класс. Она сразу заметила темноволосого мальчишку, ниже Билли, но крепко сбитого, с большими голубыми глазами. За пояс его шортиков был заткнут игрушечный пистолет, а на груди поблескивал значок шерифа. Вообще-то военные игрушки запрещалось приносить в школу, но, видимо, пистолет новичка ускользнул от внимательного взгляда мисс Пэм — уж слишком много малышей сновало по классу. Шона — так звали мальчика — тоже привела мама, миловидная блондинка в джинсах и белой майке. Она была чуть моложе Мэрилин. Как и Билли, поначалу Шон цеплялся за мамину руку, но уже через несколько минут занялся конструктором в углу класса. Мальчики играли рядом, плечо к плечу, однако так увлеклись, что не обращали друг на друга никакого внимания.

Еще минута — и мисс Джун заметила пистолет. Мама Шона следила за тем, как та направилась к играющему малышу. Конни О'Хара знала, что пистолет придется забрать домой. Кевин, ее старший, учился в седьмом классе Этвуда, поэтому политика школы была ей известна. Но Шон так просил разрешения взять пистолет, что Конни сдалась. Когда-то и она преподавала в школе, поэтому искренне верила в нерушимость школьных заповедей... но чего не сделаешь ради любимого ребенка! По сути, она малодушно предоставила обязанность забрать пистолет новой учительнице Шона.

Мисс Джун наклонилась к мальчику.

— Давай отнесем пистолет в шкафчик, Шон. Как и твой значок шерифа.

— Я не хочу, чтобы кто-нибудь украл мое оружие, — нахмурился мальчик.

— Тогда давай отдадим его твоей маме. Уж она-то точно проследит за тем, чтобы пистолет не потерялся. Но поверь: хранить вещи в шкафчике вполне безопасно. — Мисс Джун попыталась забрать пистолет у Шона.

— Но он может мне понадобиться! — упорствовал тот, пытаясь одновременно отодвинуться подальше и водрузить два пластиковых кирпича поверх своей постройки. Он был не слишком высок, поэтому ему пришлось подняться на цыпочки. — А вдруг понадобится арестовать кого-нибудь?

Мисс Джун с серьезным видом покивала:

— Я понимаю тебя. Но вряд ли в этом будет необходимость. Твои одноклассники — хорошие детишки.

— А если в школу ворвется грабитель?

— Мы этого не допустим. Здесь нет плохих парней, так что давай отдадим пистолет твоей маме, — чуть тверже сказала учительница и протянула руку. Шон, прищурившись, посмотрел на нее, словно пытаясь оценить, насколько она серьезна. Сообразив, что с оружием все-таки придется расстаться, он возмущенно засопел носом, но все-таки достал пистолет и отдал учительнице, которая передала его матери. Конни смутилась и торопливо убрала игрушку в сумку, а затем присела рядом с Мэрилин.

— Так и знала, что будут неприятности. Мне известны правила школы — старший сын здесь учится. Но Шон был так упрям... — Конни растерянно взглянула на соседку.

— А Билли притащил мяч. Еле уговорила оставить его в шкафчике. — Мэрилин указала на сына, игравшего рядом с Шоном.

— Ой, какой рыженький! — восхитилась Конни.

Мальчики мирно играли рядом. Они не обменялись еще ни единым словом. Чудесная маленькая девчушка, похожая на ангелочка, подошла к ним, перешагивая через строительные блоки. У нее были светлые прямые волосы, перехваченные двумя резиночками, и голубые, широко распахнутые глаза. На ней было розовое нарядное платьице, которое ей очень шло. Малышка повернулась к Билли и забрала из его руки большой пластиковый кирпич, который ему был нужен для крепостной стены. Билли так опешил, что даже не стал противиться. Между тем девочка забрала пару кирпичиков и у Шона, а затем принялась увлеченно строить домик. На мальчиков она бросила всего лишь один взгляд, в котором читалось предупреждение, так что они замерли в полной растерянности.

— Вот почему мне нравится совместное обучение, — прошептала Конни. — Они получают опыт общения с противоположным полом в реальном мире, а не по книжкам.

Когда девочка забрала еще по кирпичику у обоих, лицо Билли исказилось, словно он вот-вот хотел заплакать, а Шон недовольно поджал губы, словно собирался возмутиться.

— Хорошо, что пистолет у меня в сумке, — снова шепнула Конни. — Он бы попытался ее арестовать. Надеюсь, потасовки не будет.

Они продолжали следить за детьми, в то время как маленький ангелочек (а может, дьяволенок) продолжала строить домик, уже не просто забирая чужие кирпичики, а снимая их с чужой постройки. Подобное вероломство сбивало мальчиков с толку, и они только шмыгали носами и возмущенно смотрели на девочку. На ее бейджике значилось сразу два имени: Габриэла и сокращенное Гэбби.

Еще одна девочка направилась к конструктору, но посмотрела на троицу и решила поиграть с детской посудкой. Она открывала и закрывала дверки маленькой кухни, ставила кастрюльки в холодильник и раковину. У нее был невероятно серьезный вид, словно она готовила ужин на целое семейство. Две темные косички подпрыгивали всякий раз, когда она вздергивала подбородок. На ней были красная футболка, широкие шорты и кроссовки. Она так углубилась в игру, что не заметила, как мать подошла к ней и чмокнула в висок. У нее были такие же темные волосы, как у дочери, только собранные в пучок на затылке. Несмотря на жару, ее темно-синий деловой пиджак был застегнут на все пуговицы, воротничок белой блузы выглядывал ровно настолько, насколько позволяли правила, на ногах были колготки и туфли с высокой шпилькой. Возможно, она работала в банке или адвокатской фирме, где ценили внешний вид сотрудников. Ее дочь рассеянно кивнула в ответ на поцелуй. Уход матери ее совершенно не взволновал. Похоже, малышка привыкла быть одна в отличие от Билли и Шона. Судя по бейджу, девочку звали Иззи.

Мальчики, немного растерявшиеся после вероломного вторжения Габриэлы, оставили конструктор и отправились к кухонному набору. Хорошенькая Гэбби показалась им не слишком дружелюбной. Иззи, напротив, сразу улыбнулась, стоило только к ней приблизиться.

— Что ты делаешь? — спросил Билли.

— Готовлю завтрак. — Иззи пожала плечами, словно это и так было очевидно. — Что вам приготовить? — Она принялась вытаскивать из игрушечного холодильника пластиковые продукты и складывать их в корзинку и на блюда.

В начальной школе Этвуда были отличные игрушки. Разумеется, здесь были также прекрасно оборудованный спортзал, игровая площадка и бассейн. Качественное оснащение школы было одной из причин, по которой родители хотели пристроить сюда детей. Отец Билли, Ларри, восхищался спортзалом Этвуда. А Мэрилин радовалась тому, что школа дает своим выпускникам образование высокого уровня. Нельзя же делать ставку только на спорт. Конечно, в Ларри была сильна коммерческая жилка, поэтому он неплохо зарабатывал, но образование у него было среднее, и Мэрилин хотела для сына большего.

— Настоящий завтрак? — изумился Билли, сделав такие большие глаза, что Иззи засмеялась. Билли, похоже, верил всему, что ему говорили.

— Конечно, нет, глупенький. — Девочка покачала головой, не переставая улыбаться. — Не настоящий, а игрушечный. Так что тебе приготовить? — Она смотрела так внимательно, словно ответ был ей очень важен.

— О... — Билли смутился. — Тогда мне гамбургер. И хот-дог с кетчупом и горчицей. И с картошкой фри. Только никаких огурцов, — попросил он улыбаясь.

— Сейчас сделаю. — Иззи деловито принялась что-то творить на тарелочке. — Ты пока садись.

Билли послушно сел на пластиковый стульчик, а девочка взглянула на Шона. Она словно превратилась в заботливую хозяйку, и эта роль удавалась ей превосходно.

— А ты что будешь?

— Пиццу, — серьезно ответил Шон. — И огро-о-омное мороженое в рожке.

Не прошло и минуты, как Иззи вручила мальчикам их порции игрушечной еды. Все трое были явно довольны игрой. И в этот момент появилось создание в розовом платьице, недавно завладевшее конструктором.

— Твой папа — владелец закусочной? — с интересом спросила Гэбби у Иззи.

Маленькая повариха принялась снова греметь посудкой.

— Нет. Он адвокат для бедных. Помогает тем, у кого нет денег. Мама тоже адвокат, но работает в компании. Ей сегодня в суд, так что она уже ушла. Мама очень занята, поэтому готовит у нас папа.

— А мой папа продает машины. Дарит маме каждый год новый «ягуар». А ты хорошо готовишь, как мне кажется, — вежливо сказала Гэбби. Судя по всему, мальчики ее не особо заинтересовали, поскольку сидели тихо и делали вид, что жуют. — А можно мне биг-мак и пончик с посыпкой? — Она ткнула пальчиком в пластмассовый розовый кружок с разноцветными бисеринками.

Иззи положила на серебристый поднос пончик, сандвич, пару кусочков игрушечной пиццы и поставила его на столик. Гэбби придвинула еще два стульчика — себе и новой знакомой. Теперь дети вчетвером сидели за столом, словно старые приятели, собравшиеся позавтракать.

Гэбби как раз собиралась что-то спросить у Билли, когда к ним подбежал высокий худощавый мальчишка с подстриженными, как у взрослого, светлыми прямыми волосами, одетый в белую рубашку и брюки цвета хаки. Он выглядел как второклассник, настолько был выше остальных.

— Я что же, опоздал? — спросил он, переведя дух.

Иззи рассмеялась:

— Конечно, нет. Что ты будешь?

— Сандвич с индейкой и яйцом на белом тосте.

Девочка долго рылась в игрушечном холодильнике, прежде чем обнаружила похожую игрушку. Она положила «сандвич» на тарелку, добавив от себя игрушечный картофель фри.

Мальчик сел рядом с остальными и помахал рукой матери, которая кивнула и снова вернулась к телефонному разговору. Судя по взволнованному лицу, женщина сильно переживала.

— Мама уже уходит, — сообщил новенький. — Она работает акушеркой. У ее пациентки вот-вот будет тройня, какой-то сложный случай. А папа у меня психиатр, он сообщает людям, психи они или нет. — Энди, судя по надписи на бейджике, был хорошо воспитан: он вскочил с места, чтобы отодвинуть для Иззи стульчик, пока она ставила на стол поднос.

Минуты через три мисс Джун и мисс Пэм, сверившись со списком, попросили всех детишек встать кружком. Пятеро малышей, накормленных «завтраком», встали рядышком, словно давно знали друг друга, а Гэбби даже взяла Иззи за руку и улыбнулась.

Детям раздали бубны, в которые надо было стукнуть, когда называют твое имя, и после переклички все стучали изо всех сил, создавая немыслимую какофонию.

Затем все вместе перекусили печеньем с соком и направились в зал.

Мамы, которые остались в классе, тоже получили печенье и сок, отказалась лишь Мэрилин, сообщившая, что умудряется толстеть даже от чашки зеленого чая. Она ужасно потела и постоянно потирала живот ладонью. Остальные женщины смотрели на нее с сочувствием и пониманием.

Вскоре к Мэрилин и Конни присоединилась мать Гэбби. Мамы в классе разбились на группы почти так же, как чуть раньше их дети.

Мать Гэбби оказалась очень молодой и невероятно красивой. У нее были мелированные волосы и пухлые губы. Ее белую джинсовую юбку можно было смело называть даже не мини, а микро, в вырезе розовой маечки выглядывало кружево белья, а босоножки на высоком каблуке, состоявшие из одних ремешков, красиво подчеркивали изящность загорелых лодыжек. Маму Гэбби звали Джуди, и даже в жару она была при макияже и пахла духами. Впрочем, несмотря на ее откровенно сексуальный наряд, держалась

Джуди очень просто и дружелюбно. Она рассказала, что во время последней беременности набрала лишних двадцать кило, при том что Гэбби была ее первой дочкой. Но сколько бы она ни набрала, ей явно не составило труда вернуться к прежнему весу. Джуди еще не было тридцати, с мужем она познакомилась в колледже в южной Калифорнии. Два года назад им пришлось переехать в Сан-Франциско, и Джуди очень скучала по яркому солнцу и жаре.

Разговор снова плавно вернулся к школе. Если найти еще пару попутчиц, можно будет ездить до Этвуда на одной машине, да и за рулем каждой из них придется проводить лишь один день в неделю, заметила Конни. Джуди сообщила, что ее младшей дочери недавно исполнилось три года, так что оставлять малышку дома не получится, поэтому нужна машина побольше, и предложила свой микроавтобус, где могут уместиться все детишки и мамы. Мэрилин добавила, что ей скоро рожать, но через несколько недель после родов она сможет садиться за руль. Конни сказала, что поищет попутчиц, поскольку несколько лет назад именно так возила в школу Кевина. Она пожаловалась на своего старшего сына, который отказался сопровождать маленького Шона на автобусе, потому что это «слишком хлопотно и неудобно».

Выходило, что вариант с совместными поездками устраивал всех троих.

После торжественной части и прогулки на площадке дети вернулись в класс. Мисс Джун принялась читать вслух сказку, а мамам наконец позволили уйти. Шон и Билли изрядно скуксились, а для Гэбби и Иззи мамин уход ничего не изменил — они внимательно слушали сказку, держась за руки. Еще на площадке они решили стать лучшими подружками, пока мальчишки носились кругами, улюлюкали и вообще вели себя совершенно, на их взгляд, бестолково.

— Вы уже знаете о вечернем собрании? — шепотом спросила Конни своих новых знакомых, когда они вышли из здания. Оказалось, никто ничего не знал. — Собрание проводят для родителей старшей и средней школ. Этим летом один старшеклассник повесился! Говорят, отличный был парень — мой Кевин знал его, несмотря на разницу в возрасте, — входил в состав бейсбольной команды. У него были какие-то проблемы эмоционального характера, но все равно никто не ожидал такого поворота. Родители в шоке, учителя разводят руками — для всех его смерть стала потрясением. На собрании будет присутствовать психолог, который подскажет, как выявить признаки эмоциональной нестабильности у подростков и объяснить им о контрацепции и прочем.

— Уф, хоть о чем-то пока рано беспокоиться с нашими малышами — о контрацепции, — со вздохом сказала Джуди. — Я переживаю, что Мишель все еще писается во сне, а ведь ей уже три с половиной. Вряд ли в этом возрасте она стала бы подумывать о самоубийстве.

— Сейчас — нет, но в восемь или девять такое уже вероятно, — мрачно сказала Конни. — Мой семиклассник Кевин, конечно, очень жизнерадостный мальчик, но порой такой эмоциональный, что может выйти из себя. Шон на него совсем не похож, по крайней мере в этом возрасте. Кевин терпеть не может подчиняться правилам, но он... хороший мальчик. Впрочем, погибший тоже был хорошим мальчиком.

— А что стало причиной такого несчастья? — спросила Мэрилин. — Развод родителей?

— Нет. Там крепкий брак, заботливые родители, мама всегда рядом — домохозяйка. Поэтому никто даже не думал, что однажды... Вроде мальчик ходил к психологу, но, кажется, это было связано с оценками и невнимательностью на занятиях. Он так тяжело переживал любое поражение, плакал, если его команда проигрывала. Возможно, домашние слишком сильно нацеливали его на успех, и он ставил перед собой завышенные планки. Не знаю... Единственный ребенок в семье, причем ребенок любимый.

Все немного помолчали, смущенные мрачной темой в этот праздничный день. Хорошо все же, что вечернее собрание к ним не относилось. И оставалось надеяться, что их никогда не соберут по столь трагичному поводу. Даже на секунду представить, что кто-то из их детишек решится на самоубийство, казалось чудовищным. И без того хватало опасных бассейнов без бортиков, острых шипов ежевики, простуд, лихачей на дороге и драк со сверстниками, чтобы сделать жизнь каждой матери чередой волнений и беспокойств. Самоубийство лежало за той гранью, о незримом присутствии которой даже и подумать было страшно.

Конни пообещала позвонить, как только найдется еще парочка попутчиц с детишками, и мамы разошлись каждая к своей машине.

Они увиделись только ближе к вечеру, когда забирали детей из школы.

Иззи и Гэбби так и держались за руки, словно приросли друг к другу. Гэбби рассказала маме, какой интересный у нее был день. Иззи забрала няня, и девочка сообщила ей то же самое, что и Гэбби своей маме. Билли выскочил с рюкзаком за плечами, бережно прижимая к груди футбольный мяч. Шон, едва забрался в машину, потребовал вернуть ему оружие и значок шерифа. За Энди пришла экономка, поскольку в этот час родители, как обычно, работали.

Все пятеро были в восторге от первого школьного дня. Им понравились учителя и одноклассники. Мэрилин подумала, что мучительный процесс поступления в Этвуд того стоил. Пока она везла сына домой, у нее отошли воды прямо на водительское сиденье.

Ночью родился Брайан.

Глава 2

К началу третьего класса пятерку друзей было водой не разлить. Им как раз исполнилось по восемь. И их все так же матери по очереди возили на занятия в микроавтобусе. Иногда няни Энди и Иззи приезжали за детьми.

Больше всех за рулем бывала Конни, мать Шона, которая частенько приглашала всю компанию в дом, чтобы они могли выпить чаю с печеньем и поиграть. Ее старший сын Кевин, которому исполнилось пятнадцать, был не в восторге от ватаги малышни и часто ворчал по этому поводу. Учился он неплохо, однако постоянно хватал замечания за болтовню на уроке или невыполненное домашнее задание. Родителей Кевин слушался неохотно, а младший брат его раздражал своим визгом, но для Шона Кевин оставался героем и крутым парнем.

Конни всегда любила детей, не только своих, но и чужих. Она постоянно участвовала в детских походах и различных школьных мероприятиях. Как бывший учитель, она умела быть строгой и мягкой одновременно, находить подход к любому ребенку, за что ее обожали друзья не только Шона, но и Кевина. Она умела слушать, с сочувствием воспринимала чужие проблемы, давала дельные советы как подросткам, так и восьмилеткам. У нее всегда были дома чипсы и поп-корн для приятелей старшего сына, а в коробке на кухне лежали презервативы, которые можно было взять без разрешения и лишних вопросов. Майку О'Хара тоже нравилось общаться с детьми, он даже был главой команды бойскаутов, пока Кевин ее не бросил. При всем том Конни и Майк были реалистами и прекрасно знали, что подростковый возраст чреват экспериментами. Они понимали, что позиция «мой мальчик никогда не курил травку и не занимался сексом со сверстницами» просто смешна. Поэтому они старались сохранить с детьми близкие дружеские отношения, при которых можно быть в курсе всех переживаний своих сыновей и вовремя разглядеть опасность. Последнее было просто необходимо в случае с Кевином, который не желал придерживаться правил и постоянно их нарушал.

Шон рос другим. Он прилежно и с удовольствием учился, продолжал дружить с теми же детьми, с которыми познакомился в первом классе. Даже его мечты менялись как-то правильно: от желания стать шерифом — к желанию стать полицейским, затем пожарным, а к восьми годам — снова полицейским. Он любил смотреть передачи про полицию, хотел охранять закон и порядок, а также защищать друзей и близких. Всегда слушался учителей и родителей в отличие от брата, который считал, что правила придуманы для того, чтобы их нарушать. Кевина и Шона растили одни и те же родители, но словно в разных условиях.

За последние три года дела Майка пошли в гору, отпала необходимость все время проводить на работе, и он стал уделять больше внимания детям. В семье хватало денег, и сыновей можно было баловать. Строительный бум в Пасифик-Хайтс принес хорошие дивиденды. Теперь семья могла позволить себе отпуск на озере Тахо, где за пару лет Майк построил чудесный домик. Когда он только начинал работать в строительном бизнесе, Майк лично стучал молотком и заливал фундамент, а Конни делала ему сандвичи, которые складывала в одноразовые бумажные пакеты. С тех пор многое изменилось: фирма выросла, сделав себе имя в регионе, и Майк и Конни могли почивать на лаврах.

Жизнь Мэрилин Нортон тоже не стояла на месте. Теперь она была матерью двоих мальчишек. Билли исполнилось восемь, Брайану — три. Второй ребенок оказался на редкость спокойным и тихим. Для Ларри характер Брайана стал настоящим разочарованием. Он хотел видеть в сыне волю к победе, упрямство, но, увы, Брайан не любил активных игр, а мяча и вовсе сторонился. Билли уже в три года обожал бегать по площадке, пытаясь сделать перехват. С Брайаном все было иначе. Он мог сидеть и часами рисовать мелками или красками, в три года уже знал буквы и пытался читать. А еще ему нравилась музыка. К сожалению, Ларри не интересовали подобные достижения сына. Поскольку Брайану не светила спортивная карьера, отец не представлял, о чем с ним говорить. Он едва общался с младшим сыном, что возмущало жену. Порой они ругались по этому поводу, особенно если Ларри выпил.

— Тебе что, трудно пообщаться с ребенком? — с несчастным видом спрашивала Мэрилин. — Это так тяжело, да? — Она повышала голос, и это не нравилось мужу. — Просто спроси его, как прошел день. Это же несложно, и он сам тебе все расскажет. Ведь он тоже твой сын, а не только Билл!

— О нет, он не мой, он твой сын! — злился Ларри. — Он весь в тебя!

Он ненавидел, когда ему тычут в нос отцовским долгом. У них было много общего с Билли, который хотел стать профессиональным футболистом, говорил только о лиге, постоянно тренировался. А что Брайан? Тихий, молчаливый, худенький и малорослый — о каком спорте могла идти речь? То ли дело Билли! Он играл в бейсбол и соккер! Ларри ходил на все матчи, болел, словно играла национальная сборная, и буквально носил сына на руках, если команда выигрывала. Но какой он устраивал разнос в случае проигрыша! Говорил, что у поражения нет причин и объяснений. Когда маленький Брайан слышал возмущенные крики папы, он забивался в дальний угол, напуганный его настроением. Билли никогда не боялся отца, зная, что его ругают за дело, и Ларри гордился характером сына.

Бизнес Ларри тоже был успешен. Однако его успех, казалось, только увеличил стресс, в котором жила семья.

Его все чаще не было дома, встречи с клиентами теперь случались и глубоким вечером. Конечно, он стал обслуживать настоящих профессионалов из мира бейсбола, баскетбола и футбола, проводить с ними много времени, ездить на весенние сборы в Скоттсдейл вместе с «Гигантами». Некоторые спортсмены, ставшие его близкими друзьями, приглашали Ларри на площадку для спарринга. В такие дни он забывал о Мэрилин и даже не особо рассказывал ей о своих делах. Она же проводила вечера дома с мальчишками, что доставляло ей немало удовольствия. После рождения Брайана она быстро вернула себе прежнюю форму и выглядела просто шикарно для своих тридцати трех. Впрочем, разве она могла сравниться с юными спортсменками, с которыми виделся Ларри? Они были разного поля ягодами, потому-то Мэрилин и жила собственной жизнью, мало связанной с жизнью мужа. Она возилась с сыновьями, проверяла уроки, посещала собрания и школьные вечера, а в те редкие случаи, когда Ларри ходил с ней, он каждый раз перебирал с выпивкой. Возможно, другие родители не замечали, что он был пьян, но Мэрилин замечала. Ей казалось, что лишний стаканчик виски или бутылка пива просто помогают Ларри пережить скучное мероприятие. Ларри было плевать на оценки детей, если только речь не шла о спортивном табеле. Матчи и состязания он не пропускал никогда. Сидя на трибуне, он частенько окидывал взглядом Джуди Томас, мать Гэбби, и говорил, что она «отличная штучка».

Джуди и Мэрилин поддерживали хорошие отношения, можно сказать, дружили, поэтому Мэрилин пропускала комментарии Ларри мимо ушей. Уж она-то знала, что Джуди без ума от своего мужа Адама и никогда не позволяет себе ничего лишнего. Ей едва исполнилось тридцать, а она уже успела сделать липосакцию, подтяжку живота, увеличила грудь и регулярно проводила курсы мезотерапии с инъекциями ботокса. Подруги фыркали и поговаривали, что Джуди свихнулась на внешности и ей совершенно не требуется вся эта медицинская ерунда. Однако в тридцать Джуди все еще выглядела юной девочкой. Когда Гэбби было четыре с половиной, она отвела ее на конкурс красоты среди детей, и члены жюри единодушно присудили малышке первый приз. Адам, обожавший жену и дочь, очень просил Джуди не портить характер Гэбби признанием ее красоты, и Джуди согласилась. Однако Гэбби росла не только хорошенькой, но и весьма артистичной натурой. Рядом с ней ее младшая сестренка Мишель казалась посредственностью и жила в ее тени. Впрочем, возраст еще мог взять свое.

К третьему классу Гэбби посещала музыкальные курсы по фортепьяно и вокалу и показывала весьма неплохие результаты. Джуди пыталась убедить руководителя школьного драмкружка поставить полную версию «Энни» и утвердить на главную роль ее дочь. Однако учителя решили, что не смогут найти партнеров подходящего уровня для Гэбби, поэтому вопрос так и повис в воздухе.

Гэбби мечтала стать актрисой, и Джуди всецело ее поддерживала. У малышки были все данные для сцены. Она с трех лет занималась в балетной студии. Мишель тоже любила балет, но ее способности к танцам оказались явно скромнее, чем способности старшей сестры. Гэбби была звездой во всем, а Мишель — просто маленькой девочкой.

Адам и Джуди были спонсорами Этвуда, их пожертвования в фонд школы всегда были щедрыми, поэтому их дочерей с легкостью приняли в элитное заведение. Успеваемость Мишель была хорошей, она всегда получала высокие баллы, однако ее результаты блекли на фоне способностей сестры. Мишель росла хорошенькой, Гэбби — яркой красоткой.

Адам с удовольствием участвовал в жизни школы, даже пожертвовал «рендж-ровер» из своего салона для школьного аукциона. Мероприятие принесло школе большую прибыль и сделало Адама героем месяца. Это была приятная семья, с которой любили общаться учителя и другие родители, за исключением тех, кто считал их охотниками за славой. Впрочем, таких было немного.

Гэбби и Иззи продолжали дружить и в третьем классе. К восьми годам, казалось, их дружба только окрепла. Они менялись куклами Барби и одеждой. По выходным Иззи бывала в гостях у подружки, и родители не имели ничего против. На столе Иззи девочки выцарапали надпись «И + Г навсегда», за что, естественно, Иззи была наказана на все выходные. Она ужасно расстроилась, потому что они с Гэбби хотели вновь поменяться одеждой до вторника. У них был один размер, что позволяло давать друг другу кофточки и юбочки. Почти половина вещей Гэбби была розовой, другая — расшитой блестками и пайетками, что очень нравилось Иззи. Она перебрала уже весь гардероб подруги, за исключением дорогого розового пальто, которое мама привезла Гэбби из Парижа. Иззи любила не только свою одноклассницу, но и ее младшую сестренку Мишель. Гэбби страшно злилась, когда Изабелла принималась играть с ней в куклы, обвиняла сестру в разных глупостях, в которых та была не виновата. Сама Гэбби терпеть не могла развлекать Мишель, а делиться любимой подругой с ненавистной сестрой и вовсе не желала. Лишь врожденное чувство такта, свойственное Иззи, позволяло избегать ссор и разногласий: Иззи умело включала Мишель в более взрослые игры и позволяла ей иногда выигрывать. Ей было жаль малышку, которой доставалось меньше внимания и заботы, чем старшей сестре. Сочувствие обделенным было такой же неотъемлемой чертой ее характера, как и верность. Она развлекала Гэбби, если той было скучно или грустно, звонила и выспрашивала о ней, когда та болела и была вынуждена пропустить уроки. В общем, Иззи была идеальной подругой.

Джуди уже видела большое будущее для своей старшей дочери. Гэбби успела сняться для нескольких каталогов детской моды и даже участвовала в рекламной кампании для детской линии «Гэп». Никто не сомневался, что девочка станет звездой. Она уже была звездой среди сверстниц, черпая силы и уверенность в том числе и в поддержке лучшей подружки.

Иногда отец Иззи, Джефф, брал девочек в пиццерию или боулинг. Девочкам нравился клуб, хотя поднять шар им было практически не под силу. Иногда мать Иззи тоже выбиралась с ними в клуб, но обычно она слишком поздно возвращалась с работы. Если же она освобождалась пораньше, то брала работу на дом, а значит, шуметь и громко разговаривать запрещалось. Поэтому Джефф забирал девчонок из дома и вез в город, а иногда, уступив мольбам дочери, отвозил обеих к Гэбби в гости. Мама Иззи не возражала, хотя порой Гэбби слышала, как ругаются Джефф и Кэтрин по этому поводу. Джефф спрашивал жену, почему она не может взять хотя бы один выходной, и сразу за этим начинался скандал. Кэтрин напоминала ему, что если бы они жили на средства Джеффа, то давно пошли бы по миру, и что работать адвокатом для бедных, возможно, благородно, но только не по отношению к своей семье. Едва в разговоре всплывало словосочетание «адвокат для бедных», скандал было уже не остановить.

Пару раз о семейных ссорах Иззи заговаривала с Энди, он тоже был единственным ребенком в семье, и его родители тоже много работали. Но он лишь пожимал плечами и говорил, что его мама и папа не ссорятся. Например, мама могла вернуться за полночь, если роды выдавались слишком тяжелыми, но отец Энди старался поддержать ее, а не возмущался. Родители у Иззи были юристами, а у Энди — врачами. Порой его мать пропадала на работе по нескольку дней, а отец ездил в самые разные уголки страны с лекциями и даже появлялся на телевидении со своей очередной книгой. Конечно, лекции и съемки случались лишь тогда, когда никто из его постоянных клиентов не болел. Энди говорил, что отец еще более занятой человек, чем мама, потому что он решал человеческие проблемы не только как врач, но и как писатель. В семье была чудесная экономка, которая жила в доме и отлично ладила с мальчиком. Энди нравилось общаться с ней, поэтому отсутствие родителей его не угнетало. У Иззи была приходящая нянька, ее было не сравнить с экономкой Энди. Впрочем, Энди жил в большом доме, там нашлось бы место даже трем экономкам.

И если Иззи любила бывать в гостях у Гэбби, то Энди было метлой не выгнать из дома Шона. У Шона были удивительные, все понимающие, участливые родители. Конечно, мысленно поправлял себя Энди, и у него самого все понимающие родители, просто их слишком часто нет рядом, а О'Хара всегда дома, и с ними можно поговорить о чем угодно. Иззи тоже бывала у Энди, и ей нравилось притворяться, что мать Шона, Конни, — ее родная тетя. Конечно, она никогда не признавалась в этих глупостях Шону, но Конни действительно вела себя как родственница: обнимала и целовала при встрече, расспрашивала о жизни, давала советы. Иззи нравились все мамы в их кружке, и лишь ее собственная зачастую вела себя совсем не как мама. Она забывала поцеловать на прощание, почти не обнимала и мало говорила о школе и друзьях, занятая своими делами. Отец старался залатать эту брешь, уделяя дочери максимум внимания. Он играл с ней, брал ее в кино, водил в парки развлечений. Глядя на своих друзей, Иззи порой жалела, что у нее нет брата или сестры, но она понимала, что рассчитывать на такой подарок судьбы бессмысленно. Она даже один раз спросила у мамы, нельзя ли ей маленькую сестренку, но Кэтрин сослалась на занятость и возраст. Ей уже исполнилось сорок два, она была старше других мам, да и мужу ее было сорок шесть. Но если мама объясняла все возрастом и работой, то папа отвечал в другом ключе. Он утверждал, что другой такой чудесной девочки, как Иззи, у них не получится, поэтому и пытаться не стоит.

Даже в своем юном возрасте она понимала, что слышит лишь отговорки. Настоящая причина была в том, что ее родители больше не хотели детей.

По окончании школьного года Кевин О'Хара вляпался в неприятности. Иззи узнала об этом от Шона, когда они ели ленч в классе. Она и так догадывалась, что что-то случилось, потому что Конни два раза подряд пропустила свой черед поработать в качестве водителя общего микроавтобуса. Мэрилин и Джуди оба раза садились за руль вместо нее, ничего не объясняя. Иззи сразу заподозрила неладное.

— Дело в Кевине, — сказал Шон, протягивая подружке розовый пончик в обмен на яблоко. У Иззи всегда были с собой полезные фрукты, которые он так любил.

Иззи откусила пончик и сразу же перепачкала нос в розовой глазури, вызвав у Шона приступ хохота.

— Что смешного? — обиженно спросила девочка.

Шон часто над ней подтрунивал, но все равно ей нравился, ведь они были друзьями. «Пожалуй, из Шона получился бы отличный брат», — порой думала она. Однажды Шон оттолкнул четвероклассника, когда тот вздумал ее обозвать.

— Ты смешная. У тебя глазурь на носу. — Иззи немедленно вытерла нос рукавом, а Шон продолжал: — Кевин попал в беду на школьной дискотеке. Отец говорит, эти танцульки привлекают нехороших типов, и, похоже, он прав. Не знаю, в чем там конкретно дело, но Кевин сейчас вроде под подозрением, и ему грозит исключение из школы.

— А что он натворил? Подрался? — Иззи знала, что драка для Кевина — обычное дело. Его мать говорила, что во всем виновата горячая ирландская кровь. Впрочем, ее муж, будучи ирландцем, обладал спокойным характером и точно никогда не влезал в драки.

— Он пронес с собой бутылку папиного джина и подлил алкоголя во все стаканы с пуншем. Может, это был и не джин, не знаю точно. Короче, все напились, включая самого Кевина. Говорят, его рвало в туалете прямо на пол!

— Хорошо, что теперь у вас раздельные комнаты. А то вдруг однажды его вырвет прямо на твои вещи, — задумчиво сказала Иззи. Шону выделили личную комнату, как только ему исполнилось шесть, а Кевину тринадцать. — Фу, наверное, там отвратительно пахло!

Шон покивал, хотя мог только представлять, как пахло в школьном туалете после безобразий брата. Впрочем, он отлично помнил, как выглядел Кевин после дискотеки, когда его привезли домой.

— Ты бы знала, как разозлился отец! Ему позвонили из школы, чтобы он забрал Кевина. Кевину стало плохо, и ему вызвали «скорую», кажется, даже желудок промывали. Мама плачет целую неделю, боится, что его выгонят из школы. И вроде у Кевина плохие отметки, хотя он усиленно это скрывал.

— Ух ты! — выдохнула Иззи. — А когда станет известно, выгонят его или нет?

— На этой неделе, я думаю, — не слишком уверенно сказал Шон. Родители постоянно что-то обсуждали с Кевином, но не с ним, так что он мог лишь догадываться, о чем были разговоры. Шон лишь знал, что родители отправляют провинившегося сына в летний лагерь на три месяца и что это делается по совету школы. Именно туда отправляли тех, кто сильно провинился. Описание лагеря Шону понравилось. Кевину придется лазать по скалам, прятаться в пещерах, проводить ночи в лесу, купаться в холодном озере. Шон, конечно, переживал за брата. Отец твердил, что кривая дорожка приведет Кевина за решетку, если он не возьмется за ум. Шон молился, чтобы это были просто слова, произнесенные в сердцах. Исключение из Этвуда само по себе стало бы кошмаром, потому что тогда Кевина будет ждать обычная школа, где учатся не самые хорошие парни. А еще одна пьянка станет для него билетом в исправительный интернат.

Кевин твердил, что ему плевать, и вообще всячески показывал, что происходящее его мало заботит. Он утверждал, что отлично повеселился на дискотеке и стал всеобщим героем. А если выгонят из школы, его имя будут повторять еще несколько лет с трепетом и восторгом. Он был старшеклассником, и Шона пугали некоторые вещи, которые он узнал о старшей школе от брата.

— Ох, как волнуются твои родители, — пробормотала Иззи.

Кевин был единственным взрослым парнем, которого она знала. Конечно, он не обращал внимания на друзей брата, а застав Иззи у себя дома, называл ее презрительно Выскочкой, потому что она все время оказывалась у него на пути. В школе Кевин с ней даже не здоровался. Он был высоким симпатичным парнем с копной черных волос, как у Шона. Когда-то рост послужил ему пропуском в баскетбольную команду Этвуда, но уже год, как Кевин бросил занятия.

— Спорт — это не мое! — утверждал он.

Его отец изрядно расстроился, узнав, что Кевин ушел из команды. Он полагал, что активные игры — единственный способ для парня выбросить излишек энергии.

В конце концов школа согласилась дать Кевину испытательный срок две недели и позволить пройти итоговые экзамены. Майк и Конни ради этого месяц обивали пороги и умоляли дать их сыну еще один шанс. Кевину было сказано, что, если он злоупотребит доверием школы и родителей и совершит еще один проступок, его вышвырнут из Этвуда с позором.

Кевин принял все условия, вел себя тише воды ниже травы и по окончании учебного года отбыл в летний лагерь в Сиеррас. Обратно он вернулся возмужавшим, загорелым и с рельефными мускулами. Изменилось и его поведение. Он стал вести себя более ответственно. Ему исполнилось шестнадцать, и Майк поделился с Конни, что теперь их сын наконец повзрослел. Кажется, летний лагерь придал ему уверенности в себе, и родители надеялись, что результат задержится надолго.

— Надеюсь, теперь он будет хорошо себя вести, — говорила с волнением Конни.

Первые несколько недель Кевин казался идеальным сыном, даже помогал матери по дому. И только Шон понимал, что это притворство. Он видел, как Кевин стащил из холодильника пиво в первые же дни после возвращения из лагеря, а чуть позже заметил, как тот прячет в карман пачку сигарет. Конечно, ябедничать Шон не собирался, но стал исподволь наблюдать за братом.

Шон и Иззи вместе с остальными — Билли, Энди и Гэбби — направлялись в школу в свой первый учебный день четвертого класса. Они выбрались из микроавтобуса, без перерыва о чем-то споря. Все пятеро продолжали дружить и каждый год царапали на партах слова «друзья навсегда», за что потом получали сполна от классного руководителя. Парты красили каждый год, и каждый год надпись появлялась снова, подтверждая тот факт, что «Большая пятерка» до сих пор не распалась. Девчонки зачастую притворялись сестрами перед новыми учителями и другими девочками, а мальчишки как-то в боулинг-клубе наплели одному завсегдатаю, что они — тройняшки, и тот — хотя и не безоговорочно — им поверил, несмотря на их различия во внешности.

Друзья навсегда. Да, именно так они о себе думали в четвертом классе.

Глава 3

Жизнь шла своим чередом вплоть до восьмого класса, когда многое начало меняться. Стать тринадцатилетним — словно увидеть мир совершенно под другим углом. Каждый из пятерых друзей незаметно для самого себя стал подростком. Через год им предстояло пойти в старшую школу, а это означало первый шаг во взрослую жизнь. Конни шутила, что они все те же малыши, что и в детском саду, просто стали выше ростом. Шон по-прежнему обожал полицейские репортажи, смотрел все передачи про судебную структуру, фильмы про убийства, криминальные сводки в новостях. Билли все так же отдавал всего себя спорту, особенно футболу, и коллекционировал футбольные и бейсбольные карточки с автографами игроков. Гэбби продолжала участвовать в местных рекламных кампаниях, ее фотографии появлялись в каталогах одежды, она играла в школьных спектаклях, получая только главные роли. Энди великолепно учился, его фото неизменно висело на доске почета. Иззи с удовольствием участвовала в различных социальных проектах вроде помощи ветеранам и инвалидам или сбора пожертвований и вещей для детей из малоимущих семей, покупала игрушки для сирот, зачастую добавляя к общественным средствам все свои карманные деньги.

Билли и Гэбби взрослели чуть быстрее остальных. Они проводили много времени вместе, а после рождественских каникул объявили себя парой.

— Серьезно? — Изабелла округлила глаза, услышав новость от подружки. — В каком смысле «пара»? — Она понизила голос и, обернувшись, дабы убедиться, что их не подслушивают, спросила: — Ты что, уже делала с ним это?

Гэбби засмеялась звонко, как колокольчик, словно участвовала в спектакле, и красиво откинула волосы назад.

— Ты с ума сошла, нет, конечно! Пока рано, мы же еще не взрослые. После старшей школы будет колледж, вот тогда и попробуем. Главное, что мы любим друг друга, а остальное не так уж важно.

У нее был такой уверенный голос, что Иззи покачала головой.

— Откуда тебе знать, что это любовь? — спросила она недоверчиво. В их компании все любили друг друга, как бывает между хорошими друзьями, но ведь ей и в голову не пришло бы объявить себя парой с Шоном или, например, с Энди. Они были друзьями, лучшими друзьями, что правда, то правда. Но как отличить это от чувств, которые связывают Билли и Гэбби? Что такого могло произойти за рождественские каникулы, что все изменилось?

— Он поцеловал меня, — призналась Гэбби. — Только не рассказывай моей маме, хорошо? Ах, он такой хороший!

Она выглядела смущенной и взволнованной, и ее подруга вновь покачала головой. Иззи не нравился ни один мальчик. Ну... в том самом смысле. Вряд ли она смогла бы поцеловать кого-то из одноклассников.

— Эй, ты чего хмуришься? — Гэбби засмеялась. — Вы с Шоном могли бы тоже стать парой. Попробовали бы поцеловаться... — У нее был тон взрослой, опытной девицы.

— Фуууу! Гадость какая! Он же мой лучший друг!

— Ну, мы с Билли тоже думали, что мы друзья. — Гэбби позабавила реакция подруги насчет Шона. Тот с годами явно стал очень симпатичным, хотя ростом еще отставал от Билли. Некоторые восьмиклассницы хихикали смущенно, обсуждая Шона, и даже считали его красавчиком. Шону, впрочем, было плевать. Девчонки интересовали его куда меньше, чем сериалы про ФБР и криминальные сводки. Возможно, именно поэтому к Иззи он относился как к сестре.

— Ты — моя подруга, — попыталась объяснить Иззи. — Мы все друзья, ты же знаешь. И вообще мне кажется странным встречаться с парнем в нашем возрасте. — По ее лицу было видно, что она не одобряет поведение подруги.

Гэбби пожала плечами, не разделяя мнение Иззи.

— Может, и так. Но как он целуется! — Она картинно закатила глаза, и Иззи передернуло от омерзения.

— Брр, прекрати!

Они обе рассмеялись и вместе вошли в класс.

У Билли почти весь день был расписан под тренировки, но на перемене он нашел момент, чтобы рассказать новость Шону и Энди. Оба поразились переменам и затребовали подробного отчета о том, как далеко все зашло. Билли сказал, что они с Гэбби «кое-что делали, но прошли не весь путь», тем самым напустив таинственности. Шон и Энди испытали такой же шок, как Иззи чуть раньше. Пожалуй, наступала новая эра в отношениях «Большой пятерки». Когда двое делают шаг вперед, остальные волей-неволей ощущают себя опоздавшими. Кроме того, Иззи, Шон и Энди теперь словно остались за бортом, с ними делились не всем, их словно вычеркнули из какой-то части отношений, тем самым поставив под угрозу дружбу. Однако все это не подтолкнуло Иззи ни к кому из оставшихся двоих ребят, которых она воспринимала не иначе как братьев. Кроме того, в глубине души она понимала, что, выбрав одного, неизбежно обречет на одиночество другого, а это было несправедливо.

Потребовалось время, чтобы друзья приняли отношения Гэбби и Билли как данность, но уже к весне жизнь «Пятерки» пришла в равновесие. Парочка продолжала встречаться, и юные чувства ничуть не угасали. Билли и Гэбби целовались, прохаживались в обнимку или взявшись за руки, но дальше этого не заходило. По настоянию Мэрилин Ларри завел с сыном беседу о необходимости использования презервативов и о том, как опасна беременность в столь раннем возрасте, но Билли с улыбкой сообщил, что презервативы ему пока ни к чему. Ларри был слегка разочарован, а Мэрилин испытала облегчение. На другой день она пообщалась в кафе с Джуди, пытаясь узнать ее мнение о том, не врут ли их дети насчет секса. Джуди лишь вздохнула и пожала плечами. Как она могла быть уверена?

— Нынешнее поколение такое продвинутое, им не нужны наши советы, — сказала она. — Конечно, Гэбби мне все рассказывает, но кто знает... Я хочу, чтобы она начала принимать противозачаточные. Так, на всякий случай.

Джуди казалась спокойной, хотя Адаму она ничего не рассказала. Он слишком опекал дочерей, и частые появления Билли в их доме уже казались ему угрозой.

— Им же всего по тринадцать! — Мэрилин схватилась рукой за голову. — Разве можно строить отношения в таком юном возрасте? Они же совершенно не знают эту сторону жизни!

— Порой мне кажется, что эту сторону жизни не знает никто, — заметила Джуди, и Мэрилин горько улыбнулась. Она немного завидовала подруге. Адам и Джуди сохранили свежесть чувств и даже теперь, спустя пятнадцать лет брака, души друг в друге не чаяли.

У Мэрилин и Ларри последние два года отношения совсем не ладились. Ларри продолжал пить и все больше раздражался по мелочам. Порой Мэрилин начинала подозревать измену, но муж все отрицал. Он часто задерживался в барах с клиентами, возвращался далеко за полночь, но всякий раз отмахивался от ее предположений о любовнице. Доказательств у Мэрилин не было, и оставалось только надеяться, что Ларри ее не обманывает. Она проводила все свободное время дома с мальчишками, которым теперь было тринадцать и восемь. Забот всегда хватало. Иногда ее саму изумляло, что в тридцать восемь она превратилась в домоседку. Ларри никогда не звал ее с собой, потому что любил «общаться с парнями». Сама Мэрилин особо не рвалась общаться с подругами, а любые попытки напроситься куда-то с мужем вызывали у него волну гнева.

— Хватит ныть! — возмущался он. — Моя работа и мои клиенты дают нам все, что у нас есть. Этот дом, деньги, шмотки — все это моя заслуга! Если тебе нужно с кем-то возиться, помимо детей, если тебе скучно, заведи себе собаку. У каждого своя работа. У меня клиенты, у тебя дети. Точка!

Его общение с сыновьями целиком зависело от того, сколько он выпил. Брайан был ему неинтересен, потому что о спорте с ним поговорить было нельзя. А когда команда Билли проиграла последний бейсбольный матч, по возвращении домой Ларри назвал старшего сына слабаком и неудачником. Билли ушел в комнату в слезах, а Мэрилин и Ларри так сильно поругались, что едва не дошло до рукоприкладства. В итоге Мэрилин сдалась и заперлась в спальне до утра. Ларри так и не извинился ни перед ней, ни перед сыном. Поутру Мэрилин пыталась понять, а помнит ли муж стычку, или затуманенный алкоголем мозг вовсе выкинул неприятный инцидент из его памяти?.. Она сама извинилась перед Билли за отца и попыталась объяснить его гнев сильнейшим разочарованием.

— Он просто был расстроен и не понимал, что его слова ранят, — мягко сказала Мэрилин.

И она сама, и Билли знали, что Ларри все понимал.

Сын стал заниматься с еще большим упорством. Он так хотел добиться успеха, так хотел заслужить одобрение отца, что готов был рвать мышцы и часами обливаться потом, лишь бы добиться успеха и больше никогда не слышать слово «неудачник» из уст Ларри.

Мэрилин и Джуди частенько говорили об отношениях своих детей. Мэрилин так переживала за Гэбби, словно та была ее собственной дочерью. Она страшно боялась, что в порыве влечения юные влюбленные потеряют контроль и займутся сексом. Джуди, напротив, была спокойна и уверена в своей дочке.

— Гэбби — умница, — говорила она. — Я верю, что она устоит.

Но Мэрилин твердила, что на свете очень много умных девочек, которые теряют контроль и беременеют от своих мальчиков. Она желала предотвратить несчастье, которое могло случиться с ее ребенком по неосторожности.

Конни напомнила подругам, что ее Кевин уже в тринадцать занимался сексом. Впрочем, ее младший сын, Шон, в таком же возрасте был явно весьма далек от мыслей о плотских утехах. Все дети разные, и у каждого из них свой путь и своя скорость.

К тому моменту волнения Конни за Кевина немного поутихли. Теперь он учился в университете Санта-Круса, причем получал хорошие отметки. Правда, он выглядел как хиппи, весь в татуировках и пирсинге, с длинными лохматыми волосами. Внешность никак не влияла на его успеваемость уже целых два семестра. Но Конни все равно переживала. Домой Кевин звонил нечасто, предпочитая, чтобы его не трогали и не ограничивали свободу. Всю свою заботу Конни перенесла на младшего сына, опасаясь, что он пойдет по той же дорожке, что и старший.

Втайне она немного гордилась Кевином, его самостоятельностью и тем, что он смог найти себя в двадцать лет после того, как все ждали, что ему не миновать тюряги.

Главной звездой восьмого класса был, естественно, Энди. Никто даже не сомневался, что он станет круглым отличником. Он никогда не подводил родителей и так же, как они, хотел стать врачом. Практикующим врачом вроде мамы, а не психиатром, как папа. Энди мечтал лечить телесные недуги, а не странности мозга, однако намеревался поступить в Гарвард, как отец. И точно так же, как пятерки в табель, Энди с легкостью получал грамоты и занимал призовые места на научных олимпиадах. У него был настоящий талант к точным наукам, поэтому Иззи порой называла его Доктор Энди. Он не имел ничего против, скорее ему льстило это прозвище. В спорте он тоже показывал успехи, к тринадцати у него было крепкое, тренированное тело. Энди входил в сборную по теннису и по воскресеньям участвовал в соревнованиях, а остальная четверка приходила посмотреть, как он играет. Друзья не пропускали ни теннисных турниров Энди, ни футбольных матчей Шона и Билли, а на играх по баскетболу и соккеру среди девочек трое ребят всегда сидели на трибунах и отчаянно болели за подруг.

Ларри тоже ходил на все футбольные матчи, болел за Билли и всегда громко выкрикивал с трибуны советы. Если сын проигрывал, Ларри жестко ругал его, выказывая раздражение и злость. Шон не раз пытался вступиться за друга, даже привлекал к спору своего отца, но тогда Ларри ополчался и против него.

— Мистер Нортон, мы хорошо играли, — после одного из поражений смело сказал Шон. — Билли отлично пасовал. В другой команде сливали все передачи, вы заметили?

Тренер даже хвалил ребят, несмотря на поражение. Особенно он отметил игру Билли.

— Не городи ерунды! — резко ответил Ларри. — Если бы это были хорошие передачи, команда бы не слила матч. Билли играл, как сонная муха! — Он вяло повел плечами, изображая поведение сына на поле.

Никто из детей и даже родителей не любил Ларри, а Шон так и вообще с трудом его выносил. Ему было обидно за друга и его младшего братишку. С Брайаном Ларри и вовсе не разговаривал, хотя на игры они всегда приходили вместе. Ларри вел себя так, словно младшего сына не существовало, поскольку он не был спортсменом.

— Мистер Нортон, наши соперники были не просто середнячками, это команда округа...

— Не тебе об этом рассуждать, О'Хара! — резко осадил Шона Ларри. — Ты вообще паршиво играешь, твой мяч летит, куда ему вздумается. Тебя пора выгнать из команды и отправить играть в волейбол с девчонками!

— Хватит, пап, — тихо вмешался Билли, пытаясь защитить друга. Он знал, что его отец уже немало выпил, а пьяным он мог быть опасен. Ему уже не раз доводилось видеть отца в бешенстве дома, но только не в школе. Билли было почти страшно.

— Да вы просто парочка жалких слабаков! — рявкнул Ларри, сел в машину, резко хлопнув дверцей, и сразу же уехал.

Билли растерянно посмотрел ему вслед, затем обернулся к Шону. Его плечи поникли, в глазах стояли слезы. Верный друг просто обнял его за плечи, и так, в обнимку, они пошли в раздевалку, не обменявшись больше ни словом.

Брайан ждал снаружи, пока ребята переоденутся в джинсы и футболки. Он видел стычку от начала до конца и очень сочувствовал брату. Ему нравилось смотреть, как играет Билли.

Все трое молчали. К вспышкам Ларри давно привыкли. Все, включая других родителей, видели, как отец Билли уехал домой, оставив сына.

Гэбби ждала любимого возле школы. Она похвалила его игру, преданно заглядывая в глаза. Билли вздохнул и обнял ее за талию, привлекая к себе.

— Да брось... — вяло откликнулся он, пытаясь натянуть на лицо улыбку. Перед глазами все еще мелькало полное бешенства лицо отца.

К тринадцати Билли уже вытянулся до метра восьмидесяти, и ему вполне можно было дать все шестнадцать. Гэбби тоже казалась старше своих лет, поскольку носила взрослую стрижку и даже немного подкрашивала глаза с разрешения матери. Они были красивой парой. Более того, Гэбби и Билли отлично ладили, совсем не по-детски поддерживая друг друга.

Они продолжали встречаться, что нисколько не мешало дружбе с остальными. Порой Билли брал с собой младшего брата, угощал мороженым и гамбургерами, когда дружная «Пятерка» собиралась в кафе. Для Брайана такие дни становились настоящим событием. И вся «Большая пятерка» была ему искренне рада.

Весенние каникулы друзья провели в полном безделье: ходили на бейсбольные матчи, купались в бассейне своего одноклассника в долине Напа, куда их пригласили на целый день. Конни и Майк О'Хара устроили барбекю на заднем дворе дома для всей компании, и ребята отлично провели время.

А на следующий день позвонили из университета Санта-Круса. Полиция обвиняла Кевина в торговле наркотиками прямо на территории учебного заведения. Якобы он пытался продавать марихуану другим студентам, хотя прямых доказательств этого не было. Сержант полиции предупредил Майка, что Кевину грозит четыре года тюрьмы, не говоря уже об исключении из университета. Обвиняемого заключили под стражу и посадили в камеру предварительного заключения.

Да, Кевину исполнилось двадцать, и свершилось то, чего так боялись его родители. Он жил по своим собственным правилам, опирался на собственный свод законов, а законы страны и семьи были для него пустым звуком.

Кевин позвонил домой днем, когда Майк уже связался со своим адвокатом. Он собирался отправиться в Санта-Крус ранним утром, чтобы внести за сына залог. Кевин умолял вызволить его немедленно, но полиция заверила, что ночь в камере пойдет парню только на пользу. Виновнику следовало поразмыслить над тем, куда он движется. Семья ужасно переживала за Кевина, особенно Шон. Свободомыслие брата, его вечная страсть к нарушению закона не только не вдохновляли его, а скорее наоборот — подталкивали идти другой дорогой. Шон все еще мечтал стать полицейским, а позже, если повезет, вступить в ряды ФБР или ЦРУ.

Утром Шон выглядел довольно мрачно, когда родители отправляли его к Билли домой. В Санта-Крус его брать не стали.

Адвокат настаивал на освобождении подсудимого под залог и небольшом сроке в реабилитационной клинике для наркоманов. Судья пошел навстречу, слушание должно было состояться через две недели. Это давало время, чтобы подобрать самый мягкий вариант наказания и представить его суду. К величайшему сожалению родителей Кевина, никакие доводы не могли повлиять на решение об исключении из университета. Они по-настоящему горевали об этой утрате.

Домой Кевин вернулся немного подавленным, но отнюдь не сломленным, как будто ночь за решеткой и возможность сесть в тюрьму не слишком его взволновали. Шон обратил внимание, что брат постоянно держит при себе свой рюкзак, словно боится с ним расстаться. Это навело его на мысль о заначке с наркотиками. За ужином Кевин был каким-то странным и заторможенным, но заметил это только младший брат. Возможно, Кевин накурился или сделал еще что-то похуже.

Шона бесило поведение брата, которому было плевать на родителей, на их дом, на себя самого. Он только-только выбрался из камеры — и уже снова под кайфом!

— Ты причиняешь боль маме и папе, — расстроенно сказал Шон после ужина, зайдя в комнату брата.

Кевин лежал на кровати и смотрел клипы по музыкальному каналу. Выглядел он неестественно счастливым.

— Не фиг шляться ко мне с нравоучительными лекциями, — буркнул Кевин, раздраженно взглянув на младшего брата. — Ты пока еще не коп, даже если мозги у тебя, как у чертова законника.

— Папа был прав, — тихо сказал Шон. — Ты угодишь в тюрьму.

Он сотни раз смотрел сериалы с подобным началом по телевизору. Ни прежнего восхищения, ни уважения к своему брату он больше не чувствовал. Было противно то, что Кевин творил, какими несчастными он делал родных. Мама проплакала два дня, когда папа рассказал ей о проделках сына. Оба они были растеряны и не знали, как поступить. Казалось, выхода не существовало: Кевин и впредь собирался жить так, как ему вздумается.

— Э нет, маленький зануда. Меня выпустят. Исправительные работы — это максимум, что мне грозит. Возможно, клиника для нариков. Думаешь, в судах мало таких дел? Это же анаша, не крэк, не героин. Просто пара косяков травки, парень!

Пара косяков! Шон скривился. У Кевина при обыске нашли целый пакет марихуаны в машине. Полицейский остановил его за превышение скорости возле университета и заподозрил неладное, заглянув в глаза.

— Все равно это незаконно, — упрямо сказал Шон, уперев кулаки в бока. Он насупился, тогда как Кевин взирал на него, иронично ухмыляясь. Брат был под кайфом, когда его арестовали. Возможно, даже ночью в камере его не отпустило, и он плохо соображал, какое несчастье его постигло. Говорят, он позвонил родителям, а потом проспал всю ночь сном младенца. — Сейчас это травка, но в другой раз может быть что-то и похуже. Этот твой крэк или героин, а может, ЛСД и мешок грибов — откуда я знаю, какое еще дерьмо ты с дружками употребляешь!

— Да что ты вообще знаешь о моих дружках, а? — внезапно разозлился Кевин. — Откуда ты знаешь, что я что-либо употреблял?

— Младшие братья иногда слышат то, чего не слышат родители.

— Да ты просто сопляк, который вообразил себя законником!

— А кем себя вообразил ты? Умным и взрослым? Да не будь ты старше меня, я бы надрал тебе задницу! — Шона трясло от бешенства, а Кевин гадко засмеялся и указал на дверь пальцем.

— Ой, как страшно, братец! Вали из моей комнаты, пока цел, малявка! — У него был такой чужой взгляд, словно их с Шоном никогда и ничто прежде не связывало — ни дружба, ни родство. Пожалуй, Кевин всегда был немного чужаком в семье О'Хара. Он упрямо ломал стереотипы, нарушал правила, шел запрещенными тропами и всякий раз заходил все дальше.

Шон молча вышел и закрыл за собой дверь.

Следующие два дня родители провели в бесконечных визитах к адвокатам. Они нашли клинику для наркоманов в Аризоне, лечиться в которой мог обязать Кевина суд. Вариант с исправительными работами и условным заключением тоже не исключался, поэтому родители страшно переживали. К предварительному слушанию готовились с волнением. Отец заставил Кевина побриться и постричься, а также велел вести себя в суде уважительно. Кевин только кривился в ответ, но молчал. Так было до того момента, когда Майк протянул ему костюм на вешалке, а Кевин буквально отпрянул. Майк посмотрел на сына почти с угрозой.

— Сделай это ради матери. Не заставляй ее страдать еще больше, — сквозь зубы прошипел он.

Кевин недовольно кивнул и взял вешалку с костюмом. Майк дал ему свою рубашку и галстук, а также пару туфель, поскольку у него был один размер с сыном.

Две недели Кевин был под постоянным присмотром семьи, его не пускали дальше двора дома и следили из окон за тем, как он слоняется в тени. Конечно, идея с лечебницей не пришлась ему по душе, однако это было гораздо лучше перспективы провести за решеткой ближайшие четыре года.

В Санта-Крус ехали в полном молчании. Пришлось тащиться по пробкам почти три часа, так что О'Хара едва успели к назначенному времени встречи с адвокатом. К счастью, у них с собой было заветное положительное решение аризонской клиники для Кевина, что давало ему возможность избежать тюрьмы. В зал заседания семья вошла в таком же молчании, в каком прошла дорога. Кевин выглядел подавленным, хотя и не был столь мрачен, как его родители. Шон остался у Билли: Мэрилин обещала отвезти обоих ребят на бейсбольную тренировку.

После того как обвинитель и адвокат по очереди произнесли короткие речи, судья углубился в чтение письма из клиники, никоим образом — ни одним движением брови — не выказывая своего настроения.

— Что ж, молодой человек, — обратился он наконец к Кевину, — на этот раз вам очень повезло. Многие родители в подобной ситуации предпочитают бросить своего ребенка на произвол судьбы в качестве наказания за его поступок или же в надежде на исправление. Возможно, для вас это само собой разумеется — подобное участие близких, и вы не понимаете, какой вы счастливый человек. Решение, которое я сейчас оглашу, я вынес в большей степени ради них, а не ради вас. Надеюсь, вы осознаете, на какой путь едва не ступили, и следующий ваш шаг будет правильным. Приговариваю вас к шести месяцам исправительного лечения в клинике для наркоманов в Аризоне. Поверьте, по сравнению с тюрьмой это просто загородный клуб. На вашем месте я бы безвылазно сидел в клинике и вел себя тихо и послушно, как мышка. Если вы нарушите режим или сбежите, вас ждет тюрьма. Более того, ближайшие два года вы будете находиться под наблюдением. Малейшее нарушение закона — даже штраф за неправильную парковку — приведет вас на скамью подсудимых. Я достаточно ясно пояснил вам ваши права и обязанности?

Кевин кивнул, закусив губу и едва сдерживая гнев. Полгода в клинике — это же кошмар наяву! Спасибо сердобольным мамаше с папашей, по чьей милости он угодил почти что в психушку! Кевин был в бешенстве и отчаянии одновременно. Судья сказал, что у него в запасе всего сутки, чтобы перебраться в клинику в Аризоне, с момента выхода из дворца правосудия и до момента подписания документов и сдачи личных вещей охране лечебницы.

Судья спросил, будет ли Кевин брать последнее слово. Тот качнул головой, глядя в стол. Вместо него заговорил Майк, который прерывающимся голосом поблагодарил судью за столь мягкое решение.

— Желаю удачи. Она вам понадобится. — В голосе судьи звучало сочувствие.

По щекам Конни заструились слезы, Майк тоже прослезился. Последние две недели были похожи на агонию.

Обратная поездка в Сан-Франциско прошла в гробовом молчании. Майк лишь сделал звонок секретарю, распорядившись заказать ему два авиабилета до Аризоны на семь утра. Он собирался отвезти Кевина в исправительное учреждение лично, чтобы тот не мог сбежать по пути.

Дома Кевин сразу же пошел к себе и закурил в комнате, даже не открывая окна. Вонючий кисловатый запах окутал весь дом. Кошмар почти закончился, Кевина ждала клиника с жесткими условиями, поэтому последний день он мог выпендриваться сколько влезет. Всего через сутки за любую провинность его могли отправить в тюрьму. Вскоре все должно было закончиться, впереди полгода тишины и покоя, и если Кевин не натворит глупостей, их ждет безоблачное будущее. По крайней мере на это можно было надеяться.

Как только старший сын скрылся в своей спальне, а Майк отправился в душ, Конни собралась к Билли забрать

Шона. Приятели как раз должны были вернуться с баскетбольной тренировки.

Когда Конни заглушила мотор, Шон сразу же бросился к ней, взволнованно заглянув в лицо. Каким бы болваном и эгоистом ни был Кевин, все равно он приходился Шону родным братом, и возможность тюремного срока пугала мальчишку.

— Ну как все прошло? Его не посадили? — выпалил он.

Мать покачала головой. У нее был измученный вид.

— Нет, Кевина отправляют в клинику на лечение. Полгода лечения и два года на исправление без права на ошибку. — Это были скорее хорошие новости, но по тону было заметно, что она все равно расстроена. Мать понимала: Кевин зашел так далеко, что останавливаться на достигнутом не собирался. Благоразумие никогда не было его сильной чертой.

Впереди семью ждали регулярные сеансы семейной психотерапии по выходным, бесконечные перелеты до Аризоны и обратно, мучительные страхи, что Кевин сорвется. Своей бесшабашностью он погрузил семью в маленький ад и даже не сознавал, что натворил.

— Он справится, мам, — сказал Шон, чтобы ее ободрить, но сам не слишком верил своим словам.

Увидев, как Конни разговаривает с Шоном и Билли, Мэрилин вышла во двор, чтобы узнать, как все прошло. В голосе подруги сквозило облегчение. «Любая клиника лучше, чем тюрьма», — сказала она с вялой улыбкой. У Конни был измученный вид, руки висели вдоль тела, как плети, взгляд потух. Мэрилин обняла ее и погладила по спине. Казалось, тело Конни потеряло гибкость, такое в нем поселилось напряжение.

Билли, не зная, что сказать, хлопнул Шона по плечу и улыбнулся, давая понять, что готов в любую минуту прийти на помощь. Шон улыбнулся в ответ и пожал плечами.

Тем же вечером ему позвонила Иззи.

— Ну, какие результаты?

— Тюряги братец избежал, — сообщил Шон. — По крайней мере на этот раз. Но если сделает хотя бы один неверный шаг — прощай, свобода! Не знаю, почему ему надо постоянно быть занозой в чьей-то заднице? — Он вздохнул. Он не мог точно сказать, за кого больше переживал — за брата или за родителей, но волновался так сильно, что чувствовал себя истощенным. Шон не переставал удивляться тому, с какой легкостью Кевин прожигает свою жизнь и подвергает риску жизнь близких.

— Люди сделаны из разного теста, — тихо заметила Иззи. — Даже от одних родителей могут родиться совершенно разные дети. Тут нет ничьей вины. — Она вздохнула. — Как твоя мама, сильно переживает? — Все знали, как тяжело восприняла арест старшего сына Конни.

— Ужасно. Говорит о случившемся мало, а вид такой, словно ее пыльным мешком по голове огрели. Кстати, отец чувствует себя ничуть не лучше. И завтра ему везти Кевина в Феникс.

— А как сам Кевин? Напуган? — спросила Иззи, не представляя, как в подобной ситуации можно сохранять хладнокровие.

— Думаю, он слегка струсил, когда его взяли, не более того. Считает себя вправе обижаться на весь мир. Ты бы видела его лицо, когда он спустился к ужину! Словно мы все здорово ему задолжали. И клянусь, он снова накурился! Родители не поняли, но у него был странный взгляд, да и майка провоняла травкой. — Шон вздохнул. — Он бы вообще не стал с нами есть, но отец попросил сделать это ради мамы. А она проплакала над тарелкой весь ужин.

Иззи чувствовала, с каким трудом держится Шон, и бесконечно сочувствовала его бедной маме.

Майк и Кевин уехали, когда Шон еще спал. Конни пыталась обнять сына напоследок, но тот отстранился. Майк схватил его за руку и так стиснул пальцы, что они хрустнули.

— Попрощайся с матерью, — сквозь зубы прошипел он, и Кевин повиновался, с прямой, негнущейся спиной, словно был деревянным.

Когда они уехали, было еще темно, и Конни вернулась в постель, где свернулась клубком. Так она и пролежала до вечера, пока не вернулся Майк, не сел рядом и не притянул ее к себе. Тогда Конни разрыдалась.

— Как он себя вел, когда ты уезжал? — сквозь слезы спросила она.

— Смотрел, как на величайшего врага. Он ненавидит меня, судя по всему. Посмотрел, отвернулся и пошел. Как будто он попал в клинику из-за меня, а не по решению судьи и по своей собственной безалаберности!

С отъезда Кевина дом О'Хара внезапно стал очень тихим, хотя и прежде Кевин уезжал, например, в колледж. Однако последний краткий приезд старшего сына принес семье столько горя, что уже казалось, будто Кевин несколько месяцев кряду дебоширил, пьянствовал и курил травку в стенах отчего дома. Теперь тут воцарилось такое спокойствие и безмолвие, словно дом внезапно превратился в музей.

Шону так нравилась сама мысль о том, что у него есть взрослый, мудрый брат, что расставание с ней далось ему весьма нелегко. Он старался отвлечься на учебу, а в свободное время много таращился в телевизор. Его по-прежнему интересовали полицейские детективы и криминальные сводки. Иногда приходила Иззи, и они делали уроки вместе. Девочка пекла хрустящее печенье и кексы для своего друга и его родителей в попытке их поддержать. Она видела, какими печальными, осунувшимися стали лица всех О'Хара.

Шон пребывал в мрачном расположении духа несколько недель, пока не начались экзамены, в подготовку к которым он ушел с головой, и его настроение потихоньку выправилось.

Иззи тоже сдавала экзамены, причем довольно успешно. Она радовалась, что в жизни друга все налаживается, и совершенно не ждала никаких неприятностей, пока как-то вечером к ней в комнату не зашел отец.

— Спустись вниз, нам надо поговорить, — сказал он напряженным тоном.

Поначалу Иззи просто немного удивилась, однако в гостиной ощутила сильнейший приступ тревоги, увидев маму, которая сидела на стуле с поникшей головой.

— У меня неприятности? — спросила она, переводя взгляд с отца на мать и пытаясь припомнить хоть какую-то провинность, за которую ее могли отругать, но ничего не шло на ум. Возможно, позвонили из школы — сообщить, что она провалила какой-то тест.

— Твоя мама и я... Мы разводимся, — негромко сказал Джефф и опустился на стул.

Иззи, сидя на банкетке, переводила взгляд с отца на мать. Сцена казалась ей совершенно нереальной. Мать избегала смотреть на нее, словно была виновата. Наступила такая тишина, что клацанье стрелок старинных часов стало казаться ударами молота по наковальне. Иззи никогда прежде не слышала, как ходят часы в гостиной, попросту не замечала их постукивания.

— Мы разводимся, — повторил Джефф, словно опасаясь, что дочь могла не понять.

Иззи отрешенно застыла. Чего они ждали от нее? Каких слов? «Да как вы можете?» «Почему?» «Разве вы не любите друг друга?» «А что же будет со мной?» Все это пронеслось у нее в голове, но ни один из вопросов так и не слетел с губ. Ей хотелось расплакаться или закричать, но почему-то она сидела молча и даже не шевелилась.

Наконец, измученная тишиной, Кэтрин подняла глаза на дочь. В ее взгляде ничего невозможно было прочесть.

— И кто принял решение? — с трудом спросила Иззи. Она была уверена, что развода хочет мать, которая слишком часто выражала недовольство своим браком.

— Мы оба, — ответил отец, в то время как мать смотрела на них обоих странным, отчужденным взглядом.

Кэтрин уже долгие годы чувствовала себя посторонним человеком в собственной семье. Она никогда не хотела детей, предупреждала об этом Джеффа с самого начала, еще до свадьбы.

Они встретились в юридическом колледже и через многое прошли вместе. Когда-то Джефф стремился работать в составе крупной корпорации, мечтая однажды возглавить юридический отдел. Однако интернатура в Американском союзе защиты гражданских свобод заставила его пересмотреть свои цели и интересы. Поначалу он остался на летнюю стажировку, а потом был зачислен в штат.

Желания и убеждения Кэтрин не менялись никогда. Она прекрасно себя знала, знала, чего от себя ждать, но Джефф... Джефф постепенно превращался в другого человека. Однажды он решил, что ребенок укрепит семью, склеит ту трещинку непонимания, что пробежала между ним и женой. Он обещал всячески помогать и сдержал свое слово — проводил с дочкой времени куда больше, чем мать, стараясь облегчить ей ношу. Но к ужасу Кэтрин, это не заставило ее принять материнство как должное. Ей всегда казалось, что она совершила чудовищную, непоправимую ошибку, и ценой ошибки стало появление на свет человека, заслуживавшего, но не получавшего любви. Иззи росла чудной, очень спокойной девочкой, но Кэтрин всегда смотрела на нее, как на пришельца, как если бы внутри ее не хватало какой-то существенной детали, важной частицы головоломки, способной однажды сложиться в радость материнства. Стыд за саму себя, за свою неспособность любить свое чадо, за эту ущербность подтачивал ее изнутри. Она ненавидела Джеффа за то, что он сумел уговорить ее на рождение ребенка. Ее собственные родители всегда были прохладны к ней, и ей неоткуда было научиться любви к детям. Видит Бог, она и не хотела. Каждый раз, глядя на свою дочь, она ощущала себя настоящим чудовищем и знала, что Изабелла чувствует это.

Развода просил Джефф, и внутренне Кэтрин была ему за это признательна.

— Твоей маме предложили новую работу. Это очень хорошее место и отличный проект, — объяснял Джефф. — Она будет главным юридическим консультантом в большой фирме, ей придется много переезжать. А это... не совсем то, к чему каждый из нас готовился, когда мы стояли у алтаря, милая. Но в жизни такое бывает. Люди меняются. Обстоятельства меняются. — Джефф заглядывал дочери в глаза. — Наш брак исчерпал себя.

— Выходит, ты променяла нас на работу? — спросила Иззи у матери с неприязнью.

Этот вопрос и тон, которым он был задан, резанули сердце Кэтрин, словно нож. Ей не следовало рожать ребенка! Теперь ее дочь вынуждена платить за ее ошибку. Но даже осознание собственной ущербности не могло подтолкнуть Кэтрин на путь, который был ей чужд. Она знала, что Изабелла все чувствует, все понимает, и ничего не могла с этим поделать. Дочери всегда доставалась лишь крохотная толика материнского времени и внимания, но почти ни грамма материнской любви. Малышка росла, постоянно ощущая, насколько она лишнее звено в жизни родной матери. Джефф пытался залатать эту дыру, как мог, но она лишь ширилась год от года, превращаясь в зияющую пропасть. А теперь мать бросала их, бросала ради работы!

— Я не променяла вас на работу, — вяло сказала Кэтрин. Она знала, что по сценарию должна обнять дочь, чтобы утешить, но не могла даже протянуть к ней руки. — Мы с твоим папой заключили честное соглашение. Три дня в неделю ты проводишь с отцом, а затем три дня — со мной, если я буду в городе. А по воскресеньям можешь сама выбирать, где хочешь быть. А можем просто видеться через три дня, как пожелаешь.

Это предложение, такое рациональное, казалось Кэтрин чудесной уступкой, но никак не могло устроить ребенка.

— Ты серьезно? — с ужасом спросила Иззи. — Я что, должна болтаться между вами, словно мячик, чтобы вы отфутболивали меня туда-сюда? И что за жизнь у меня будет? Каждые три дня собирать чемодан? Да я лучше вообще одна буду жить и ни на что не надеяться. А то, что ты предлагаешь, — безумие!

Кэтрин казалась озадаченной. Джефф, разделяя точку зрения дочери, молчал, однако жена считалась лишь с тем, что подходило под определение «компромисс».

— Ну, мы можем распределить дни иначе, — произнесла Кэтрин после паузы. — Ты сама выберешь себе график. — У нее был тон, полный терпения, словно она говорила с капризным клиентом.

— Да не хочу я ничего выбирать! Я не хочу постоянно переезжать! — В глазах Изабеллы блеснули слезы. Родители разрушали ее жизнь, пытаясь поправить собственную. — Вы просто обезумели. А я не желаю жить по вашим правилам. Вы разлюбили друг друга, вас разделила новая работа — ладно, но почему страдать должна я? Почему именно я должна мучиться?

— Так устроен мир, — холодно ответила Кэтрин, пытаясь не обращать внимания на боль в глазах дочери. Ей очень хотелось, чтобы весь этот разговор скорее закончился. Она не просила развода, она много лет училась жить в ладу с тем, что уготовила ей судьба. Новая работа, которую ей предложили, стала для Джеффа последней каплей. Кэтрин понимала Джеффа, и ей казалось, что Иззи тоже способна понять ситуацию, если возьмет себя в руки.

— Да я не предмет мебели, чтобы меня перевозить из дома в дом, неужели не ясно?

— Ты привыкнешь. В частых переездах есть и свои плюсы. Я нашла уютную квартиру в соседнем районе, возле офиса. Там на крыше есть бассейн, представляешь?

— Не нужен мне бассейн! Мне нужен нормальный дом, где ждут мама и папа. Ты хотя бы на секунду можешь забыть о своих желаниях и подумать обо мне?

И в тот же момент, как Иззи спросила это, Кэтрин машинально покачала головой.

— Мы оба заслуживаем лучшей жизни, — с грустью сказал Джефф. — Но наш брак все равно вот-вот рухнет, милая. Мне жаль, что все так складывается, но иногда лучше оборвать сразу все нити, чем дергать их по одной.

— Через год, когда тебе исполнится четырнадцать, ты сможешь выбирать через суд, с кем хочешь жить постоянно. Но пока тебе тринадцать, выбор за родителями, — добавила Кэтрин. — Родители всегда знают, как лучше.

— Лучше для кого? Разве мое мнение учитывать не полагается?

Но Джефф и Кэтрин смотрели на дочь не мигая, с одинаковым выражением лица, словно внезапно оглохли.

— А знаете что? Я считаю, что равные родительские права — полная фигня! И самое смешное, что и вы так думаете, просто не можете признаться в этом!

Иззи вскочила с места, взлетела по лестнице наверх и хлопнула дверью. Набрав номер Гэбби, она разрыдалась и лишь минут через пять сумела объяснить взволнованной подруге, что произошло.

Гэбби пришла в ужас и предложила Иззи перебраться пожить к ней.

— Я не хочу ни к кому перебираться! Я хочу собственную семью и собственный дом!

Она бросила трубку, а затем последовательно позвонила Шону и Энди. Оба приятеля не знали, чем ее утешить.

Девочка проплакала всю ночь, а за завтраком Джефф предложил ей все-таки самой выбрать график.

— Быть может, тебе больше по душе оставаться на одном месте по неделе или даже по месяцу? Я бы предложил тебе постоянно жить со мной, но это будет нечестно по отношению к тебе и маме. Вы же должны видеться.

— Должны? Кому мы должны? Мама вечно будет в разъездах, да и дома у нее не будет на меня времени. Я уже не маленькая и все понимаю. — Иззи шмыгнула носом и потерла опухшие глаза. — Может, попробуете примириться? У некоторых же получается.

— Это будет... неудобно для меня и твоей мамы. — Джефф вздохнул. Ему было невыносимо думать о том, через что вынуждена пройти его любимая дочка. Но брак развалился куда раньше, чем они с Кэтрин решились на развод. Уже много лет они были чужими людьми, сохранявшими видимость близости. Последний год оба посещали психолога: и вместе, и по отдельности. Брак умер, чувства высохли, словно прошлогодняя трава, и длить дальше подобный союз казалось безумием. Как можно жить под одной крышей, ложиться в одну постель с женщиной, которая тебя не любит и которую уже не можешь любить сам? Но для Иззи развод был новостью, с которой еще предстояло смириться.

— То есть если неудобно будет мне — это ничего, — горько произнесла Иззи и шлепнула ложкой по хлопьям, расплескав молоко. — Ну что ж, если я провалю экзамены, прошу не судить меня строго. Постоянно переезжать и ни разу не забыть нужную тетрадь с учебником — невозможно. И как только мне исполнится четырнадцать, я попрошу через суд дать мне возможность вообще жить отдельно от вас, я попрошу отдать меня в приют! И вам просто придется найти другое решение.

— Мы попробуем, — примирительно сказал ее отец, хотя знал, что ничего из подобной затеи не выйдет.

Еще через пару минут входная дверь закрылась: Иззи ушла в школу.

Единственное, что помогло девочке пережить этот день, а также другие дни, последовавшие за ним, не принося облегчения, была настоящая дружба. Она почти все свободное время проводила в доме О'Хара, где над ней ворковала и причитала Конни, а также болтала о всякой ерунде с Гэбби, чтобы немного отвлечься от своих проблем. Джуди искренне сочувствовала бедняжке, а Мишель умела поддержать и ободрить.

План о поочередной опеке над дочерью для Кэтрин так и не стал реальностью. Всякий раз, когда дочь должна была гостить в ее съемной квартире, Кэтрин была в отъезде, поэтому затея с переездами провалилась. Иззи жила с отцом и видела мать не чаще одного дня в неделю, только в выходные. Кэтрин выводила ее ужинать в город и разрешала приглашать в гости Гэбби, чтобы девочки могли вместе поплавать в бассейне. Иногда Иззи не видела мать по целому месяцу или еще реже, но даже столь редкие встречи едва ли были особо теплыми. Ее преследовала мысль, что она видит лишь оболочку настоящей матери, тогда как сама она находится где-то еще, проживая куда более полную и подходящую ей жизнь. Девочка довольствовалась любовью отца и друзей, а также расположением Конни О'Хара, которая была для нее как тетушка. Конечно, это нельзя было называть полной семьей, но со временем Иззи поняла, что и это не так уж мало.

Постепенно ее жизнь вошла в русло и стала казаться не столь уж и тоскливой.

Глава 4

Первым значимым событием в подростковой жизни неразлучной «Пятерки» стало то, что Билли и Гэбби «сделали это» за неделю до Дня благодарения. Гэбби сказала об этом по секрету сначала Иззи, а затем маме, сразу оговорившись, что Билли использовал презерватив.

— Да ничего особенного, — разочарованно призналась она подруге. — Я ожидала большего.

Для Билли все закончилось очень быстро, и он ужасно переживал из-за этого. К тому же Гэбби было больно, и она до крови прикусила себе губу. Они с Билли оба были девственниками, поэтому, наверное, их неопытный секс и не мог быть таким ярким и незабываемым, как они оба надеялись. Они встречались уже два года, почти не ссорились и обращались друг с другом с нежностью и заботой. Первый секс сделал их еще ближе, хотя и не был похож на сказку.

Мама Гэбби гордилась тем, что дочь сразу рассказала ей о столь важном событии своей жизни. А уж ответственность юной пары в плане предохранения заставила ее и вовсе прослезиться.

К концу недели о случившемся знала уже вся «Большая пятерка», как их по-прежнему звала Конни. Не то чтобы Билли что-то рассказывал ребятам, но то, как покровительственно он стал обнимать Гэбби за плечи, взгляды, которыми они обменивались украдкой, давали понять — «что-то было». Иззи продолжала считать, что пара слишком рано вступила во взрослую жизнь, но у Гэбби и Билли было собственное мнение. Они были влюблены, а свои чувства считали надежными и проверенными временем. Билли не имел ничего против презервативов, но Гэбби сообщила матери, что хочет попробовать противозачаточные таблетки. Они еще дважды занимались сексом у Билли,

когда его родителей и Брайана не было дома. Они выбира-
ли для этого обеденный перерыв, чтобы им никто не по-
мешал. Последний раз вышел куда более удачным, чем два
первых. Так Гэбби и Билли окончательно убедились в том,
что секс в отношениях — штука совсем нелишняя.

Накануне Дня благодарения Джуди записала Гэбби к
доктору, и тот прописал ей противозачаточные таблетки.
Пожалуй, именно это событие как-то отодвинуло Гэбби от
остальных друзей, словно она перешла в иную лигу.

Остальные продолжали жить какой-то детской жизнью,
ни с кем не встречаясь и даже не предпринимая попыток
завести отношения. Энди все время отдавал учебе, а Шон
был слишком застенчивым, поэтому девчонки даже не
смотрели на него. Что касается Иззи... она так тяжело переживала развод родителей, что отношения казались ей лиш-
ним грузом, нести который она не хотела. Она почти не видела мать, хотя та часто звонила ей из других городов. Иногда ей даже удавалось провести с Кэтрин целый уик-энд, но
это случалось столь редко, что относилось к разряду исклю-
чений. Иззи скучала по маме. Кэтрин и раньше не слишком
баловала ее вниманием, но тогда она хотя бы бывала дома,
создавая иллюзию полноценной семьи. Конечно, Джефф
снова пытался заполнить брешь в жизни дочери, но порой
тоска Иззи по матери становилась невыносимой.

Джефф все еще не нашел никого, с кем мог бы завя-
зать серьезные отношения, хотя уже целый год встречался
с одной женщиной. Поначалу он иногда приглашал своих
подруг домой, но в такие вечера ему приходилось мириться с едкими, но весьма меткими комментариями дочери.
Не то чтобы Джефф стремился связать себя новым браком, но мысль о том, чтобы найти близкого по духу человека и делить с ним дом, когда Иззи уедет в колледж, казалась ему довольно привлекательной. Жизнь бобылем, к
тому же без дочери, представлялась ему невыносимой.

Джефф понимал, что рано или поздно юная пташка вылетит из гнезда, и не тешил себя иллюзиями. Девочке надо повидать мир, пожить в городе побольше Сан-Франциско, и с этим ничего не поделать. Вся жизнь Джеффа строилась вокруг дочери, и в ее нечастые отлучки к матери дом казался ему одиноким и заброшенным.

Да, Джефф уже год встречался с коллегой по работе и в общем-то чувствовал себя рядом с ней комфортно. Однажды его угораздило привести свою подругу домой на ужин, и Иззи немедленно ее возненавидела. Джеффу было тридцать три, а его коллега была моложе. На следующий день даже этот незначительный факт дал Изабелле повод придраться к подруге отца.

— Она слишком молода для тебя.

Джефф выглядел озадаченным. Ему тоже казалось, что его избранница недостаточно взрослая, но связывал он это не с возрастом. Впрочем, его редко привлекали ровесницы.

— Но я ведь не собираюсь жениться на ней, мы просто встречаемся, — пробормотал Джефф.

— Только не заходи с ней слишком далеко, а то еще решит тебя окрутить. К тому же она какая-то глупая, — заявила Иззи. — Да, она гораздо глупее тебя.

— С чего ты так решила?

— Она задавала дурацкие вопросы. Переспрашивала по тысяче раз, уточняла всякую ерунду, словно вообще ничего не понимает. А ведь должна бы понимать, она же юрист. Либо она прикидывается глупой, либо она и в самом деле глупая. В любом случае ты заслуживаешь большего, — заметила Иззи, протирая вымытые после завтрака тарелки. Теперь хозяйкой в доме была она, что вполне устраивало и ее саму, и отца.

— Ну, таких умных, как твоя мать, больше не сыскать, — хмыкнул Джефф. — Не уверен, что я дотягивал до ее уровня. Она действительно умная женщина. — Мысленно он добавил также «холодная», но произносить этого не стал. — И знаешь, мне немного некомфортно жить рядом с гением. Мне нужна обычная женщина. Приятная, милая...

Иззи, обернувшись, бросила на него пристальный взгляд.

— Нет, папа. Тебе нужна умная. С глупой тебе быстро станет скучно.

Мать Иззи тоже нашла себе пару — одного из топ-менеджеров компании, на которую работала. Он недавно разошелся с женой. Иззи не видела его, а только слышала о его существовании от матери. После развода родителей прошло два года, и с тех пор она стала больше понимать в отношениях взрослых.

На День благодарения у Иззи с отцом не было особых планов, поэтому они приняли приглашение в гости от одной из его коллег — милой разведенной женщины с двумя детьми, почти ровесниками Иззи. Также было приглашено еще около десяти человек, так что вечеринка предполагалась шумной. Кэтрин все равно уехала в Нью-Йорк по делам с намерением провести праздники там же, у каких-то друзей.

О'Хара собирались встретить День благодарения с родственниками и друзьями. Им было за что благодарить уходящий год. Кевин успешно прошел реабилитацию в наркологическом учреждении. Он довольно сильно изменился, словно вновь стал тем милым парнишкой, который всем так нравился. Ему исполнилось двадцать два, и теперь он учился в городском колледже, получал только хорошие отметки и должен был защитить диплом в конце курса. Такие изменения пролились бальзамом на израненные сердца его родных. Кевин даже принес извинения семье на одном из занятий психологической помощи в Аризоне, особенно выделив то, что он был плохим примером младшему брату. Как же разительно отличалось его поведение по возвращении домой от того подросткового бунта, с которым он отправлялся в клинику!

Энди с отцом и матерью уехали к родителям его мамы в Южную Каролину. Джуди и Адам отправились в отель «Фермонт» с малышкой Мишель, а Гэбби предпочла остаться на День благодарения у Нортонов.

Мэрилин планировала скромный семейный ужин с Ларри, двумя сыновьями и Габриэлой. Мэрилин всегда готовила индейку сама, а Гэбби вызвалась ей помочь и пришла в дом своих друзей пораньше. Ей хотелось посмотреть, как готовят такую большую птицу, как индюшка. Мэрилин уже сервировала стол. Вместе они расстелили льняную скатерть, выставили лучший фарфор и хрустальные фужеры. Когда индейка поспела, аромат из духовки пропитал уже весь дом. За стол собирались сесть в шесть, так что Ларри ушел к приятелю смотреть футбол, пообещав не опаздывать. Но к шести его все еще не было, а звонки на мобильный оставались без ответа. Мэрилин с детьми ждали Ларри до семи. Индейка успела подсохнуть, и хозяйка дома с каждой минутой все больше мрачнела.

В семь тридцать, спустя полтора часа ожидания, они все же сели за стол. Бисквиты слегка подгорели, а индейку приходилось грызть зубами. Отсутствие Ларри старались не обсуждать, а в улыбке Мэрилин сквозила печаль. Однако яблочный пирог и домашнее мороженое были встречены с энтузиазмом, а после ужина все дружно убрали со стола остатки пиршества.

К десяти тридцати гостиная и кухня сверкали чистотой, и Мэрилин пошла наверх. Гэбби сделала вид, что не замечает слез в ее глазах.

Именно этот момент Ларри выбрал для своего возвращения. Он вел себя так, словно ничего не случилось. Дети мгновенно испарились, юркнув в подвальную игровую комнату, где можно было громко включить какой-нибудь фильм. А после просмотра Билли должен был отвезти Гэбби домой.

Мэрилин стояла на лестнице и смотрела сверху вниз. Судя по состоянию Ларри, он пил весь вечер. Глаза Мэрилин сверкали, хотя голос казался спокойным.

— Где ты был?

— Ужинал с другом, — бросил Ларри столь обыденным тоном, словно на дворе был любой другой день, а не День благодарения.

— Мы собирались ужинать вместе. Ты пропустил семейный ужин.

Их взгляды наконец встретились.

— Прости, но у меня появились другие планы, — буркнул Ларри, неловко поднимаясь по ступеням мимо жены и оттесняя ее плечом.

От него резко пахнуло алкоголем и чужими духами. Мэрилин успела заметить помаду на его шее, и этот факт, такой банальный и оттого еще более противный, стал для нее больнее пощечины.

— Ты отвратителен, — выдохнула она.

Ларри резко повернулся и схватил ее за предплечье, дернув на себя.

— Да плевать я хотел на твое мнение! — Он оттолкнул жену от себя, и она упала бы вниз с лестницы, если бы не успела схватиться за перила.

— Неужели это надо было делать именно сегодня? Именно в семейный вечер, когда тебя ждали дети? — Мэрилин семенила за пьяным мужем в спальню.

Ларри задержался на пороге, словно потерял ориентир, затем схватился за дверной косяк. Похоже, он был еще более пьян, чем Мэрилин показалось сначала. Поколебавшись, он подошел к кровати и неловко сел.

Мэрилин смотрела на мужа в ужасе. Он провел весь вечер с другой женщиной, а теперь как ни в чем не бывало сидел на семейной постели!

— Я делаю то, что хочу, — заявил Ларри. — К черту День благодарения и семейную жратву! И к черту тебя! — Последнюю фразу он произнес с каким-то особенным чувством, чуть ли не с наслаждением.

Мэрилин прикрыла глаза, радуясь, что мальчики не слышали его слов. Когда она вновь посмотрела на Ларри, он деловито стягивал носок. Почему она оставалась с ним так долго? Почему терпела его равнодушие, раздражительность, его пьяные выходки? Она давно подозревала Ларри в изменах, но получить столь явное, столь гадкое подтверждение своих подозрений было особенно больно. Прежде Мэрилин говорила себе, что мирится с поведением Ларри только ради детей, но теперь уже не была в этом уверена. Возможно, это был страх одиночества. Она боялась потерять человека, которого любила много лет, но не могла спасти своей любовью. В Ларри не было ничего, заслуживающего этой любви и этой жертвы. Ларри давно ее не любил.

— Возвращайся туда, откуда пришел. Я не хочу, чтобы дети тебя видели в таком состоянии, — спокойно произнесла она.

— Что? Ты о чем толкуешь? — У Ларри был отсутствующий взгляд. С носками он справился и как раз собирался завалиться спать. Кажется, комната шла для него кругом, потому что он часто дышал, стараясь подавить тошноту.

— Уходи. Немедленно.

Ларри даже не шелохнулся.

— Если ты не уйдешь, я вызову полицию.

— Ну-ну, вперед! — Он даже приподнял голову, чтобы усмехнуться. — Полицию она вызовет, как же! Да ты ни черта не можешь! — едко бросил он. — Просто заткнись и дай поспать.

Мэрилин взяла трубку и набрала 911. Она не собиралась вызывать копов, но ей хотелось припугнуть мужа и заставить убраться из дома.

Ларри вскочил с кровати и бросился к ней. Вырвав трубку из рук, он швырнул ее об стену, а затем изо всех сил двинул кулаком Мэрилин по лицу. Ее голова дернулась, по рассеченной скуле потекла кровь. Однако вместо страха в глазах мелькнула ненависть.

— Убирайся, Ларри! Сейчас же!

Что-то в ее тоне остановило его от второго удара. Неловко подняв куртку, валявшуюся на полу, он вышел из спальни и через несколько секунд хлопнул входной дверью.

Мэрилин трясло. Дрожащей рукой она прикрыла дверь комнаты, чтобы дети не могли заглянуть внутрь, когда пойдут спать. Сев на кровать, она разрыдалась. Все было кончено. Она слишком поздно поняла, в каком тупике буксовала ее жизнь. Следовало порвать с Ларри намного раньше.

Она позвонила ему утром, прежде чем он мог заявиться домой, и велела не возвращаться.

— На следующей неделе можешь забрать вещи, а сегодня я меняю замки. И подаю на развод. — В ее голосе не было и тени сомнения.

— Это ты меня довела вчера. Ты виновата в том, что я сорвался! — бросился в обвинения Ларри.

Он всегда так делал. Что бы он ни натворил — напился, флиртовал с другими, распускал руки, орал, — всегда виновата была Мэрилин. Ах, сколько лет она мирилась с этой ролью! Ларри изменял ей, возможно, годами, он бил ее и унижал при собственных детях, а она молчала.

— Все кончено. Я заполняю бумаги.

— Не сходи с ума! — Он все еще злился, но в тоне уже проступало недоумение. — Я приеду через пару часиков, и мы...

— Если ты сунешься в дом, я вызову полицию. И я думаю, увидев мои разбитые губы, они найдут основание для ареста. — Мэрилин повесила трубку.

Дети уже проснулись в своих комнатах, и она спустилась приготовить им завтрак. Не откладывая дела в долгий ящик, она вызвала рабочих поменять замки, заказав запасные ключи для ребят. Всего через час, когда Билли и Брайан спустились поесть, она протянула им ключи.

— Ни в коем случае не давайте их отцу при встрече, — предупредила Мэрилин. — Мы с ним разводимся.

Ее так волновала их реакция, но оказалось, ее слова совершенно их не удивили. Билли печально кивнул, а Брайан и вовсе выглядел обрадованным. Как будто Мэрилин разрубила некий гордиев узел, о котором сама не подозревала.

— Это потому, что он пропустил ужин? — спросил Билли. — Может, он был у важного клиента? — Билли всегда пытался оправдать отца.

— Поскольку наш развод касается всех нас, я буду с вами честна. Ваш отец пьет. У него есть другая женщина. А то, как он обращается со мной и Брайаном, вообще недопустимо для мужа и отца. — Мэрилин смотрела на Билли. — Возможно, он способен бросить пить. Но с меня хватит. — Позади осталось слишком много лет неуважения и обид, чтобы о них стоило сожалеть. Вчерашний удар в лицо — прежде Ларри никогда не позволял себе бить ее с такой силой — словно что-то изменил в сознании Мэрилин. — Я не хочу, чтобы он сюда возвращался. Вы можете встречаться с ним, когда он обзаведется жильем.

— А мне обязательно с ним видеться? — негромко спросил Брайан, и мать покачала головой.

— Но разве можно вот так запросто вышвырнуть его вон, мам? — Билли едва не плакал. — Это же и его дом тоже. Ему некуда пойти.

— Он может позволить себе съемную квартиру или отель. И поверь, у меня есть основания не пускать его в наш дом. — С этими словами Мэрилин повернулась лицом к свету, и Билли увидел глубокую запекшуюся ссадину на губе. На этот раз его отец зашел слишком далеко.

Билли молча встал и ушел к себе. Он не стал звонить Гэбби. Вместо этого он набрал номер Изабеллы, которая сразу поняла, что произошло нечто ужасное, такой мрачный у друга был голос.

— Что случилось?

В ответ Билли разрыдался.

— Успокойся, пожалуйста, — сказала Иззи в трубку.

— Вчера вечером отец ударил маму. Он и раньше распускал руки, но в этот раз не пришел на семейный ужин, а потом ударил ее... очень сильно. Они разводятся. Теперь я в таком же положении, как ты, — всхлипнул Билли.

— Мне очень жаль...

В доме Иззи никто никого не бил и не унижал. Ее родители просто разлюбили друг друга. Все произошло очень цивилизованно и прилично, без смены замков и разбитых лиц. Отец Билли никому не нравился. Он был грубым, раздражительным, резким, вел себя плохо не только с посторонними людьми, он ужасно обращался с близкими. Даже Билли, который сейчас так плакал, жалея отца, почти не видел его любви.

— Что теперь будет? — со страхом спросил Билли. Он оставался за старшего и должен был принять на себя ответственность, которая прежде лежала на отце.

— Теперь? Теперь станет легче, — пообещала Иззи. — Твоя мама вздохнет свободно, а значит, она станет счастливее. Да и Брайан обретет веру в свои силы. — Иззи видела, как год за годом мистер Нортон подавляет и унижает младшего сына. — А ты справишься, поверь мне. Я тоже плакала, когда мои родители развелись. А потом стало легче. Мы боимся неизвестности, но будущее не всегда должно пугать. Я не желала отпускать от себя маму, и только потом мне стало ясно, что ее никогда и не было рядом. Зато теперь в те редкие дни, что мы видимся, она действительно со мной. Ты не хочешь отпускать отца... но ты уверен, что это тот отец, о котором стоит мечтать? Его никогда нет дома, а возвращается он пьяным, и ему плевать на вас.

Всхлипывания Билли стали тише.

— Без него будет так... непривычно. — Он вздохнул.

Иззи была права. Мама была несчастна, да и младший братишка страдал от присутствия отца и больше любил те вечера, когда Ларри проводил время с клиентами.

— Да, поначалу будет непривычно, — согласилась Иззи, не видя смысла лгать, утешая друга. — Иногда даже больно. Но потом действительно станет легче. Возможно, гораздо легче, чем было прежде.

Билли долго молчал, а затем они пустились в обсуждение бытовых деталей — о встречах детей и родителей, о съемных домах и тому подобном. Наверное, это означало, что Билли принял факт развода. По крайней мере старался принять. Иззи поддерживала и успокаивала друга. Как в тот первый школьный день, когда она кормила четверых детей игрушечными гамбургерами и пончиками, создавая комфорт и уют в непривычной обстановке.

К тому моменту как Билли повесил трубку, на душе у него немного посветлело. Ему повезло с друзьями, думал он. Разве можно пройти через лишения и трудности, если у тебя нет настоящих друзей?

Спустившись через час в гостиную, он заметил, что его мама уже выглядит немножко другой — менее ссутулившейся, спокойной. Он улыбнулся ей, и она широко улыбнулась в ответ. Иззи оказалась права. Как, впрочем, и всегда.

Вечером Билли отправился к Гэбби и рассказал ей новости. Она совершенно не удивилась случившемуся. Они проговорили почти до рассвета, и все это время Гэбби держала Билли за руку.

Глава 5

Через год, как раз к концу средней школы, жизнь Нортонов совершенно наладилась. Билли, которому исполнилось шестнадцать, приглядывал за младшим братом и во всем ему помогал. Одиннадцатилетний Брайан хвостиком бегал за Билли на занятия по футболу, следил за каждой тренировкой и не пропускал ни одной игры. Ему нравилось наблюдать за игрой брата в защите.

Гэбби тоже ходила на все игры. Они с Билли по-прежнему были самой крепкой и неразлучной парочкой в школе. Даже учителя, не одобрявшие поначалу их ранний роман, постепенно прониклись теплом к юным влюбленным. Гэбби помогла Билли пережить развод родителей и во всем его поддерживала. Иззи и ребята тоже помогали советами и выручали в трудные моменты. Единственное, чего не смогла дать своему другу Иззи, — это совет, как мириться с новыми романами разведенной матери. Ей самой не приходилось сталкиваться с маминым ухажером. А Мэрилин начала ходить на свидания сразу после развода, и это очень расстраивало Билли. Отец тоже встречался то с одной, то с другой женщиной, и все они были немногим старше Билли. Ларри не делал секрета из того, что его влечет к юным горячим цыпочкам. Пожалуй, он даже гордился этим и рассказывал о своих победах каждому, кто готов был слушать, даже родному сыну. Пить Ларри так и не бросил. Наоборот, теперь он пил чаще и больше, порой совершенно себя не контролируя, и Билли переживал за отца.

Мэрилин почти сразу нашла работу риелтора. Она продавала коммерческую недвижимость. Пройти собеседование в крупной компании оказалось для нее не так уж трудно, а недостающие знания она получила на курсах повышения квалификации. Казалось, у нее был дар продавать даже самую безнадежную площадь, и удачи вдохновляли ее на новые сделки. В бракоразводном процессе, длившемся пол-года, Мэрилин отсудила дом, а сразу за этим познакомилась с Джеком Эллисоном, приятным разведенным мужчиной лет сорока, у которого было двое сыновей. Ему в городе принадлежал хороший ресторан, приносивший стабильный доход. Во время ленча в заведении редко пустовали места. Конечно, он не входил в разряд фешенебельных ресторанов с дорогими блюдами, но это был надежный бизнес, и за год до встречи с Мэрилин Джек Эллисон открыл в Напа-Вэлли второй ресторан, который как раз раскручивал.

Джек легко ладил с детьми Мэрилин, и это заставляло ее сердце сжиматься от благодарности и нежности. Брай-ан, не привыкший к вниманию взрослого мужчины, был от Джека в восторге, и даже Билли однажды сдержанно за-метил, что мама встретила неплохого человека. С Джеком Билли общался с легкой неприязнью, пытаясь сохранить лояльность по отношению к отцу, но на самом деле мамин друг ему нравился. Впрочем, дома Билли проводил мало времени, предпочитая общество Гэбби. Ларри редко нахо-дил для старшего сына время, оправдываясь чрезмерной занятостью, а с Брайаном и вовсе не виделся.

Зато Джек никогда не пытался избавиться от чужих де-тей. Он ездил по делам на ранчо в Напа-Вэлли вместе с Мэрилин и мальчишками, катал их на яхте, чем приводил в восторг Брайана. Мальчик считал Джека героем и тянул-ся к нему, как никогда не тянулся к родному отцу. Мэри-лин впервые чувствовала себя счастливой. Она призналась Конни, что в ее жизни произошло настоящее чудо. Един-ственным, кто продолжал сопротивляться «чужаку», был Билли, но Мэрилин верила, что со временем все образует-ся. Искреннее участие Джека должно было растопить лед.

Кроме разлуки с отцом и появления в доме чужого че-ловека, у Билли была еще одна проблема. Его отметки, спровоцированные семейными перипетиями, становились все хуже. Тренер с сожалением сообщил ему, что при таком раскладе Билли едва ли станет игроком сборной, даже если будет играть как легионер. Попасть в национальную сборную юниоров было мечтой Билли, и он понятия не имел, что будет делать, если не сдаст экзамены. С самого начала года в школу стали приезжать представители разных команд — из Флориды, Алабамы, Теннесси и прочих штатов, — которые отмечали успехи Билли на поле и были готовы немедленно принять его в команду. Ларри разместил видео с игрой сына в Интернете, и ролик получил множество просмотров и одобрительных комментариев с приглашениями пройти отборочные смотры, но плохие отметки могли поставить крест на футбольном будущем Билли.

Мэрилин наняла для сына репетитора, но его мудреные объяснения еще больше запутали Билли.

— Отец убьет меня, если я не смогу играть в колледже в футбол, — признался как-то раз Билли своей верной подруге Иззи. — А я безнадежно отстаю по всем предметам.

Гэбби пыталась помочь любимому, но у нее тоже не слишком ладилось с науками. Она всегда была середнячком и про колледж даже не помышляла. После школы она рассчитывала перебраться в Лос-Анджелес и стать актрисой. Она мечтала о сцене с детских лет, и теперь до заветной двери в будущее было рукой подать.

— А ты действительно так хочешь играть в футбол в колледже? — уточнила Иззи. Билли изумленно посмотрел на нее. — Ну, может, ты хочешь играть лишь затем, чтобы заслужить одобрение отца?

Мать хотела, чтобы Изабелла стала юристом, но это была последняя профессия, которую выбрала бы сама дочь. Она, конечно, уважала работу отца и восхищалась ею, но стать юристом... На самом деле Иззи понятия не имела, куда двигаться дальше. Ей одинаково нравилось представлять себя преподавателем или психологом, а иногда она думала, что могла бы стать медсестрой или поступить в Корпус мира. Ее интересовали люди, но не как социальные животные, зажатые в рамках законов, а как личности, удивительные создания, которых хочется опекать и защищать. На что направить свои стремления, Иззи не знала. Пожалуй, профессия школьного учителя была ей более других по душе, но Кэтрин была бы страшно разочарована, выбери ее дочь столь простенькую и скучную, на ее взгляд, работу. Кэтрин желала видеть Иззи в составе Лиги плюща, для которой ее отметок вполне хватило бы, но Иззи сопротивлялась, как могла. Она хотела остаться в Калифорнии, и отец поддержал это решение, сказав, что каждый сам выбирает свой путь. Вместо любого Гарварда Изабелла предпочла бы остаться дома с любимым папой.

— Ты чего? Конечно, я хочу играть в футбол, — кивнул Билли. — Я же с детства играю. Да я не представляю своей жизни без футбола! И меня приглашают в сборные, понимаешь? Это значит, у меня хорошие перспективы. — Так говорил и Ларри, а Билли не желал разочаровывать отца.

— Что ж... — Лицо подруги стало задумчивым. — Значит, тебе нужна помощь. — Она отлично училась, великолепно знала английский и историю. Энди тяготел к точным наукам и постоянно выигрывал на школьных математических конкурсах. Вместе они могли бы стать репетиторами для Билли. — Но придется много работать и учить. Ты готов трудиться не покладая рук?

Билли с энтузиазмом закивал и принялся уверять, что сделает все, что от него зависит, и даже больше.

Друзья составили для Билли учебную программу. Они мучили его правилами и задачами каждый обед в библиотеке. Иззи также работала с Билли после школы. Вместе с Энди она подтягивала его до самого окончания года, готовила к тестам и контрольным, и в итоге Билли получил по всем предметам твердую четверку, а по математике даже шальную пятерку благодаря усилиям Энди, сумевшего доступным языком превратить точную науку в увлекательное путешествие в мир цифр и правил. Результаты превзошли все ожидания начинающих репетиторов, и, вдохновленный их успехом, к Иззи и Энди присоединился Шон, чтобы помочь Билли с испанским. Билли не мог поверить успеху их предприятия, но друзья утверждали, что все дело в его настойчивости и упрямом движении к цели. Мэрилин, потерпевшая фиаско с профессиональным репетитором, была вне себя от счастья и гордости за сына. Мечта Билли вот-вот должна была осуществиться, равно как и мечта его матери, получившей предложение руки и сердца от Джека Эллисона.

Свадьбу назначили на август. Местом торжества выбрали ранчо Джека в Напа-Вэлли. Сыновья были первыми, кто узнал о предстоящем событии, как и хотела Мэрилин. Брайан пришел в неописуемый восторг, ведь Джек нравился ему больше, чем собственный отец. Зато Билли два дня подряд пил. Он сказал матери, что у него расстройство кишечника, но Иззи и Гэбби знали истинную причину его «недомогания». Да, Билли шокировала новость матери. Даже больше того: он был раздавлен. Именно тогда он впервые окончательно и бесповоротно осознал, что его родители больше никогда не будут вместе, что его отец не сможет вымолить прощение, а мама никогда не выслушает его оправданий. Ларри был не нужен Мэрилин, потому что теперь у нее был Джек.

Тем летом кончилось детство Билли. Он был настолько выбит из колеи этой свадьбой, что потихоньку стал пить и покуривать травку. Он неплохо прятал следы и умело маскировал свое состояние, поэтому никто не догадывался, что происходит. Однако на свадьбе он так напился, что почти отключился, и Шону с Энди пришлось тащить его до комнаты. Мэрилин была на седьмом небе от восторга и не заметила, что сына нет рядом, когда разрезала свадебный торт. Вечеринка закончилась лишь в четыре утра, и она призналась Конни, что впервые в жизни так счастлива.

— А где Билли? — спросила Конни у Шона чуть позже, заметив, что он тихо шепчется с Иззи за круглым столиком с закусками. Еду для свадьбы готовили повара из ресторана Джека, и все блюда были восхитительны.

— Не знаю, мам, — пожал плечами Шон, бросив быстрый взгляд на свою подружку по преступлению. — Наверное, устал и пошел спать.

В это время Билли только-только отключился в своей комнате.

Конни и Майк танцевали всю ночь. Свадьба была чудесной, и каждая пара ощутила прилив романтических чувств, глядя на молодоженов. Мэрилин призналась подруге, что они с Джеком хотят ребенка и планируют приступить к делу немедленно. Мэрилин было сорок два, и она полагала, что при современном уровне медицины в их мечтах нет ничего невозможного. Почему-то Конни пришло в голову, что подобный расклад едва ли одобрит старший сын, но к моменту родов он наверняка будет в колледже, где начнет жить самостоятельной жизнью. А Мэрилин, бедняжка, столько лет была несчастна, что заслуживала исполнения своего желания. Джек сходил по ней с ума, серьезно относился к ее детям, был легким на подъем и общительным. Сыновья Джека также были среди гостей и оказались очень приятными ребятами.

Супругам О'Хара нравился Джек. Родители Гэбби, Джуди и Адам, тоже были приглашены. Они привезли с собой Мишель, худенькую, глазастую и очень похожую на сестру, только менее румяную и подвижную.

Родители Энди приехать не смогли, поскольку оказались заняты. Мать срочно вызвали в больницу, а отец уехал в Лос-Анджелес на съемки нового шоу в целях рекламы своей книги. Энди привезли в Напа-Вэлли родители Шона. Отец Иззи, Джефф, приехал со своей подругой, которую, как знала Конни, его девочка недолюбливала...

Да, детям не нравились перемены, происходящие в жизни родителей, они с упрямством сопротивлялись новому, цепляясь за прошлое. Уже две пары успели пройти через развод, и в обоих случаях страдали дети. Впрочем, дети и сами менялись. Оставался всего год до колледжа.

Единственное, в чем были единодушны все взрослые, — это застарелая неприязнь к Ларри. Поэтому Джек с его легким характером и любовью к Мэрилин сразу завоевал их сердца. Это был мужчина, способный обращаться с женщиной, как с королевой, а Мэрилин, по общему мнению, того заслуживала.

На следующий после торжества день гости собрались в ресторане Джека на обед. Молодоженов собирались проводить в свадебное путешествие — Джек увозил новую жену в Европу. Для начала они летели в Париж, а затем на корабле отправлялись в Италию. Джек пригласил и всех мальчишек, но Брайан был подвержен морской болезни, а Билли просто отказался, поэтому братьев оставляли под присмотром семейства О'Хара. Родных детей Джека его бывшая жена забирала в Чикаго.

После отъезда молодоженов гости засобирались в город. Брайан всю дорогу оживленно болтал с Шоном, восхищаясь добротой и внимательностью Джека. Зато Билли почти все время мрачно молчал. Его мучила чудовищная головная боль, связанная с излишним алкоголем, выпитым накануне. Конни решила, что он просто устал, когда, оказавшись дома, Билли сразу же поднялся в комнату Шона и лег в постель.

Перед сном Конни вспоминала события прошлого. Перед ее взглядом снова проплывали забавные моменты давних лет. Вот первый день, когда встретились Изабелла,

Шон, Энди, Габриэла и Билли. Вот «Большая пятерка» плещется вместе в бассейне, вот они болеют за Билли во время футбольного матча...

Удивительно, что Мэрилин хочет еще одного ребенка. Это была смелая попытка начать все сначала, с чистого листа, целиком вложившись в новую жизнь. Конни бы так не сумела. Они с Мэрилин дружили — подумать только! — целых двенадцать лет. Школьные годы «Большой пятерки» подходили к концу. Двенадцать лет с первой встречи промелькнули, как один день.

Глава 6

Мэрилин и Джек вернулись из медового месяца через три недели. Стоял теплый сентябрь, Брайан стал семиклассником, а «Большая пятерка» перешла в последний класс и разминалась перед финальным броском — вступлением во взрослую жизнь.

Мэрилин пригласила Конни на ленч, желая поблагодарить за заботу о мальчишках. Подруга заверила ее, что ребята не доставили ей никаких хлопот.

— Майк, Шон и твои сыновья просто переполнили дом тестостероном, — рассмеялась Конни. — Поверь, я умею ладить с парнями, с девчонкой мне пришлось бы туго. — Она представила, как нелегко ей дался бы уход, к примеру, за Мишель, сестренкой Гэбби. — Кстати, ты заметила, что Мишель становится все более... хрупкой? Словно тает день ото дня, честное слово! Я беспокоюсь о ее здоровье. Хотела поговорить с Джуди на твоей свадьбе, но как-то не решилась ее расстраивать в такой день. Джуди думает только о Габриэле, волнуется за нее, а Мишель почти не замечает. А между тем девочка явно близка к анорексии.

— Я тоже заметила, — кивнула Мэрилин. — Наблюдаю за изменениями уже какое-то время, не могу понять, нормально это или нет. Даже не знаю, как сказать Джуди, что творится неладное, если она сама не видит.

— И я не знаю. Мне так нелегко было слышать от посторонних людей дурные вести о Кевине, но я благодарна им за то, что они вовремя открыли мне глаза. Иногда дети очень скрытны, а иногда мы просто слепы, когда с близкими происходит нечто дурное.

— Да уж... Кстати, как Кевин?

— О, великолепно! Учится. Понимаешь, учится, а не валяет в колледже дурака. В следующем году заканчивает последний курс. Кевин много пропустил и успел подзабыть школьную программу, пока проходил реабилитацию, поэтому учеба дается ему не особо легко, но он старается. Он занимается спортом... — Конни внезапно осеклась. — Я хотела тебе кое-что рассказать. Видишь ли, я нашла под кроватью Билли несколько пустых бутылок. Решила, что они с Шоном устроили пирушку вечером. Конечно, им уже по восемнадцать, но я все равно устроила разнос в воспитательных целях. Оба признали вину, но мне кажется... в общем, тебе следует знать мое мнение. Билли все еще расстроен твоим разводом. Он считает, что ты слишком быстро вышла замуж. Джек ему нравится, но Ларри его отец. Он пытается проявлять лояльность к отцу, и это разрывает его на части. Конечно, Джек подходит тебе гораздо больше, и Билли это знает.

— Потому я и выбрала Джека, — улыбнулась Мэрилин. У нее было спокойное лицо счастливой женщины. — Мне кажется, Ларри слишком давит на сына, поэтому Билли не может до конца принять наш брак с Джеком. Вот Брайан не общается с отцом, поэтому не чувствует, что разрывается, как ты говоришь, на части. Думаю, для Билли будет лучше, когда он поступит в колледж и уедет подальше от Ларри. — Мэрилин вздохнула. — Кстати, Ларри пьет без перерыва. Как только он ухитряется вести дела и сводить концы с концами?

По слухам, Ларри каждый вечер ложился в постель пьяный в стельку и в обнимку с очередной девицей, вдвое младше его. Это было бы нелепо и смешно, если бы не вызывало жалость. Билли не нравилось поведение отца, и хотя он не критиковал его образ жизни, порой у него вырывались комментарии, полные досады.

— Билли говорит, что еще не выбрал, куда пойти учиться, — доложила Конни. — А ведь сроки поджимают.

С ранней весны за Билли охотились высшие учебные заведения с успешными футбольными командами, и выбрать лучшую представлялось нелегкой задачей.

— Не может определиться, — вздохнула Мэрилин. — И Ларри подливает масла в огонь.

— Майк обещал ему посещать все большие игры, даже если матч будут проводить в другом штате.

— Мы с Джеком и Брайаном обещали ему то же самое.

— Возможно, Билли выберет Южнокалифорнийский университет, чтобы быть поближе к Гэбби. Там сильная команда, — заметила Конни.

— Джек волнуется, что Билли рвется в большой футбол лишь для того, чтобы заслужить одобрение отца. — Мэрилин вздохнула. — Ведь с самого рождения сына Ларри интересовала только его будущая звездная карьера, а не сам Билли. Джек пытался объяснить ему, что звездами становятся далеко не все, что футбольная карьера чревата травмами, переездами, да и карьера эта весьма короткая, но Билли даже слышать ничего не хочет.

— Полагаю, у вас только один выход — принять точку зрения сына. Тем более что у него есть все шансы стать звездой. Он слишком давно шел к своей цели, столько преград преодолел, что сейчас ему нужна не критика, а поддержка. Конечно, Билли нельзя запускать и основную учебу, но, кажется, он уже знает, как важны хорошие отметки для будущего футболиста национальной сборной. Пусть попробует. Не каждому дается такой шанс.

— Джек тоже так думает. Просто он желает Билли счастья. Не только упрямого движения к цели, но и простого счастья.

— Быть может, для Билли движение к заветной цели и есть счастье, — тихо сказала Конни. — Его глаза блестят, он улыбается, когда выходит на поле. Примерно так же блестят глаза Шона, когда он пытается объяснить мне на пальцах теорию права или законы штата. Конечно, мечта Билли кажется почти недостижимой, и у нее высокая цена, но таков выбор твоего сына.

Увы, далеко не все успешные игроки, с которыми общался Ларри, были счастливыми людьми. Зачастую они жаловались на пустоту в жизни, особенно после заката карьеры, к тому же большинство страдало от застарелых травм. Как бы хорошо ни платили футболистам национальной сборной, никакие деньги мира не могли излечить ночные боли в коленных чашечках и сломанных голенях. Мэрилин знала, что ждет ее сына в будущем, если он добьется цели. Ларри хотел, чтобы сын осуществил то, что не удалось осуществить ему самому, и по иронии судьбы все складывалось в соответствии с его замыслами. Мэрилин не могла ничего исправить, особенно теперь, когда Билли был близок к исполнению своей мечты.

— Как прошел медовый месяц? — спросила наконец Конни, меняя тему. И конечно, ответ читался на лице Мэрилин, таком умиротворенном, таком довольном.

— Потрясающе! Париж меня изумил, а путешествие на теплоходе до Италии показалось сказочным сном. Джек так предупредителен! Мы провели несколько дней в Риме, потом поехали во Флоренцию. А еще мы побывали в Лондоне. Было чудесно! Джек постоянно меня баловал. Я так привыкла к мужской заботе, словно и не было брака с Ларри, понимаешь?

Мэрилин и сама знала, что в ее уютном семейном счастье есть слабое звено — пусть не враждебное, но отстраненное отношение Билли к Джеку, однако надеялась, что со временем доброта нового мужа сможет растопить лед в сердце старшего сына.

— Расскажи что-нибудь еще! Мне так интересно!

— Ох, у меня есть одна новость, которой мне не терпится поделиться с ребятами. — Лицо Мэрилин просияло, выдавая ее тайну. — Я беременна! Срок три недели, но вчера я была в клинике, и там подтвердили мою догадку. — Доктор, наблюдавший вторую беременность Мэрилин, уже прекратил практику, и Мэрилин решила довериться матери Энди — Хелен Уэстон. Она сразу поняла, почему пациентки так любят Хелен. Та оказалась внимательным и чутким врачом, причем сразу же успокоила ее насчет поздней беременности.

— Сейчас многие решаются рожать в сорок и позже, медицина не стоит на месте. Правда, определить, что патологии нет, можно только после двенадцатой недели и проведения всех необходимых тестов. Риск невынашивания ребенка у женщин за сорок несколько выше, но тут важен грамотный уход и постоянное наблюдение врача. Сообщай мне обо всех необычных симптомах и делись беспокойством.

— На будущей неделе мне предстоит сдать несколько анализов, — сообщила Мэрилин Конни доверительным тоном. — Главное — не поднимать тяжести и не перегружать себя работой. Хелен сказала, что после сорока на свет чаще появляются близнецы. Джек уже видит себя отцом двух славных девчушек. Ты же знаешь, на двоих у нас четыре мальчика, пора бы разбавить мужское общество.

— Все произошло так быстро, — прошептала Конни с улыбкой, глядя в счастливое лицо подруги. — Даже не верится, что всего месяц назад ты только задумалась о ребенке.

— Словно по плану, правда? — Мэрилин рассмеялась. — Это случилось в Париже, поэтому рожать мне в тот самый день, когда наши мальчишки сдадут последний вступительный экзамен.

— Ой, вечно ты удачно подгадываешь даты! Вспомни, как ты привела Билли в школу едва ли не со схватками!

— Я тоже вспоминала об этом. Как думаешь, что скажут мои мальчики? Брайан, наверное, будет рад, ведь ему так нравится Джек, а вот насчет Билли я сомневаюсь. — Мэрилин наморщила нос и вздохнула. — Он так тяжело воспринял новость о нашей свадьбе, а теперь вот еще и ребенок. Но у нас с Джеком нет в запасе пары лет, за которые Билли примет наш брак или хотя бы смирится. И знаешь, я очень рада, что все случилось так быстро и легко. Если бы мне пришлось проходить курс подготовки, пить гормоны и стимуляторы, это омрачило бы нашу радость. А сейчас мы просто ждем счастливого момента, когда малыш появится на свет. Жалко лишь, что Билли не сможет разделить нашу радость.

— Он справится, — заверила ее Конни. — Он сильный парень и любит тебя. Через пару месяцев после родов он уедет в колледж, где для него начнется совсем другая жизнь. А по окончании учебы, как правило, мало кто из выпускников возвращается домой. Кевин, например, хочет найти работу в большом городе, так что видеться мы будем редко. Так часто бывает. Если Билли будет приезжать на День благодарения или Рождество, это уже будет большая удача. А если у него заладится с футболом, то и на это я бы не рассчитывала: все время будут занимать разъезды, тренировки... Малыш в родном доме для него будет просто дальним родственником, посторонним крохой, которого не надо водить на прогулки, с которым не надо возиться. Зато для вас с Джеком он станет утешением, когда старшие сыновья покинут дом.

— Ты так говоришь, словно уже скучаешь по Кевину, а заодно и по Шону, хотя он еще не поступил в колледж!

— Конечно, скучаю! Мне даже самой захотелось родить ребеночка, чтобы компенсировать пустоту, на которую он меня обречет. — Конни засмеялась. — Ты же понимаешь, едва Кевин найдет хорошую работу, он снимет отдельное жилье и переедет, а через год уедет и Шон. Как опустеет наш дом, ужас! Время так быстротечно, так стремительно. Не будь я на три года старше тебя, я бы, пожалуй, тоже решилась родить третьего. Но мне поздновато играть в дочки-матери. Не в семьдесят же мне встречать из колледжа третьего ребенка, правда? И потом, моя поздняя беременность свела бы на нет все требования Майка, чтобы я ходила по дому совершенно голая, когда ребята уедут. А еще он мечтает отправиться путешествовать. Он ждал этого двадцать лет, так что рождение третьего спутает все его планы. Роды в возрасте за сорок — не для меня.

— Я тоже так думала, — улыбнулась Мэрилин, положив руку на живот.

Джек отправился в клинику на УЗИ вместе с Мэрилин. Они держались за руки и с замиранием сердца следили за тем, как медсестра достает гель, смазывает живот Мэрилин и начинает водить по нему датчиком. Все трое перевели взгляд на монитор, напряженно вглядываясь в странные темные волны. Затем по щелчку какой-то кнопки изображение замерло. Еще через несколько секунд медсестра лучезарно улыбнулась обоим и, извинившись, торопливо вышла из кабинета.

Слезы заструились по щекам Мэрилин.

— Что-то не так, — внезапно севшим голосом прошептала она.

Оба вглядывались в застывшую на экране картинку, но не видели ничего, кроме размытого серого пятна. Без помощи врача они вряд ли могли распознать, что именно видят, но медсестра вышла без каких-либо объяснений. По лицу Мэрилин все так же текли слезы. Джек был обеспокоен не меньше, но старался не выдавать волнения, чтобы поддержать любимую. Он всю жизнь искал такую, как она, и больше всего на свете хотел, чтобы ее глаза никогда не проливали слез, однако в данной ситуации был бессилен. Джек знал, как не повезло Мэрилин с первым мужем, и не хотел, чтобы она вновь испытала страдания.

Джек тайно ненавидел Ларри за боль, которую тот причинил Мэрилин, но никогда не позволял своим эмоциям проявиться дома, при мальчишках. Он мечтал, чтобы его старания, его любовь стерли грязный, липкий след, оставленный Ларри в жизни бывшей жены.

Джек стиснул пальцы Мэрилин, и бриллиант на ее обручальном кольце чуть царапнул его ладонь. В этот момент в кабинет вошла Хелен. На ее шее болтался стетоскоп. Она улыбалась. Мэрилин, увидев Хелен, одновременно и расслабилась, и напряглась всем телом. Она поняла, что с плодом действительно что-то не так, раз медсестра позвала врача для объяснений. И все-таки она надеялась, что проблемы не так страшны, какими ей рисуются.

— Давайте посмотрим, — сказала Хелен, улыбаясь обоим. Сняла стетоскоп с шеи и переложила в карман белого халата.

— Что-то не так с... плодом? — Мэрилин готовилась к самому ужасному: нарушениям развития, замершей беременности, потере ребенка. Она знала, что большинство патологий выявляются, как правило, на ранних сроках.

— Да все в порядке, — мягко сказала Хелен. — Просто я сама хотела сообщить хорошие новости. — При этих словах

Мэрилин перестала плакать и так сильно вцепилась в руку Джека, что ногти впились ему в кожу. — Элейн позвала меня, чтобы я взглянула на изображение и подтвердила диагноз. И у меня отличные новости. Я надеюсь, вы будете рады. — Хелен несколько секунд изучала экран, а затем снова повернулась к Джеку и Мэрилин. — Кажется, у вас будет двойной день рождения. Я отчетливо вижу двойню.

Мэрилин порывисто обняла наклонившегося к ней Джека и разрыдалась, на этот раз открыто. У Джека в глазах тоже стояли слезы, он целовал любимую в рыжие волосы и смеялся. Он всегда хотел иметь огромную семью, но понимал, что время безнадежно упущено. Однако судьба давала ему шанс, на который он не мог и рассчитывать. У них будет большая семья, о которой Джек прежде мог лишь мечтать.

— Это точно? — на всякий случай спросил он.

— О, совершенно точно, — заверила Хелен.

— Значит, никаких ужасов твоя помощница не видела? Это правда? Ничего больше? — шмыгая носом, спросила Мэрилин.

— Куда уж больше! — засмеялась доктор. — У вас и так будет двое. Имей в виду, дорогая, что последние месяцы тебе придется лежать на сохранении, если хочешь выносить обоих. А учитывая, каких больших детишек ты рожала до этого, вероятность выкидыша возрастает. Учти, живот будет гигантским. — Она помолчала. — И перестань себя накручивать. У тебя и так гормоны шалят, не надо придумывать себе всякие кошмары.

— Да-да, я все поняла, — послушно закивала Мэрилин.

— Кстати, ты уже сказала мальчишкам?

— Нет, хотела сначала убедиться, что все в порядке, а уж потом сообщать детям.

— Тогда давай дождемся двенадцати недель и важных тестов. А потом скажешь. После трех месяцев тебе не удастся скрывать беременность, у тебя же будет двойня.

Джек и Мэрилин согласились со всем.

Хелен выдала им витаминов, справочник о том, что можно, а чего нельзя делать беременным (большую часть правил Мэрилин и без того помнила), а также книгу по ведению двойной беременности.

Через двадцать минут будущие родители уже ехали в машине домой. Оба были невероятно взбудоражены. Джек постоянно гладил руку Мэрилин и говорил, как сильно ее любит. Они обсуждали, как трудно будет скрывать от окружающих прекрасную новость, но благоразумие взяло верх, и они единодушно решили, что стоит немного повременить с признаниями. К тому же Мэрилин тревожилась, как воспримет весть о беременности ее старший сын. Брайан наверняка будет только рад пополнению в семье, а вот реакцию Билли предсказать трудно. Парень так старался, так исправлял свои оценки, пытаясь примириться с переменами в жизни! Ему предстояло выбрать лучшее учебное заведение, а внезапное признание матери могло смешать все планы. Мэрилин не хотела расстраивать сына.

Она позвонила Конни, как только приехала домой. Подруга пришла в неописуемый восторг, узнав, что пара ждет двойню.

— Да ладно! Не может быть! Фантастика! — восклицала Конни. — Как ты восприняла новость? Ты вроде хотела много детишек.

— Да мы вне себя от счастья! Вот только поначалу мы с Джеком страшно перепугались, когда медсестра вышла из кабинета, ничего не сказав. Это было так похоже на бегство, что я предположила самое худшее. Понимаешь, несколько долгих минут я прощалась с беременностью, думая, что малыш мертв. А потом пришла Хелен и сказала, что будет двойня, — радостно сообщила подруге Мэрилин.

Джек поцеловал жену в щеку, прежде чем уйти в ресторан для беседы с шеф-поваром.

— Пока, мамочка, — сказал он улыбаясь.

— Ох, надеюсь, меня не положат на сохранение до выпускного Билли. Я просто обязана быть на празднике! Но кто знает, ведь двойни часто появляются на свет раньше срока.

— Все будет хорошо. Ах, как хочется поглядеть на две похожие мордашки!

— А мне-то!

Они поговорили еще немного. Мэрилин призналась, что мечтает о двух девочках, но и мальчикам будет невероятно рада.

Двойня! Новость была такой волнующей, такой чудесной! Весь день Мэрилин порхала по дому, размышляя о том, как изменится ее жизнь. Годы, проведенные бок о бок с человеком, который ее не ценил и постоянно обижал, отучили мечтать и верить в чудеса. Но вот она встретила хорошего человека, а теперь по Божьей милости у нее появится шанс родить от него детей. Разве это не было чудом?

Джек позвонил днем и спросил о самочувствии. Мэрилин честно призналась:

— Я просто вне себя от счастья.

К началу ноября живот немного округлился, и эта округлость стала заметна. Скрывать очевидное было все сложнее. К тому же Мэрилин любила узкие юбки и блузки, поэтому переходить на мешковатую одежду не хотела. По расчетам врача, она была уже на одиннадцатой неделе, и ее беременность протекала вполне нормально. Утренняя тошнота почти не доставляла неудобств, да и грудь увеличилась на целый размер и продолжала расти, а в остальном все было в порядке.

За две недели до Дня благодарения Билли принял наконец решение и выбрал Южнокалифорнийский университет. У них была отличная футбольная команда, к тому же учеба там позволяла быть рядом с Гэбби, которая собиралась покорять Лос-Анджелес. К тому же команда университета недавно лишилась полузащитника, и Билли вполне мог пройти отбор на это место. Его подруга жаждала сделать карьеру модели и актрисы, поэтому очень радовалась, что он будет рядом и поддержит ее. Родители сняли для Гэбби в Лос-Анджелесе квартиру, куда Билли мог приезжать и оставаться на ночь. Будущее рисовалось обоим радужным и прекрасным.

Сделав самый главный выбор, Билли расслабился. В Этвуде он превратился в местного героя, поскольку мог стать известным футболистом. Друзья уважали его за целеустремленность и настойчивость. Гэбби обожала за внимание и заботу. Отец хвалил за достижения. В общем, парень лучился счастьем, и мать сочла момент благоприятным для признания.

Джек и Мэрилин пригласили Билли и Брайана на ужин в ресторан накануне Дня благодарения. Джек специально позвал семью в город, чтобы не вынуждать жену стоять весь день у плиты. Он старался освободить ее от домашних дел.

Ужин проходил в мирной атмосфере, и под финал Джек заказал бутылку шампанского. Он налил полбокала Билли и плеснул пару капель Брайану, поскольку они расположились в закрытой части ресторана, а повод был солидным.

Мэрилин обменялась с мужем многозначительными взглядами, а затем улыбнулась сыновьям.

— Мы должны поделиться с вами одной новостью.

Ребята затихли. Уже по налитому в бокалы шампанскому оба догадались, что произошло событие из ряда вон выходящее.

— Вы разводитесь? — пискнул Брайан в испуге.

— Кто же пьет шампанское по случаю развода? — засмеялся Джек. — Если бы речь шла о разводе, мы бы пили виски и рыдали в голос. А в нашем случае новость скорее прекрасная, чем ужасная. Скажу больше: это лучшее событие в моей жизни.

Брайан шумно выдохнул.

— Ты так здорово сказал... — Мэрилин расчувствовалась и шмыгнула носом. — В общем, у нас... у нас будет малыш. Точнее, сразу два малыша. Я беременна двойней. Младенцы появятся на свет в июне. Мы с Джеком хотели, чтобы вы узнали об этом первыми.

Ребята молча смотрели на мать, затем Брайан неуверенно улыбнулся.

— Как странно, — сказал он, хитро щурясь. — А вы не слишком... пожилые для того, чтобы заводить детей?

— Нет, мы еще достаточно молоды, — ответил Джек мягко.

Билли некоторое время молчал, с каменным выражением на лице смотря на мать.

— Это ведь шутка? — выдавил он наконец сквозь зубы, выпятив подбородок. — Шутка, да? — Глаза его предательски блестели.

— Нет, солнышко, не шутка. — Мэрилин вздохнула. — Но по ночам тебе вскакивать не придется, ты же будешь учиться.

Она уже планировала переделать гостевую спальню рядом с комнатой Билли в детскую для близнецов. Дом был достаточно большим, чтобы вместить огромную семью.

— Но ведь это нелепо! Вам что, мало четырех сыновей на двоих? А если через пару лет вы решите, что устали друг от друга, что станет с этими бедными детьми? Каждый возьмет себе по одному, да?

В Билли кипела обида, в словах читалась застарелая боль от развода родителей.

— Не думаю, что произойдет нечто подобное, — спокойно ответил Джек. — Я и твоя мать прекрасно отдаем себе отчет в том, что делаем. Если бы мы не были уверены в наших отношениях, то не стали бы заводить детей.

— А что, если это вам только кажется? Если вы передумаете, а будет уже поздно? Смотрите, как получилось у родителей Иззи, как вышло у нас. Как ты можешь быть уверена? — Билли обращался теперь только к матери. — Была семья, а потом ее не стало. Отец одинок, он в ужасном состоянии, а ты взяла да и вышла замуж за другого, хотя пару лет назад никто и предположить такого не мог.

Мэрилин не стала говорить, что отец Билли был в ужасном состоянии задолго до развода. Это было бы слишком жестоко. Хотя Билли уже исполнилось восемнадцать, он все равно был ранимым и эмоциональным, и с этим следовало считаться. Беременность матери виделась ему едва ли не предательством, и только терпение и такт могли исправить ситуацию.

— Я не хотела расстраивать тебя, Билли, — сказала Мэрилин со вздохом и попыталась взять сына за руку, однако тот отдернул ладонь.

Билли за ужином больше не проронил ни слова. Когда все встали из-за стола, он вышел на улицу первым, резко, решительно шагая. По возвращении он переоделся и отправился к Гэбби, так и не поздравив Мэрилин.

Через пять минут Джек нашел жену плачущей в ванной комнате. Она сидела на краю ванны и гладила ладонью живот.

— Как ты? — спросил он, присаживаясь рядом на корточки. — Сильно расстроилась? Мне жаль, что Билли так воспринял новости. Но он справится. Во многом твой старший сын еще ребенок, поэтому нуждается в понимании. — Мэрилин согласно кивнула и обняла мужа за шею. — Все наладится, поверь, — продолжал он. — Билли увидит малышей и сразу их полюбит. К тому же он будет здесь только на каникулах, и то нечасто. Он будет так скучать, что забудет все обиды. И каждый приезд будет полон радости.

Они вышли из ванной в обнимку и столкнулись с Брайаном.

— А вы уже знаете, кто родится? — с любопытством спросил он. — Мальчики? Девочки?

Лицо Мэрилин осветила улыбка.

— Пока не знаем. Но как только узнаем, сразу же сообщим. У тебя есть предпочтения?

— Естественно. — Брайан закатил глаза, словно поражался недогадливости матери. — Пусть будут мальчики. Мы с Билли будем учить их играть в бейсбол. Это будет так классно! — Судя по всему, Брайан примеривал на себя роль старшего брата, и она была ему по душе.

— Девочек тоже можно учить бейсболу, — заметила Мэрилин.

Они спустились в гостиную.

Брайан стянул со стола печенье.

— Да нуууу... С девчонками скучно, — заявил он.

— Ты не всегда будешь так думать, — сказал Джек, подмигивая.

Мэрилин радовалась, что хотя бы младший сын воспринял известие о ее беременности хорошо. Жаль, что Билли видел ситуацию иначе, но время лечит любые раны.

В тот вечер Билли изливал душу Гэбби. Вопреки его ожиданиям, выслушав жалобы, его подруга высказалась в неожиданном ключе.

— Ну разве не здорово будет взять на прогулку пару пухлощеких карапузов, когда мы приедем на каникулы? — мечтательно пропела она.

После этого Билли совсем помрачнел и ушел в себя. Наутро у его постели Мэрилин нашла две пустые пивные банки. Она ничего не сказала сыну, но здорово обеспокоилась по поводу выбранного им способа решать проблемы. Дурной пример отца мог завести Билли далеко по этой скользкой дорожке.

Мэрилин напомнила себе, что в возрасте Билли многие парни покупают тайком пиво и это еще не повод бить тревогу. Она рассказала о находке Джеку, и тот разумно рассудил, что форсировать события не стоит, однако с Билли надо быть внимательнее.

Сам День благодарения в новой семье Нортон-Эллисон прошел гораздо веселее, чем в прошлом году. Дети Джека присоединились к празднованию, в гости пришла Гэбби. Она помогла Мэрилин накрыть на стол и выставить угощения, которые Джек заказал в ресторане. Им помогали два официанта, которых также нанял Джек. Мэрилин оставалось просто расставить посуду и ждать, пока ее обслужат. Ужин был изысканным и вкусным.

У всех было чудесное настроение. Исключение составлял только Билли, который был несколько мрачен и все время молчал. Дети Джека пытались разговорить его, но все было тщетно. Даже на вопросы о футболе и новой команде он отвечал коротко и сквозь зубы, словно это не было его любимой темой. После ужина Билли укрылся в своей комнате с Гэбби. К ее удивлению, он достал из бельевого шкафа бутылку текилы и налил две рюмки. Гэбби насупилась и отказалась пить.

— Ничего хорошего в этой затее нет, — сказала она с легким укором. — Понятно, что ты расстроен, но алкоголь не изменит ситуацию. Ты можешь только навредить себе, но факт останется прежним — скоро у тебя появятся двое братьев или сестренок. Просто смирись. Зачем напиваться?

— Полагаешь, можно напиться с одной рюмки текилы? — Билли пожал плечами. — И при чем тут дети и беременность матери? Мне плевать на это! Я пью за День благодарения, черт побери!

Прежде Билли никогда не говорил с Гэбби таким тоном, и когда она отказалась выпить, он опрокинул в себя и вторую рюмку текилы. Конечно, она уже видела его пьяным на вечеринках, где пили абсолютно все, но никогда прежде Билли не пил с горя. Даже развод родителей не подтолкнул его к бутылке. Впервые он напился на свадьбе матери, но тот раз можно было счесть случайностью.

— Послушай, ты же спортсмен. У тебя скоро отборочные игры. Тебе нельзя напиваться, — напомнила Гэбби, смотря на него неодобрительно.

— Не надо мне указывать, что правильно, а что неправильно. Можно подумать, что ты старуха, а не юная девчонка, с которой я давно встречаюсь, — фыркнул Билли.

В этот момент он был похож на своего отца. Это было такое неприятное сходство, что Гэбби молча встала и ушла.

Мэрилин удивилась тому, как быстро их гостья распрощалась. Конечно, она видела, что Билли не в духе. Если бы народу было чуть меньше, его мрачный вид и поведение разрушили бы уютную семейную атмосферу праздника. Билли всем видом давал понять, что не желает разделить счастье матери и ее нового мужа. Дети Джека, узнавшие о беременности перед ужином, были немного удивлены, но также и обрадованы. Они тоже надеялись, что родятся мальчики.

В понедельник во время уборки Мэрилин нашла в комоде сына початую бутылку текилы и две рюмки. Теперь она встревожилась не на шутку. Ее даже слегка затошнило при мысли, что Билли может спиться.

Она сразу же набрала номер Конни и рассказала ей о своей находке.

— Черт, я не хочу, чтобы он превратился в еще одного Ларри. Я начинаю подозревать, что мой сын пьет с того самого момента, как мы с Джеком поженились. Теперь у него добавился еще один повод залить горе.

— Да, паршивый повод, — вздохнула Конни. — Знаешь, я нашла у Кевина в шкафу бутылку водки. Он был паинькой так долго, что я перестала ждать подвоха. К тому же он совершеннолетний, а значит, имеет право делать со своей жизнью все, что захочет. Но он живет в нашем доме, хотя ему уже двадцать четыре. Если он начнет пить, то покатится по наклонной. Майк хочет, чтобы Кевин начал помогать ему в работе, а после выпускного перешел на полный график. Однако Кевин терпеть не может строительный бизнес, да и на побегушках быть не собирается. Ведь Майк обращается с ним достаточно жестко, полагая, что Кевину нужна железная рука.

— Ох уж эти дети! — воскликнула Мэрилин. — Порой кажется, что они желают нам смерти.

Конни невесело рассмеялась. Они обе знали, что ситуация отнюдь не смешная. Будущее их детей, будущее семей было в опасности. Перед Билли лежали все дороги, а он мог перечеркнуть одним махом все возможности, все шансы.

— Будем надеяться, что это просто трудный период, — сказала Мэрилин. — Ты поговоришь с Кевином о бутылке?

— Это сделает Майк. Он хочет поставить ему условие: хочешь жить под родной крышей — прекращай валять дурака и займись делом. А если он против, то может искать себе жилье. Мне трудно принять такое жесткое решение, но я полагаюсь на мужа. А что будешь делать ты?

— Билли и вовсе нельзя пить. Это поставит крест на футбольной карьере. Может, у него переходный возраст, не знаю. Молодежь частенько лоботрясничает на первом курсе, а потом берется за ум. Но Билли нельзя терять голову. Он выбрал для себя цель и так настойчиво к ней двигался, столького достиг... Придется следить за Билли в оба.

— А мне за Кевином, — с досадой сказала Конни.

Она уже привыкла доверять сыну, да и куратор убеждал Конни, что худшее позади, Кевин чист и способен сам управлять своей жизнью. Однако она все равно опасалась рецидива. Если Кевин снова начнет пить, то там недалеко и до наркотиков. Не следовало забывать, что он едва не попал в тюрьму, поэтому новый привод точно упрячет его за решетку. То, что сын Мэрилин тайно выпивает по паре пива перед сном, казалось ей куда меньшей бедой, чем любая выходка ее старшего. В конце концов, ученики выпускных классов частенько пьют на вечеринках и в компаниях, это придает им куража, хотя они все равно остаются хорошими, правильными детишками. А Кевин никогда не был хорошим и правильным, к тому же давненько вышел из детского возраста.

Новости подоспели к Рождеству. Конни и Мэрилин в маникюрном салоне случайно увидели Мишель. Девочка выглядела тоненькой, как былинка. Она явно страдала анорексией, отрицать очевидное было нелепо. Мэрилин решилась поговорить с Джуди. Та поведала, что буквально на прошлой неделе была с дочкой у врача. Девочке назначили лечение и прописали диету для того, чтобы она набрала вес. Джуди была ужасно расстроена, зато Мэрилин испытала облегчение, узнав, что подруга не пускает дело на самотек.

Самой чудесной новостью было долгожданное письмо из Гарварда, которое получил Энди. Его приглашали учиться на медицинском факультете, причем вне конкурса. Это приглашение никого не удивило, кроме самого Энди. Узнав о случившемся, Иззи вопила, как сумасшедшая, прыгая вокруг друга, а Билли с Шоном подхватили его и принялись качать на руках и таскать на себе. Гэбби просто улыбалась и одобрительно кивала. Все четверо справедливо считали Энди самым талантливым в науках, поэтому полагали Гарвард заслуженной наградой.

Энди позвонил маме, чтобы поделиться с ней своей радостью, но услышал предложение оставить сообщение. Похоже, она была занята с кем-то из пациентов, возможно, даже принимала роды. Энди отправил сообщение, чтобы мама перезвонила сразу, как только выйдет в сеть. Затем он позвонил отцу, и тот поздравил его с новым достижением.

— Я бы куда больше удивился, если бы тебя не взяли, — признался он. — Ведь ты же не думал, что тебя не возьмут? Да брось, ты же гений. — Роберт рассмеялся. Он и сам окончил Гарвард и видел, что сыну будет нетрудно покорить эту вершину.

Энди переживал, не спал ночами, в то время как окружающие ни минуты не сомневались в его способностях. Впрочем, Энди никому не говорил о своем волнении, кроме Изабеллы. Она знала, что друг просыпается ночами в ледяном поту, воображая, что его не приняли в Гарвард и он вынужден поступать в паршивое училище где-то на краю вселенной, а его отец смотрит на него разочарованно и удивленно. Роберт никогда бы не понял, если бы его сын провалил экзамены. И Энди жил в страхе, боялся не оправдать возложенных ожиданий, с замиранием сердца ждал результатов каждого теста. Но никто, никто, кроме Иззи, не знал о его мучениях.

— Спасибо, что помогла заполнить вступительное заявление, — прошептал Энди на выпускном уроке на ухо подруге. — Думаю, меня взяли исключительно потому, что оно было грамотно написано.

Иззи посмотрела на него и поняла, что он не шутит.

— Ты сбрендил? Ты всерьез полагаешь, что с твоим уровнем знаний тебе требовалась помощь? Да проснись же, Энди Уэстон! Ты же лучший ученик класса!

— Я бы не посмел занять твое законное место, — улыбнулся Энди. — У тебя пытливый ум, удивительные аналитические способности. Я считаю, что ты умнее моих родителей, а я их ни с кем не сравниваю. Они очень образованные и талантливые. Папа пишет книги, и их считают гениальными!

Иззи знала, как Энди уважает родителей. Она всегда считала Роберта холодным и довольно отстраненным отцом, но никогда не говорила об этом с Энди.

— Поверь мне, гений тут именно ты! Однажды ты станешь самым известным врачом округа, к тебе будут приезжать из других штатов, — пылко сказала Иззи. — Кстати, ты еще не думал, какой профиль выбрать?

— Мне нравятся новые исследования, микробиология, вирусология. И еще я хочу избавить мир от страданий. Вокруг столько боли, столько ужасов. Но я ужасно боюсь совершить ошибку и причинить кому-нибудь вред, понимаешь? Это такая ответственность. Врач должен уметь отстраняться, глушить эмоции, а я этого не умею.

Иззи сразу же кивнула. За двенадцать школьных лет она успела узнать Энди, словно саму себя. Он не только не был способен причинять боль. Он не умел обижать, а если случайно это делал, сразу же извинялся и ужасно мучился. Энди был очень чутким и ранимым человеком, и это как-то особенно располагало ее к нему. Конечно, она любила всех своих друзей, но Энди стоял на особом месте, и ее уважение к силе его характера и мягкому нраву было почти безграничным.

Энди заслужил приглашение в Гарвард больше, чем кто-либо другой.

Сама же Изабелла все еще выбирала, куда пойти учиться. Ей тоже нравился Южнокалифорнийский университет, а то, что этому заведению отдали предпочтение Билли и Гэбби, решало почти все. Но она была не из тех счастливчиков, кого зовут в спортивные команды или принимают вне конкурса, как Билли или Энди. Иззи страшно боялась не сдать вступительные экзамены. Она была уверена, что ее возьмут куда-нибудь еще, но это будет на юге страны, а так далеко она уезжать не хотела. Впрочем, тот же Университет Бостона располагался рядом с Гарвардом. И близость к Энди немного утешала.

Ей претила даже мысль о том, что через каких-то полгода жизнь разведет «Большую пятерку» в разные стороны. Она надеялась, что найдется способ видеться не толь-

ко во время каникул. Когда-то они дали друг другу клятву
верности, пообещав пронести дружбу сквозь годы до самой смерти. Оставалось верить, что судьба не посмеется
над ними, раскидав по разным уголкам карты.

Но если Энди дождался хороших вестей из Гарварда,
то у самой Иззи жизнь несколько не клеилась. Ее отец
как-то привел домой свою новую подругу, и сразу стало
ясно, что между ними нечто серьезное. С самого развода
отец делал попытки с кем-то сблизиться, но ни на одну
женщину он не смотрел так, как на эту. Ее звали Дженнифер. Знакомство состоялось на работе, поскольку Дженнифер была занята в социальной сфере. Она приехала из
Колумбии два года назад и сняла жилье в Сан-Франциско.
Теперь ей было тридцать восемь. Джеффу недавно исполнилось пятьдесят пять. Между ними была пропасть в семнадцать лет, которая казалась Иззи непреодолимой. Однако она не могла не признать, что избранница отца привле-
кательна и умна одновременно. У Дженнифер было
отличное тренированное тело, чудесное чувство юмора,
да и выглядела она моложе тридцати.

Джефф пригласил дочь и Дженнифер на ужин в мекси-
канский ресторан, и там Иззи узнала, что его подруга бегло
говорит на испанском, выросла в Мексике, хотя родилась
в другой стране, потому что ее отец был дипломатом и семья много переезжала. В Дженнифер текла капля южной
крови, что делало ее особенно красивой, а острым умом
она явно была обязана своим родителям и окружению.

Да, Дженнифер определенно была достойна Джеффа,
поэтому Иззи впала в задумчивость, а затем в печаль. Ее
мирному существованию с отцом угрожала посторонняя
женщина, и с этим трудно было поспорить. А ведь Иззи
так привыкла жить с отцом под одной крышей! Конечно,
порой она проводила время с Кэтрин, но это были очень
редкие встречи, поскольку мать подолгу жила в Нью-

Йорке и все больше отдалялась от дочери. Как ни странно, Изабеллу это вполне устраивало.

После ужина Джефф отвез свою подругу домой, а потом пришел в комнату к дочери. Та как раз говорила с Гэбби, но повесила трубку тотчас, как он вошел.

— Что скажешь, Иззи? — спросил Джефф с волнением.

Она немного помолчала, решив взвешивать каждое свое слово, дабы не обидеть отца. Иззи не хотела быть жесткой, но все равно считала его избранницу слишком молодой. Дженнифер упомянула за ужином, что хочет иметь детей, и от этих слов у Изабеллы по спине побежали мурашки. Она считала, что отцу поздновато заводить новую семью с пищащими младенцами.

— А она не слишком молода, пап?

— Не слишком. Мы отлично ладим. — У Джеффа было очень довольное лицо.

— И давно вы знакомы?

Появление Дженнифер стало для Иззи полной неожиданностью, но, судя по искоркам в глазах отца, встретились они не вчера. Джефф весь ужин не сводил с подруги глаз, и это встревожило Иззи не на шутку. Дженнифер превращалась в угрозу.

— Около трех месяцев. Мы работали над одним делом вместе. Речь шла о дискриминации в клинике для малоимущих. Джен отлично знает свою работу.

— Как мило, — улыбнулась Иззи, скрывая волнение. — Мне понравилась Дженнифер, она хорошая. И я вижу, что тебе она тоже нравится. Вот только мне кажется, что она очень скоро захочет замуж, потому что в ее возрасте пора заводить детей. А мне бы не хотелось, чтобы ты причинил ей боль, понимаешь?

— Ты считаешь, что мне поздно заводить детей? — спросил Джек расстроенно, и у Иззи по спине пробежал холодок. Она сразу же вспомнила про мать Билли. К несчастью,

Джефф тоже о ней вспомнил. — Даже Мэрилин решилась рожать, даже двоих сразу! А ведь Билл твой ровесник.

— Да, но Мэрилин сорок два, и ее новый муж моложе тебя. Тебе ведь пятьдесят пять. Зачем тебе еще дети, пап? — Теперь у Изабеллы дрожал голос.

— Я никогда всерьез не задумывался над тем, что у меня может быть еще один ребенок, милая, — задумчиво ответил отец. — Возможно, об этом начинаешь думать лишь тогда, когда встретишь нужного человека. И потом, скоро ты уедешь, и я буду обречен на одиночество. Дом опустеет, как и вся моя жизнь.

У Джеффа сделалось несчастное лицо, а Изабелла ощутила, как ужас постепенно заполняет ее сердце.

— Ради Бога, отец, заведи себе собаку! Но не ребенка же в самом деле! Это нелепо! Ты едва знаешь эту женщину!

Джефф упрямо насупился.

— Она мне нравится.

— Так встречайся с ней, и все. Какие дети? Какой брак? Она слишком молодая для тебя, понимаешь?

— Для своего возраста она весьма умна. Не все мои ровесницы столь интересны в общении.

— Да ерунда это! — фыркнула Иззи. — Она рассуждает, как моя, а не твоя ровесница. Мне показалось, что я говорю с ребенком.

— Она хорошая. Хорошая, понимаешь? И мне нравится, — повторял Джефф как заведенный.

Изабелла поняла, что спор зашел в тупик. Она проиграла.

С трудом дождавшись утра, она позвонила Шону и договорилась о встрече.

— Кажется, отец встретил женщину своей мечты, — мрачно буркнула она сразу после приветствия. — Девица моложе его на семнадцать лет! Еще не хватало, чтобы он женился на девчонке, пока я буду учиться.

— Девчонке? Она что, такая дуреха, что ты ее обзываешь девчонкой? — удивился Шон. Отец Изабеллы всегда казался ему разумным человеком, способным отделять зерна от плевел. Джефф просто не мог подцепить глупую девицу в каком-нибудь клубе.

— В том-то и дело, что не дура. Пожалуй, именно в этом и состоит главная проблема. У нее хорошо варят мозги, и она мне даже нравится. — Изабелла тяжко вздохнула. — Но я не хочу перемен. Мне будет страшно возвращаться на каникулы с мыслью, что все стало по-другому и прошлое не вернуть.

— Ничего не изменится, ведь отец любит тебя. Он отличный человек, ты же знаешь, — заверил Шон. — Возможно, они будут встречаться очень долго, а речь о детях и семье даже не зайдет.

— Возможно, угу...

Иззи опять вздохнула. Ей бы уверенность Шона! Отец жил бобылем целых пять лет. Пять лет одиночества! Наверняка он истосковался по настоящей близости с умной и интересной женщиной.

— Расслабься, все будет хорошо. Ты напрасно накручиваешь себя раньше времени. Возможно, уже через неделю эти двое расстанутся злейшими врагами, а ты переживаешь. — Шон похлопал Иззи по плечу.

— Время покажет.

Она решила просто пустить все на самотек. Невозможно бояться сразу всего: отказа из колледжей, нового брака отца, разлуки с друзьями... И почему дети считают, что контролируют жизнь родителей? Взять хотя бы Билли и Мэрилин. Разведенная, его мать снова вышла замуж, забеременела в преклонном возрасте, несмотря на то что для Билли это стало настоящим шоком.

— Кстати, как твой брат? — спросила Иззи про Кевина. Шон редко о нем говорил, хотя явно все еще переживал и постоянно ждал неприятностей.

— Не знаю, — признался Шон. — Порой мне кажется, что во всем происходящем есть какие-то нестыковки. Например, выглядит братец отлично, поэтому кажется, что дела давно идут на лад. Но порой мне думается, что он все еще носит маску, притворяется и в душе смеется над тем, как легко сумел обмануть близких. У Кева постоянно очень довольный вид, словно все очень хорошо и лучше не может быть. Иногда он выглядит настолько счастливым, что я начинаю подозревать его в наркомании. Надеюсь, я не прав. — Шон помолчал. — Сейчас Кевин работает с отцом. Если облажается, отец будет в бешенстве.

Иззи хмыкнула.

Они еще немножко помолчали, а потом перешли к обсуждению зимних каникул. Вся компания мечтала поехать в Тахо, чтобы покататься на лыжах. Семейство О'Хара предложило в качестве базы свой особняк, в котором могло разместиться много народу.

Иззи предстояло заполнить еще несколько вступительных заявлений, а там и новое учебное полугодие — не успеешь дух перевести. Всего пять месяцев, и «Большая пятерка» вступит во взрослую жизнь.

Глава 7

О'Хара устроили грандиозное событие — барбекю во дворе дома для всего класса. Позвали каждого выпускника, а угощениями занимался шеф-повар из ресторана Джека в Сан-Франциско. Он приготовил сочные стейки, хот-доги, гамбургеры, свиные ребрышки на гриле, а также печеную картошку и овощи. Вечеринка удалась на славу и, по сути, должна была запомниться на долгие годы.

Правда, парочка ребят заявилась навеселе, поэтому их не впустили, а отправили на такси по домам.

Каждому прибывшему выдали специальную футболку с именем, что еще больше объединяло новоиспеченных выпускников. «Большая пятерка» сразу же собралась кружком. Ребята грызли ребрышки и весело размахивали стаканчиками с соком. Шон спросил Билли, не пил ли он чего перед торжеством, и тот помотал головой. Недостаточно убежденный, Шон шепотом поинтересовался мнением Иззи, и та ответила, что Билли не выглядит пьяным.

Хозяева вечеринки пригласили всех родителей, но пришли только друзья, а Мэрилин с Джеком и вовсе заглянули ненадолго, поскольку беременной Мэрилин прописали постельный режим еще месяц назад. По расчетам Хелен, роды должны были начаться через пять дней, но ради такого события, как выпускной, она отпустила пациентку домой. То, что на свет должны появиться две девочки, уже было ясно как Божий день. Мэрилин жила последние недели ожиданием. Вторые роды запомнились ей как пытка, но она смело смотрела в будущее, полагая, что преодолеет все преграды на пути к счастью.

Джек регулярно разминал ей поясницу и массировал отекающие стопы, которых она была не в состоянии видеть с самого Рождества. По сути, у нее был такой огромный живот, что даже встать с кресла казалось невыполнимой задачей.

Джуди планировала в августе поехать в Лос-Анджелес вместе с Гэбби, чтобы подыскать ей квартиру. Мишель немного набрала в весе и, хотя по-прежнему казалась худенькой, обрела румянец и стала явно бодрее, поэтому лечащий врач даже снял ее с наблюдения. Джуди планировала оставить младшую дочку с подругами, чтобы не подвергать малышку утомительному переезду и мотанию по агентствам.

Иззи приняли в Южнокалифорнийский университет, что, конечно же, удивило только ее саму. Больше того, она получила приглашения из каждого учебного заведения, куда отправляла заявления. И все же она выбрала Лос-Анджелес, чтобы быть поближе к Гэбби и Билли. Друзья договорились встречаться как можно чаще, да и вообще не терять связь. Шон предпочел Университет Джорджа Вашингтона в Вашингтоне, потому что всегда увлекался политологией и языками. Кафедра иностранной политики с углубленным изучением испанского приняла его с распростертыми объятиями. Он все еще не отказался от детской мечты стать сотрудником ФБР, но поделился этим только с Изабеллой. Он тщательно изучил все требования спецслужб к потенциальным сотрудникам и надеялся, что однажды сможет им соответствовать. Майк и Конни сочли его весьма амбициозным и решили, что сын нацелился на политическую карьеру. На самом деле Шон искал способ оказаться как можно дальше от родительского ока, поэтому он выбрал тот колледж, который удовлетворил и родителей, и его самого. Все-таки Шон всегда был очень сообразительным парнем.

Кевин тоже появился на вечеринке по случаю окончания школы. Он сделал кружок, поздоровался с теми, кто был ему интересен, сказал, что у него на вечер планы, и свалил. Его просили остаться, но разница в возрасте была слишком большой, поэтому Кевин предпочел компанию сверстников. Он ушел быстро, ни с кем не прощаясь.

Вечеринка продолжалась до трех часов утра, хотя громкую музыку выключили уже в два, чтобы не слишком раздражать соседей. Закуски не кончались, и даже без алкоголя — с соком и колой — молодежь отлично проводила время. Мэрилин отдохнула на диванчике в гостиной и снова присоединилась к детям. Они с Джеком пробыли у О'Хара до полуночи.

В ночи заявился отец Иззи, Джефф, со своей подругой Дженнифер. Иззи отвернулась к Шону и скривилась, но затем подошла к отцу и его девушке с улыбкой. Она была достаточно воспитана, чтобы не выказывать неудовольствия. Хелен Уэстон тоже приехала, но совсем ненадолго, поскольку ее еще ждали дела. Зато отец Энди даже не появился. Он никогда не посещал подобных мероприятий, считая их пустой тратой времени. Наверняка он проводил время за новой рукописью.

Мэрилин наткнулась на Хелен уже при выходе на улицу.

— Не ожидала тебя увидеть, — удивилась она. Все знали, что Хелен много работает.

— Проезжала мимо, решила заехать и узнать, как идет пирушка. К тому же я с обеда ничего не ела, а тут подают хот-доги и гамбургеры. — Хелен рассмеялась, а затем стала серьезной: — Как самочувствие? — Она придирчивым взглядом окинула пациентку. У Мэрилин были очень опухшие щиколотки и коленки. — Гляжу, ты давно на ногах.

— Да, утомительный вечер, — призналась Мэрилин. — Мне кажется, сейчас я рухну как подкошенная.

Словно по волшебству, позади нее возник Джек, который твердо взял ее под локоть.

— Не вздумай рухнуть! И вообще держи ноги скрещенными, дабы не разродиться прямо сегодня, — усмехнулась Хелен. — Завтра официальное вручение аттестатов, ты же не хочешь пропустить столь важное событие? А уж потом отвезем тебя в палату.

— Думаю, что продержусь, — устало кивнула Мэрилин. Время от времени она чувствовала слабые схватки, которые длились по несколько секунд. Тело готовилось к важному событию.

Джек следил за ней, как ястреб за добычей. Он видел каждое изменение в ее лице, ловил малейшие оттенки эмоций и был готов в любую минуту сорваться вместе с женой в клинику. Он очень боялся не успеть вовремя, хотя Хелен и говорила, что опасаться нечего.

Оказавшись дома за полночь, Мэрилин уснула почти мгновенно и проспала до утра, ни разу не проснувшись. Она привыкла спать в дискомфорте, приняла то, что ее тело стало инкубатором для двух маленьких захватчиц, и всячески старалась им угодить, с нетерпением ожидая, когда крохи появятся на свет, и уже дала им имена: Дана и Дафна.

Когда разъехались все родители, кроме Конни и Майка, следивших, чтобы веселье не вышло из-под контроля, вся «Большая пятерка» потихоньку улизнула в дом. Они собирались осуществить такую дерзкую задумку, что свидетели им были ни к чему. Еще месяц назад возникла идея сделать татуировки с надписью «Друзья навсегда!» — как было написано на их партах уже много лет. Однако Гэбби сказала, что мать убьет ее, да и Иззи не слишком стремилась разрисовывать свое тело. Конечно, ребята пытались уговорить их, но все было тщетно. И как обычно, самое лучшее решение предложила сообразительная Изабелла. Ее предложение стало компромиссом, удовлетворившим всех. Конечно, оно было менее впечатляющее, чем татуировка, зато имело не менее символический характер.

Все необходимое в комнату Шона пронесла сама Иззи. Она развернула сверток и достала пять толстых портновских игл и антисептические салфетки. В это время Шон тщательно запер дверь. Ребята смотрели с легким сомнением, словно считали затею несколько детской, поэтому Изабелла решила произнести речь.

— Мы собрались здесь, — начала она торжественным шепотом, — чтобы скрепить нерушимыми узами наш дружеский союз. Мы клянемся никогда не забывать друг друга, не терять в этом мире, всегда поддерживать в беде и в радости. Мы обещаем любить друг друга и оставаться лучшими друзьями до самой смерти. — Она сделала паузу и обвела всех взглядом. Теперь у ребят были серьезные лица, в глазах не скользило и тени сомнения. — Мы даем клятву верности, которую не смогут разрушить ни время, ни расстояние, ни обстоятельства. Клянемся!

И каждый член «Большой пятерки» глухо повторил последнее слово.

Изабелла кивнула на набор с иглами. Каждый взял по игле и проколол до крови палец. Только Иззи и Гэбби использовали антисептические салфетки, ребята на этот счет даже волноваться не стали. Соединив пальцы, все вместе произнесли любимую мантру «Друзья навсегда!», а затем Иззи протянула каждому бактерицидный пластырь. Мальчишки казались совершенно беспомощными, и ей пришлось помочь им заклеить пальцы. Гэбби и Иззи стали обладательницами наклеек с зубными феями, а мальчишки со смехом разглядывали рисунки с Бэтменом.

Итак, клятва на крови состоялась.

— Ну вот, все и кончилось, — довольным голосом сказала Изабелла. — Теперь мы официально друзья навек.

Комнату Шона они покидали все вместе, шумной толпой.

Конни заметила их из кухни.

— Интересно, куда это отлучалась неразлучная «Пятерка»? — спросила она и подмигнула детям. Она была рада, что все пятеро выглядят довольными и счастливыми.

— Они подписывали мой выпускной альбом, — быстро нашелся с ответом Шон.

— И почему только я тебе не верю? — усмехнулась Конни. Что бы ребята ни делали в комнате сына, уж точно не пили и не дрались, а значит, все было в порядке. Как же будет не хватать родителям их повзрослевших детей этой осенью! — На улице выставлен чизкейк, бегите пить чай, пока все не расхватали.

Ребята выскочили во двор и принялись уплетать десерт, обмениваясь долгими, многозначительными взглядами. Они заключили соглашение, и им нравился этот торжественный момент.

Уже в десять утра все они сидели на стульях в тщательно украшенном парке Голден-Гейт. День вручения аттестатов... Они шли к нему тринадцать лет, и вот наконец он наступил. На церемонию пришли родители, бабушки и дедушки, друзья, родственники. Отец Иззи пригласил Дженнифер, что привело девочку в ярость, поскольку ее мнения никто не спросил. Мать тоже приехала, и, похоже, ее ничуть не заботила пассия бывшего мужа. С развода прошло долгих пять лет, и за это время у нее появилась своя личная жизнь. Она обняла Иззи и сказала, что гордится ее успехами. У матери блестели глаза, и кажется, она говорила вполне искренне. Ларри Нортон приехал с юной крошкой, похожей на размалеванную проститутку. Билли знал, что это любимый типаж отца, и его это здорово удручало. Брайан приехал с Мэрилин и Джеком, он сидел в четырех рядах от отца и не делал попытки с ним пообщаться. Кевин сидел с родителями. Мишель была в прелестном цветастом платье с длинным рукавом, скрывавшем ее чрезмерную худобу. Она все еще выглядела хрупкой, но на лице уже играл румянец. Как ни странно, родители Энди тоже были тут. Отец вырвался с важной конференции по психиатрии, проходившей в Чикаго, а мать с самого утра следила за Мэрилин и была готова немедленно поехать в клинику принимать роды.

Словом, здесь были все родители, и это немало говорило о том, как дороги им их чада. Выпускники ожидали вручения аттестатов зрелости и нетерпеливо ерзали на стульях. На них были мантии, головы украшали конфедератки, которые вот-вот должны были взлететь в воздух, символизируя конец детства.

Зазвучала музыка. Учителя встали и прошли на сцену, где выстроились в ровный ряд. Щелкали фотоаппараты, снимая исторический момент. Директор школы занял свое место в центре, готовый вручать документы и поздравлять выпускников. Прощальную речь доверили произнести Энди. Он составлял ее целую неделю и теперь страшно волновался, даже слегка споткнулся на сцене, но улыбки друзей ободрили его и сняли напряжение.

Пока Энди произносил речь, многие родители плакали. Они знали, что за этим долгожданным днем наступит совсем другая жизнь. Жизнь, к которой они готовили себя тринадцать лет.

Вслед за Энди от лица своего класса речь произнесла Изабелла. Она говорила о том, как много дала им школа, как много значила настоящая дружба и как важно хранить верность традициям. Она пожелала каждому удачной дороги в будущее и призвала не забывать дорогу к дому.

— Что может быть важнее тех людей, которые поддерживают нас в трудную минуту? — спросила она у слушателей и перевела взгляд на своих четырех друзей. — Есть связи, которые нельзя разрывать. Есть люди, которых нельзя забывать. Каждый пойдет своим путем, и пусть судьба благоволит нам. Я верю, что каждый добьется успеха. — Изабелла сделала паузу и хитро улыбнулась. — А Билли Нортон станет лучшим полузащитником своего колледжа! — Все рассмеялись, и она вновь стала серьезной. — И все-таки прошу вас всех запомнить главное. Не столь важно, чего вы добьетесь и как высоко подниметесь. Важно, чтобы вы не забывали родной город, родную школу, родной дом и своих верных друзей.

Речь Изабеллы сорвала бурные аплодисменты. Некоторые из родителей почти рыдали от умиления. Затем настало время вручения аттестатов, а чуть позже воздух заполнили шапочки выпускников. В парке воцарился легкий хаос, когда все обнимались и смеялись, поздравляя друг друга. Тринадцать лет в Этвуде подошли к концу.

Каждого из «Большой пятерки» дома ждал праздничный обед, а к вечеру ребята договорились встретиться и пообщаться. Ходили слухи, что кто-то устраивает вечеринку, куда можно было пойти, чтобы отпраздновать выпускной.

Брайан и Билли поехали в ресторан Джека. Чтобы не показаться невежливыми, они пригласили с собой отца и его подругу. Тот с легкостью согласился и сразу же при входе в заведение заказал себе виски со льдом и бутылку дорогого вина. Его подружка сказала, что ей двадцать один, поделилась, что никогда не училась в колледже, и выпила почти целую бутылку одна. Парочка быстро поела и стала прощаться, сославшись на какую-то встречу. Хорошо, что Ларри не забыл о торжественном поводе, собравшем их вместе, и все-таки сказал Билли, что гордится его успехами.

— Хочу поглядеть на тебя в деле, парень, так что жду приглашения на первый матч, — произнес он и обнял сына.

— Конечно, пап, — ответил Билли.

Он очень хотел пригласить в ресторан и Гэбби, но его подруга обедала с родителями, так что они договорились встретиться вечером.

Как только Ларри нетвердой походкой отчалил восвояси, повар внес праздничный торт. На верхнем корже красовался кремовый футболист.

После обеда Билли отправился к Габриэле, Брайан пошел поиграть с соседским мальчиком, а Мэрилин с трудом поднялась в спальню.

Она почти устроилась в постели, как ее пронзила острая, режущая боль, словно кто-то изнутри раздирал ее ножом. Мэрилин охнула и стиснула зубы, сдерживая стон.

— Хорошо, что у меня не тройня. Я и с двумя еле справляюсь, — простонала она. Хелен сказала, что оба младенца имеют нормальный вес и совсем не стремятся родиться недоношенными.

Джек сел рядом и с тревогой заглянул в лицо любимой.

— Может, уже пора в клинику?

Мэрилин прислушалась к себе. Боль утихла и больше не возвращалась.

— Пока нет.

— Тогда полежи и отдохни. Ты с раннего утра на ногах.

Мэрилин весь день носилась как угорелая: сама гладила мантию, следила за сборами, прыгала вокруг сцены, делая один снимок за другим, несмотря на опухшие ноги. Пожалуй, ей действительно стоило отдохнуть.

Она закрыла глаза буквально на мгновение, а проснулась уже вечером. И сразу почувствовала, что внутри идет самая настоящая война. Близнецы разбушевались не на шутку. Мэрилин с трудом поднялась и спустилась на первый этаж. Джек как раз наливал себе в пиалу бульон. Он сказал, что мальчишек все еще нет. Брайан ужинал у соседей, а затем собирался смотреть фильм. Билли так и не вернулся от Гэбби, которая позвонила и сообщила, что они будут ужинать у нее. Мэрилин выглядела настолько измученной, что тишина и покой в доме были только в радость.

— Как наши малышки? — спросил Джек с надеждой. — Мы увидим их этой ночью или нет?

Мэрилин засмеялась и покачала головой:

— Кажется, у них вечеринка. Перед родами так себя не ведут. Может, их поторопить? Например, принять горячую ванну или построить дом?

— Не стоит. Хочешь бульона?

Мэрилин сказала, что не голодна. Живот ходил ходуном, и она боялась, что суп не удержится в нем надолго.

Последнее время она наедалась с двух ложек, к тому же ее часто мучила изжога. Она давно была готова избавиться от бремени, но малышки считали иначе.

Она посидела с ним, пока муж пил бульон. Затем он помог жене подняться наверх и поставил фильм, чтобы посмотреть его в постели. Поскольку двойняшки прекратили свою войну, Мэрилин воспользовалась моментом и отправилась в душ. Но едва она забралась в ванну, как внутри словно лопнул воздушный шар, и ноги окатило теплой жидкостью.

— Джек... — прошептала Мэрилин так тихо, что поначалу муж ее не услышал, хотя дверь на всякий случай была открыта настежь. — Джек... у меня... воды отошли.

Она стояла неподвижно посреди ванны и смотрела себе под ноги. Джек вошел, чтобы спросить, что случилось.

— Что? О Господи! Что случилось? — Он сам не знал, почему задает столь глупый вопрос, поскольку ответ был очевиден.

Их взгляды встретились. Внезапно Мэрилин расхохоталась.

— Из меня вылилось целое озеро!

— Тебе надо немедленно принять горизонтальное положение. — Джек принялся торопливо вытирать жену, помог ей добраться до постели и укутал одеялом. — Схватки начались?

— Еще нет. Но это уже не важно. Малышки замерли. И воды отошли.

— Тогда я звоню Хелен.

— Она, наверное, обедает. И у меня нет пока схваток. Давай немного подождем. С мальчишками все было иначе.

— А если при двойне другие ощущения? — взволнованно спросил Джек.

— Ты слишком переживаешь. Как только начнутся первые схватки, сразу звоним Хелен. А пока давай посмотрим фильм.

Джеку было не до фильма, но он послушно щелкнул пультом. Вместо экрана он смотрел жене в лицо.

— Да перестань ты таращиться, со мной все в порядке. — Мэрилин потянулась его поцеловать, и в этот момент ее скрутила знакомая тянущая боль, только куда более интенсивная, чем ей помнилось. Она вцепилась Джеку в плечо пальцами, не в силах даже застонать. Как только схватка закончилась, тот почти выпрыгнул из постели и схватил мобильный.

— Все, мы едем. И я звоню Хелен.

В ту же секунду Мэрилин настигла еще одна схватка.

— Как дела? Есть изменения? — спросила в трубке спокойная Хелен.

— Да, все началось внезапно! — выпалил Джек. — Отошли воды. Минут десять назад. А сейчас идут схватки, одна за одной, очень продолжительные... Да, пауза минуты по две.

— Кажется, ваши малышки торопятся, — вынесла вердикт Хелен. — Скажи Мэрилин, чтобы лежала. Пусть не двигается, просто лежит. Я вызываю «скорую». Там крепкие парни, вместе сможете отнести Мэрилин вниз на носилках. Я уверена, что все будет в порядке, но все равно следи за каждой схваткой. Встретимся в клинике.

Хелен немедленно позвонила в «скорую». К тому моменту, как приехала машина, Мэрилин уже кричала в полный голос, и как бы ни старался выглядеть спокойным Джек, на самом деле ему было очень страшно. Все происходило слишком быстро.

Меньше чем через десять минут после звонка Хелен «скорая», завывая сиреной, уже въезжала в ворота клиники. Мэрилин стискивала руку Джека уже каждую минуту и так кричала, что у него разрывалось сердце.

— Я не смогу, я не смогу, я не смогу!.. — рыдала его несчастная жена.

— Сможешь, милая, все будет хорошо. Я буду рядом. Все скоро закончится, и мы увидим наших девочек.

— Я не смогу, — повторяла Мэрилин. — Слишком больно, слишком больно... — После этих слов ее голова запрокинулась, глаза закатились под веки.

— Мэрилин! — вскрикнул Джек, и один из медиков схватился за кислородную маску.

Однако Мэрилин внезапно открыла глаза. У нее было низкое давление, но опасности состояние не представляло.

— Все будет хорошо, — прошептал Джек, холодея от ужаса.

Носилки торопливо прокатились по коридору до родильного бокса, где их уже ждала Хелен. Она быстро осмотрела Мэрилин и улыбнулась.

— Молодцы, что не теряли времени даром, — похвалила она. — Еще минут десять, и Мэрилин родила бы прямо в своей постели... Милая, потерпи немножко. Тужиться не надо, малышки и без того торопятся появиться на свет. — Лицо роженицы вновь исказилось от боли, и Хелен рявкнула двум медбратьям: — Перекладывайте на кресло, быстро!

За считанные мгновения бригада переодела Мэрилин и перенесла на родильное кресло. Сразу за этим несчастная закричала так сильно, до срыва голоса, что Джек решил, будто она умирает.

И почти тотчас за натянутой простыней раздался еще один крик, более высокий и жалостный. Это родилась первая дочь Мэрилин и Джека. Хелен быстро перерезала пуповину и передала младенца акушерке.

Джек плакал от счастья, а Мэрилин, у которой ненадолго закончились схватки, улыбалась ему.

Всего минута, и все началось сначала. Теперь Мэрилин пришлось тужиться. И вот еще один детский вопль огласил родильный блок. Обе девочки родились за какие-то десять минут, всего через сорок пять минут после начала схваток. Хелен сказала, что это самые быстрые роды для близнецов из всех, что ей приходилось принимать.

Теперь все тело Мэрилин трясло. Она плакала и улыбалась одновременно, сжимая руку мужа, который гладил ее по волосам и смотрел, как медсестры колдуют над его малышками. У одной из девочек были рыжие волосы, как у мамы. Вторая оказалась темноволосой, как отец. Это были разнояйцевые близнецы, и решить, кто из них Дафна, а кто Дана, было нетрудно.

Джек пребывал в состоянии шока. Он никогда не видел, чтобы человек мучился от такой чудовищной боли. И что более странно, эта боль закончилась так же внезапно, как и началась.

— Спасибо, что так быстро прислала бригаду, — сказал он Хелен. — Если бы не это, роды пришлось бы принимать мне.

— Вот именно. И все же я уверена, что ты бы справился, — похвалила Хелен. — Ты очень внимательно следил за женой.

Новорожденных запеленали и передали Мэрилин. Все ее тело продолжала сотрясать мелкая дрожь, и она осторожно приняла драгоценные свертки. Через пару минут малышек положили в специальные инкубаторы с постоянной температурой. Это была просто предосторожность, поскольку все показатели девочек были в норме.

Джек позвонил всем детям, чтобы сообщить, что родились их сестры. Билли напряженно спросил, как себя чувствует мама, а затем расслабился и даже поблагодарил Джека. Брайан хотел как можно скорее увидеть малышек. Хелен сказала, что Мэрилин проведет в клинике два или три дня.

Уже в десять вечера роженицу и детишек перевели в послеродовую палату. Медсестра показала Джеку, как пеленают младенцев, и он все сделал в точности по инструкции. При этом Джек постоянно смотрел на Мэрилин, и его взгляд был полон нежности и благодарности. Хелен понаблюдала за состоянием пациентки еще полчаса, а затем сказала, что все прошло нормально и никаких осложнений не наблюдается.

Дав Мэрилин обезболивающее, Хелен удалилась. Джек собирался провести всю ночь рядом с женой. Соседи заверили, что присмотрят за Брайаном, а родители Гэбби сказали, что Билли переночует у них.

Когда Мэрилин уснула, Джек все еще не мог сомкнуть глаз. Он смотрел на два сопящих комочка в боксах, на свою любимую жену, давшую им жизнь, и его сердце сжималось от невыразимой нежности.

Это был самый прекрасный вечер в жизни Джека.

Глава 8

Уже на следующее утро у Мэрилин началась череда посещений. Первым появился Брайан. Его привезла соседка, которая вместе с ним умилялась крошечным малышкам и поражалась тому, насколько они разные. Брайан по очереди брал свертки на руки, агукал и строил рожицы, пока Джек снимал его на камеру.

После завтрака приехали Билли и Гэбби. Девушка пришла в неописуемый восторг от того, насколько махонькие у младенцев пальчики. Мэрилин предложила сыну подержать девочек на руках, но он сдержанно отказался, сославшись на свою неловкость и страх их уронить.

Затем заехали Конни и Майк. Они привезли связанные Конни кофточки и пинетки. С ними приехал и Шон. Кевина не было, он отправился на выходные к друзьям, и по тому, как Конни говорила об этом, Мэрилин поняла, что у подруги далеко не все в порядке.

— Что такое? — спросила она мягко.

Во время выпускного вечера Кевин казался слегка отстраненным, но это было мимолетное впечатление, поскольку он не задержался на празднике. Возможно, именно это взволновало Конни?

— Вроде ничего, — тихо ответила подруга, словно пыталась уйти от темы, и уже через мгновение тетешкала малышек. А еще через пару минут появилась Изабелла, которая принесла забавную погремушку.

Следующим гостем стал Энди. В обед в палату влетела Джуди в сопровождении Мишель и Габриэлы. Она принесла целую охапку детских одежек самых невообразимых расцветок.

Поток посетителей не иссякал два дня. Только сыновья Джека не смогли приехать, так как остались с матерью, но они получили дюжину фотографий, отправленных по мобильному телефону.

На третий день после родов Мэрилин изъявила желание поехать домой. Поскольку и она, и малышки чувствовали себя хорошо, Хелен дала согласие и подготовила выписку. К сожалению, у Мэрилин все еще не пришло молоко, но ей показали, каким образом массировать грудь, чтобы стимулировать лактацию. Конечно, ухаживать за двумя младенцами на четвертый день после родов было непростой задачей, но рядом с Мэрилин всегда был любящий муж, к тому же Брайан тоже изъявлял желание помогать во всем.

Оказавшись наконец в родной спальне, Мэрилин осторожно забралась под одеяло и вздохнула с облегчением.

— До сих пор не верится, что это случилось! Как стремительно разворачивались события!

— Ты снова стала мамой, милая. И это не сон, — улыбнулся Джек.

Крохи захныкали, и Мэрилин улыбнулась мужу в ответ.

— Вот уж точно.

Она знала, что поначалу будет нелегко. Справиться с двойней — задача не из легких, но Мэрилин было на кого опереться. К тому же пару часов назад звонила ее мать, предлагая помощь, что было приятно, хотя вряд ли на это можно было рассчитывать. Матери Мэрилин исполнилось семьдесят, здоровье пошаливало, так что помогать требовалось скорее ей самой. Мэрилин пригласила мать приехать в гости в конце лета, когда жизнь немного войдет в ритм. А пока они с Джеком собирались справляться сами с посильной помощью Брайана. Хелен предлагала нанять акушерку для ухода за детьми, однако Мэрилин отказалась. Деньги Джека позволяли подобные расходы, но она хотела пройти весь путь сама, не желая упустить ни минуты общения с малышками. Она хотела сама их пеленать, кормить и защищать. В конце концов Джек уступил.

Однако Мэрилин оказалась совершенно не готова к новым заботам. Она чувствовала себя обессиленной, любое движение давалось порой с трудом, не говоря уже о каждодневной активности. Все-таки поздние роды давали о себе знать. Даже подняться ночью с постели и поправить малышкам соски казалось каторгой. А ведь она их еще даже не кормила грудью.

На следующий после возвращения день Брайан отправился к друзьям, а Мэрилин как раз меняла малышкам подгузники, когда резко зазвонил телефон. Определитель подсказал, что звонит Конни, но когда Мэрилин сняла трубку, то услышала тишину. Поначалу она решила, что связь оборвалась, и уже была готова нажать отбой, когда в трубке раздался жуткий, тоскливый стон, больше похожий на вой животного, чем на человеческий голос.

Мэрилин замерла в ужасе, прислушиваясь.

— Кееевиииин... — раздалось в трубке глухо.

Затем Мэрилин услышала рыдания. Она не могла разобрать ни слова. Несчастный случай? Травма? Драка?

Новый арест? Оставалось только вслушиваться в завывания подруги.

— Тсс, тише, милая, тише, я рядом, я здесь. Хочешь, я приеду? — Мэрилин мгновенно позабыла, что всего четыре дня назад перенесла тяжелые роды и едва держалась на ногах. — Конни, милая, расскажи, что случилось?

В спальню зашел Джек. И замер на пороге, по лицу жены сообразив, что произошло нечто непоправимое.

— Кто это? — одними губами спросил он.

Мэрилин беззвучно произнесла имя подруги.

— Я сейчас приеду, — сказала она в трубку, не в силах больше слушать душераздирающие рыдания. Добраться до дома Конни было проще, чем узнать у бедняжки, что случилось.

— Он мертв, — вдруг произнесла Конни вполне отчетливо, а затем снова сорвалась на вой.

— Господи! — выдохнула Мэрилин. — Я... я уже еду! Ты одна? — Она заметалась по спальне, пытаясь найти какую-то одежду, кроме халата. Джек растерянно следил за ней взглядом. — Где Майк? Он с тобой?

— Здесь. Он здесь... нам... позвонили, — выдавила Конни.

— Держись, милая. Я буду через пять минут. — Трясущейся рукой Мэрилин положила трубку и повернулась к мужу: — Кевин мертв. Не знаю, как все вышло. Я должна быть рядом с Конни, а ты побудь с детьми. Если проснутся и будут плакать, дай им по бутылочке со смесью.

— Ты не сможешь вести машину! — с ужасом воскликнул Джек. — Ты еще не оправилась после родов.

Мэрилин уже звонила Билли.

— Где ты? — спросила она, как только сын взял трубку.

— У Гэбби. А что такое? — Билли по голосу матери понял, что дела плохи, хотя и не знал, о чем пойдет речь.

— Немедленно приезжай.

— Да что такое? — спросил сын с беспокойством.

— Ты должен отвезти меня к Конни. С Кевином случилась беда.

— Три минуты, — сказал Билли и отключился.

Он приехал как раз в тот момент, когда мать выскакивала из дверей. Она выглядела бледной и слегка покачивалась. Сзади шел взволнованный Джек.

— Береги себя, тебе нужны силы, — сказал он, обнимая ее на пороге. Он знал, что Мэрилин не остановить.

Билли домчался до дома О'Хара за считанные секунды. Мэрилин неловко вывалилась с сиденья, цепляясь за дверцу, и поспешила внутрь. Билли догнал ее на пороге и подхватил под локоть.

Шон стоял в прихожей, странно маленький и сжавшийся. Билли обнял друга, и тот разрыдался у него на плече.

Мэрилин поспешила наверх к подруге. Конни и Майк были в спальне. Они сидели на кровати обнявшись, удивительно похожие на сросшихся близнецов. Конни шмыгала носом и подвывала. Мэрилин замерла у двери и внезапно расплакалась от разрывавшего сердце сочувствия.

— Его застрелили! — взвыла Конни. — Убили в перестрелке. Кевин покупал наркотики в какой-то подворотне... Говорят, он брал целую партию на продажу. Якобы он задолжал дилеру кучу денег, они стали ругаться, и тот застрелил Кевина. — Конни размазывала по лицу слезы с остатками макияжа. — Мой мальчик... мой маленький мальчик... он погиб!

Они с Майком были безутешны, совершенно растеряны и обнимались так, словно и этот островок спасения — поддержка близких — мог в любой момент уйти под воду. Мэрилин присела на кровать рядом. Она не знала, что должна говорить. Да и что говорят в подобных ситуациях? Разве есть на свете слова, способные врачевать такие раны?

Она просто обняла обоих, посидела пару минут, раскачиваясь вместе с ними, а затем пошла на кухню, чтобы сделать чаю с мятой.

— Хочешь, я позвоню врачу? — спросила она, протягивая Конни чашку. — Пусть дадут успокоительное...

Подруга покачала головой:

— Нет. Мне надо ехать... на опознание. А я... я боюсь. Боюсь, понимаешь? — Конни все раскачивалась и шмыгала.

Мэрилин протянула ей чашку, и та сделала глоток, едва не расплескав чай.

В комнату зашли Шон и Билли. Внезапно Мэрилин осознала, что отныне Шон — единственный сын ее друзей. Как бы ни старались Конни с Майком спасти Кевина, он лишь делал вид, что живет жизнью простого обывателя, а на самом деле всегда балансировал на краю пропасти. Ни забота, ни строгие правила, ни родительская любовь — ничто не могло заставить его быть таким, как все.

Шон выглядел жалким и несчастным ребенком. Билли гладил его по плечу, но был не в силах утешить. Кевин всегда оставался для младшего брата героем, по какой бы кривой дорожке ни ходил герой. Кто знал, что эта кривая дорожка приведет Кевина к гибели? Его вытаскивали за шкирку из неприятностей, но он тут же нырял в них с головой, словно только так и умел жить. Даже страшно представить, как быстро жизнь неплохого парня с горячей головой и способностью находить неприятности может оборваться в темной подворотне.

Внезапно Майк поднялся и принялся ходить по комнате. Обе женщины и двое подростков следили за ним с немым вопросом в глазах.

— Если хотите, — не выдержала этого метания Мэрилин, — Джек может поехать в морг на опознание с вами.

Майк повернулся к ней всем телом. У него был болезненный взгляд, похожий на взгляд побитой собаки, и казалось, горе струилось из глаз, заполняя комнату.

— Нет. Не нужно, — негромко пробормотал Майк.

Шон шагнул к отцу.

— Я могу поехать с тобой, — сказал он. По тому, как клацнули его зубы и затряслись плечи, было видно, что собственное предложение пугало его до смерти. Однако он понимал, что в отличие от матери природа наградила его более крепкими нервами, поскольку он мужчина и отныне старший сын в семье. — Я поеду на опознание.

Услышав это жуткое слово, Конни, лежавшая на кровати, тихо застонала.

— Я точно не смогу поехать. Это убьет меня! Убьет!

Майк молча кивнул, взял с тумбочки ключи от машины и вместе с Шоном вышел из спальни.

Мэрилин смотрела на подругу, не зная, как ее утешить.

— Может, поедем к нам до их возвращения из... — Она не смогла произнести «морг», поэтому не договорила. — Поможешь мне с близняшками.

Конни послушно кивнула и встала, двигаясь так, словно внезапно превратилась в робота с плохо смазанными шарнирами. Она позволила вывести себя из спальни, спустилась по лестнице. Споткнувшись на пороге дома, Конни зацепилась рукавом кофточки за ручку двери и чуть не разорвала ткань, но даже не заметила этого. Мэрилин могла бы радоваться, что подруга не бьется в истерике, но она опасалась, что для настоящей истерики просто еще не настало время.

Они подошли к машине. Мэрилин помогла Конни сесть на переднее сиденье, устроилась позади Билли и велела ему трогаться.

Едва добравшись до дома, Мэрилин услышала детский плач. Причем плакали сразу двое. Не успела она выскочить из машины, как из дверей вышел Джек. Он держал в каждой руке по младенцу, лицо было растерянным. Близняшки орали в два голоса, мордашки были красными от напряжения.

— Они плачут с той самой минуты, как ты уехала. Они... — Джек осекся, увидев бледное лицо Конни.

Мэрилин лишь на секунду задержалась рядом с мужем и тотчас поспешила в дом, потому что случилось непредвиденное: в ответ на детский плач у нее пришло молоко, и футболка спереди почти мгновенно стала мокрой.

Билли скрылся в своей комнате и начал звонить друзьям. Конни, словно зачарованная, медленно поднялась по лестнице за подругой и зашла к ней в ванную. Там она присела на краешек биде и стала с отсутствующим видом наблюдать за тем, как Мэрилин переодевается.

Как хорошо, думала Мэрилин, что ее младший все еще гостил у соседей! Не стоило ему возвращаться в этот хаос так скоро. Мало было забот с малышками, теперь еще следовало позаботиться о несчастной Конни.

Потом Мэрилин устроилась на кровати и протянула руки к Джеку, ожидая, когда он подаст ей малышек. Конни села в кресло-качалку и, не мигая, смотрела на то, как она отстегивает клапаны на бюстгальтере для кормящих мам. Стоило приложить девочек к груди, как требовательный рев сменился чмоканьем. Джек прикрыл дверь в спальню на случай появления Билли.

Конни, не отрываясь, смотрела на Мэрилин. Из глаз ее катились слезы. Она все еще помнила, как кормила грудью маленького Кевина. Помнила так отчетливо, словно не прошло двадцати пяти лет с его рождения. Мэрилин кивнула ей приглашающе, и Конни послушно перебралась на постель и села рядом, глядя на крошек в ее руках. Через пару минут она протянула руку и осторожно погладила головку Дафны. В том, какие нежные у девочки волосики и какая шелковистая кожа на ушках, было что-то волшебное и успокаивающее. Конни поглаживала малютку по голове до тех пор, пока та не наелась и не откинулась назад, смежив веки.

Джек принял двух сытых девчушек из рук Мэрилин, помог им срыгнуть, заботливо вытер мордашки и положил обеих в кроватки. Затем он присел на корточки перед двумя подругами.

— Мне очень жаль, Конни, — сказал он и накрыл ее руку своей ладонью. Конни кивнула, продолжая беззвучно плакать. Тогда Джек пересел на кровать и обнял ее. — Это пройдет, дорогая. Это пройдет, — повторял он тихо. Мэрилин обняла их обоих.

Майк и Шон вернулись с опознания подавленными. Не только у Шона, но и у его отца были красные от слез глаза. Лицо Майка стало пепельно-серым, словно его в любой момент мог сразить сердечный приступ.

Обе семьи посидели на кухне. Мэрилин пообещала приехать утром, чтобы помочь с организацией похорон. Она даже представить боялась, что ощущает Конни, обсуждая отделку гроба. Чуть позже она призналась мужу, что втайне была благодарна судьбе, что эта страшная потеря постигла не ее. Потерять Билли или Брайана? Да она бы просто сошла с ума!

Брайан вернулся домой к ужину. Известие ужаснуло его. И он, и Билли ушли спать довольно рано и еще долго ворочались в своих постелях, не в силах заснуть. Мэрилин тоже не спалось. Около одиннадцати она позвонила подруге, чтобы спросить о самочувствии, и поняла, что та все еще плачет. Конни сказала, что зашла в комнату Кевина, чтобы подобрать ему одежду для последнего путешествия, и долго сидела на полу, перебирая вещи и поскуливая от сдавливавшей сердце боли.

Мэрилин с радостью бросилась бы подруге на помощь и провела с ней всю ночь, утешая, но не могла оставить двух младенцев на столь долгий срок. Молоко только пришло, а Дана с Дафной опустошали ее грудь всего за пару минут. Мэрилин хотела кормить детей по расписанию, но это было непростой задачей: молоко начинало вытекать в ответ на требовательный плач, а малышки кричали до тех пор, пока не получали желаемого. И все-таки Мэрилин держалась.

Она позвонила Джуди и попросила утром составить ей компанию и поехать к Конни. Джуди уже знала от Гэбби, что произошло, но все равно отказывалась верить. Случившееся виделось всем настолько же чудовищным, насколько и нелепым.

Телефон Билли разрывался весь вечер. Звонили друзья, пытаясь выяснить, что же произошло с Кевином. К двенадцати Билли не выдержал и поехал к Шону, чтобы поддержать друга. Сразу же за ним появилась Изабелла, которая не произнесла ни слова, а только плакала и размазывала слезы по лицу. Ее забрал Энди, который казался тихим и подавленным.

Когда Мэрилин приехала к подруге, Билли все еще был там. Весь дом, казалось, дышал горем, каждый предмет кричал о потере. Джуди, которая и привезла Мэрилин и малышек, помогала Конни чем могла. Вместе с Мэрилин они отвечали на звонки, выясняли детали насчет похорон, заваривали подруге чай с мятой и чабрецом. После двенадцати Конни с Майком уехали в церковь, чтобы договориться о церемонии прощания и погребении. Джуди общалась с флористом, Мэрилин обзванивала родню и приятелей погибшего Кевина. Пока безутешные родители договаривались со священником храма Святого Доменика, где их покойный сын когда-то получил первое причастие, подруги успели решить кучу задач, чтобы максимально разгрузить Конни.

Странно было думать, что вся эта суета не ради светлого, радостного события вроде свадьбы. Столько разных деталей роднило свадебную церемонию с похоронами, словно в насмешку над бренностью человеческого бытия!

Билли постоянно находился рядом с Шоном, который сидел на ступеньках лестницы или за столом в гостиной с совершенно отсутствующим выражением лица. Гэбби помогала Джуди и Мэрилин. Изабелла появилась чуть позже. Энди не пришел, но постоянно звонил и спрашивал, что нужно сделать. Все хотели быть полезными, чем-то помочь, но не знали, как именно. Никакая помощь и никакие слова утешения не способны были вернуть к жизни Кевина О'Хара.

Мэрилин не представляла, каково приходится Конни. Конечно, ее подруга была сильной женщиной, но подобная беда способна сломить кого угодно. И все же о выдержке Конни говорило хотя бы то, что после возвращения из церкви она больше не плакала. Она прошла в спальню Кевина, достала из гардероба плечики с костюмом, сложила в старый рюкзак сына чистые носки и рубашку, темный галстук, а затем молча вышла из комнаты, притворив за собой дверь. У входной двери она подошла к Мэрилин и обняла ее.

— Спасибо тебе за все, — произнесла она негромко и чуть слышно шмыгнула носом.

— Что ты! Я люблю тебя, — вымолвила Мэрилин и уткнулась лицом ей в плечо. — Мне так жаль, так жаль, Конни!

Подруга отстранилась и кивнула:

— Я знаю.

Они вышли во двор. Майк завел машину, и вдвоем с Конни они снова отправились в церковь, чтобы передать церковным служащим одежду для отправлявшегося в последний путь старшего сына.

Глава 9

Похороны Кевина О'Хара для каждого стали испытанием. Взрослые слушали службу с безмолвным ужасом и одновременно с потаенным облегчением от того, что хоронили не их собственного ребенка. Друзья Кевина казались мрачными и замкнутыми, они вспоминали моменты прошлого, почему-то только хорошие и теплые, и впервые задумывались над скоротечностью человеческой жизни. Младшее поколение, в слезах, и вовсе сидело потерянное.

Майк, Конни и Шон занимали скамью в первом ряду. У всех троих был такой вид, словно их громом поразило. Почти напротив них стоял закрытый гроб, на который Конни смотрела не отрываясь, а Майк с Шоном старались не глядеть.

Каждому присутствующему казалось, что все происходящее — какой-то фарс, дикий спектакль в театре абсурда, главная цель которого — предупредить жалких людишек о том, сколь хрупко и бренно человеческое тело. Да, Кевин не раз оступался, да, он частенько ходил по лезвию ножа, да, он испытывал судьбу на прочность, да-да-да... но смерть? Разве заслуживал он смерти? Разве так сильно заигрался, чтобы заплатить столь высокую цену? Чудовищную, страшную цену? Его смерть как бы говорила каждому присутствующему: будь осторожен, не считай себя неуязвимым, ибо оступиться может каждый. И кто виновен в случившемся? Есть ли виновный там, где речь идет о смерти? Кого считать ответственным? Родителей? Слепой рок? Окружение? Какие знаки упустили его близкие? Как не услышали неотвратимые шаги опасности? И почему именно Кевин лежит сейчас, навеки упокоившийся, под деревянной крышкой гроба? Почему он, а не кто-то другой? Разве другие не рисковали? Разве не переступали черту? Чем заслужил именно он столь страшную кару?

Вопросам без ответа не было конца.

Конни, сидевшая в первом ряду, задавала их себе снова и снова, не в силах понять, есть ли в случившемся ее вина. Кевин, ее любимый мальчик, ее плоть и кровь, уходил прочь, и агония, терзавшая ее каждую секунду, была столь же мучительной, сколь и неизбывной. Казалось, ее сердце секунду за секундой стискивает невидимая когтистая лапа и оно вот-вот рассыплется в прах, да только все никак не рассыпается, делая муку бесконечной.

В полузабытьи Конни вышла из церкви вслед за мужем, младшим сыном и друзьями Кевина, которые несли на плечах гроб. Последнее ложе Кевина погрузили в катафалк, чтобы отвезти на кладбище и опустить в черную яму.

Конни смотрела, как комья земли летят на деревянную крышку, и ей казалось, что это она сама мелкими комьями осыпается в яму вслед за погибшим сыном, чтобы навеки упокоиться вместе с ним. Она бы бросилась вниз, но отдаленная мысль о том, что нельзя бросать Майка и Шона, удерживала ее от безрассудного поступка. Она должна была собрать все силы ради них, таких беззащитных и потерянных. Это был ее долг, хотя часть ее плоти, кусок ее собственного тела засыпали сейчас навеки землей. Это она погибла в грязной подворотне, не поделив с дилером товар. И какая разница, кто прав и кто виноват, какая разница, нарушал Кевин закон или нет, — он был ее сыном, ее кровинушкой, и это было выше всех людских законов. Кем был тот человек, что застрелил Кевина? Имело ли это вообще хоть какое-нибудь значение? Ничто не могло вернуть Конни ее любимого сына...

Гроб был обтянут белым атласом. Таким белым по сравнению с черной землей! Он должен был стать последним прибежищем Кевина, его домом и крепостью, и Конни страшила мысль, что ее сын останется под землей совсем один на ночь, а потом еще на одну и еще на одну... Она едва слышала слова священника, раскачиваясь на краю могилы, словно завороженная...

Мэрилин провожала друзей до ресторана. Поминки устраивали в заведении Майка, где все было украшено цветами, словно это был праздник. Только это был не праздник. Это было прощание с Кевином О'Хара.

Конни почти не помнила, как все прошло. Она с трудом различала лица. Самым отчетливым образом были большие фотографии Кевина, которые всюду расставила

Мэрилин. На некоторых он улыбался, где-то грустил или просто был серьезен. О чем говорили, что ели и пили, Конни не помнила вовсе.

Потом они оказались дома. Шон и Майк сидели в кабинете на стульях и молчали. У них был потерянный вид, как у жертв какой-нибудь чудовищной катастрофы. Друзья Шона, остальные члены «Большой пятерки», остались после поминок, поднялись в комнату Шона и закрылись там. Их родители — Конни и Майк, Мэрилин и Джек, Джуди и Адам — остались в гостиной, не зная, что говорить. Да и что тут скажешь? «Нам очень жаль»? «Бедняжка Кевин! Мы понимаем, как вам сейчас трудно»? Все это были просто слова, набор звуков, не более того. Разве можно понять, как чувствует себя человек, только что похоронивший взрослого сына? Сына, которого он растил столько лет, видел, как он меняется и становится личностью, выбирает свой путь и вдруг — внезапно! — делает шаг в пропасть!

Конни растерянно смотрела на фотографии и порой поднимала голову, словно ожидая, что на втором этаже хлопнет дверь и ее сын, живой и невредимый, спустится по лестнице.

Увы, этому больше не бывать. Спальня Кевина навеки потеряла хозяина. Вещи, еще хранившие его запах, погибнут в шкафах и чемоданах, задохнутся от пыли, истлеют на плечиках. Конни знала, что не найдет в себе сил отдать одежду сына в приют или приходскую школу. Она смотрела на мужа и видела, как резко постарело его лицо, как он осунулся, каким измученным выглядит.

— Вам обоим надо отдохнуть, — негромко сказала Мэрилин. Конни не спала с того самого момента, как узнала трагическую новость. — И поесть. — Люди Джека оставили в холодильнике еду с поминального обеда, чтобы несчастные родители погибшего могли перекусить.

Конни послушно кивнула, хотя с трудом могла представить, что съест хотя бы крошку. Она осунулась и явно сбросила пару килограммов за какие-то сутки, потому что одежда висела на ней мешком.

Мэрилин и Джек уехали только вечером. Джуди и Адам попрощались чуть раньше. Только «Большая пятерка» не собиралась расходиться. Ребята поиграли в приставку, чтобы отвлечь Шона от тяжелых мыслей, затем Билли достал из рюкзака плоскую фляжку и открутил крышку. Запахло бурбоном, который он отлил из большой бутылки, стоявшей в баре у отца. Гэбби и Иззи сделали по крохотному глотку, мальчишки отхлебывали несколько раз, передавая фляжку по кругу, пока бурбон не закончился.

— Вряд ли это притупит боль, — заметила Изабелла, устами которой всегда говорил здравый смысл. — Скорее обострит.

Билли пожал плечами, а Шон завалился на кровать. Он ни слова не вымолвил последнюю пару часов. Его утомили слова утешения, которые произносили весь день его родственники. Это были всего лишь слова. Даже его друзья, оставшиеся поддержать... откуда им было знать, каково это — потерять родного брата? В одночасье Шон из младшего ребенка превратился в единственного сына. Это было нелепо, глупо, но так случилось, и он был не в силах что-либо изменить.

— Хочешь переночевать у меня? — предложил Билли. Он видел, что под маской отчуждения, которую надел его друг, таится маленький испуганный мальчик, потерявший почву под ногами.

— Я лучше останусь дома. — Шон устало вздохнул. — Мама с папой... я волнуюсь за них, — как бы между прочим сказал он. Алкоголь оказал на него странное притупляющее действие. Он почти не чувствовал тоски. Его телом и разумом владела просто усталость. Чудовищная, безмерная усталость. После мучительных приступов боли, рвавшейся наружу целый день, он вдруг словно потерял чувствительность, и это было почти хорошо.

Энди ушел первым, поскольку родители ждали его к ужину. За ним потянулись Гэбби и Билли. Осталась только Изабелла.

— Все пройдет, милый, — утешительно сказала она, присаживаясь рядом с другом на краешек постели. — Наверное, тебе очень плохо. У меня никогда не было братьев и сестер, поэтому мне трудно судить. Но все равно это пройдет. Ведь все проходит.

Это было ужасно. Шон зажмурил глаза, несколько мгновений почти ненавидя свою верную подругу. Сердце снова сжалось, призывая назад боль. А затем эмоции вновь отступили, словно откатывающаяся волна.

— Однажды я сумею найти средство. Я остановлю это, — твердо пообещал он.

Изабелла прилегла рядом, и какое-то время они просто молчали, разглядывая потолок. Шон думал о том, что из всей их группы она всегда была его лучшим другом.

— И как ты это сделаешь? — спросила Иззи вполне серьезно, словно они вновь превратились в пятилетних малышей и она спрашивала, налить ли Шону чай, поднося к пластмассовой чашке пластмассовый чайник. Это был такой же нелепый, чудной вопрос, как если бы она спросила Шона, как подводная лодка плавает без плавников или как именно ползет туман. Но это был самый серьезный вопрос на свете, и они оба это понимали.

— Я буду работать в ФБР. После колледжа, — ответил Шон. — Чтобы ловить преступников. И однажды я поймаю тех, кто убил моего брата.

Они помолчали, стараясь не думать о том, что Кевин был далеко не случайной жертвой. Это было совершенно не важно, потому что Кевин был мертв.

— Ты с самого детства хотел служить в полиции, — с улыбкой заметила Иззи.

— Да, хотел. И буду служить.

Шон говорил тоном, не допускавшим возражений, и Изабелла поняла, что он верит в то, что говорит.

— За несколько лет все может измениться. Ты можешь и передумать. На свете много профессий, и служба в ФБР далеко не предел мечтаний, — резонно заметила она.

— Смотря для кого. Я всегда хотел служить закону, — упрямо возразил Шон. — Просто раньше у меня на это было маловато причин. А теперь есть одна, но очень веская. — Он повернулся на бок, опершись на локоть, посмотрел на Изабеллу. На секунду задался вопросом: каково было бы поцеловать ее? — но мысль быстро испарилась, потому что Иззи была его другом.

— Мне будет не хватать тебя, — призналась она.

Шон кивнул:

— И мне тебя...

У Шона стал совсем далекий голос. Он потерял брата, а теперь был вынужден уехать из родного дома, прочь от любимых родителей и друзей.

— Жаль, что ты не выбрал Лос-Анджелес, — сказала Иззи со вздохом.

— Мы будем видеться по праздникам и на каникулах, — откликнулся Шон, и это не было обещание. Просто слова утешения, такие же пустые, как те, что он слышал весь день от родных и соседей. — Пошли, я отвезу тебя домой.

В машине они почти не разговаривали. Изабелла думала о том, что было бы, если бы в этот день хоронили кого-то из «Большой пятерки». А ведь жизнь непредсказуема. Служба в ФБР — опасная и трудная работа. Шон был готов рисковать жизнью, и от этого ей было не по себе.

Он высадил ее у дома, и Иззи пообещала проведать его на следующий день.

Шон вернулся к себе. Дом казался пустым и безжизненным. Дверь в комнату родителей была плотно закрыта, в окнах не горел свет. Когда Шон проходил мимо спальни Кевина, он на секунду остановился и потянулся к дверной ручке. Он хотел войти, но не смог.

Оказавшись в своей комнате, он рухнул на постель и разрыдался.

Изабелла и остальные приезжали к Шону каждый день. Билли всегда приносил фляжку, которую неизменно пополнял алкоголем. Теперь он наливал из бара матери, которая была слишком занята малышами, чтобы заметить пропажу. Крикливые младенцы все еще раздражали Билли, но как только одна из девочек начала улыбаться, он был вынужден признать, что его сводные сестрички довольно милы. Он даже пару раз брал их на руки, и не случилось ничего страшного. Брайан так и вовсе носился с ними как с писаной торбой и был по уши влюблен. Он менял крохам подгузники, купал их, качал в люльках. Билли вся эта возня бесила, хотя Гэбби и твердила день за днем, что «обожает этих чудесных малюток». Слава Богу, Габриэла принимала противозачаточные, поскольку Билли начал всерьез опасаться, что его подруга хочет ребенка. Лично он не собирался обзаводиться потомством в ближайшие десять — пятнадцать лет.

Как-то раз Билли не удалось украсть выпивку из родительского бара, и тогда он уговорил одного бездомного купить ему две упаковки пива. Весь июнь Билли и Шон пили по вечерам. Сначала поводом была гибель Кевина, которого они поминали при каждом глотке, но позже выпивка стала способом скоротать вечер. Летние дни тянулись бесконечно долго, несмотря на то что некоторые нашли подработку на каникулах. Шон помогал отцу, Иззи работала в летнем лагере для школьников, Гэбби бездельничала, Билли и вовсе не знал, куда себя деть. Джек и Мэрилин позволили ему отдыхать последнее лето перед колледжем, решив, что парень еще успеет в жизни поработать. Однако Билли не лучшим образом пользовался этой свободой. Энди подрабатывал по утрам в лаборатории, а днем присоединялся к друзьям. На работу его устроила мать, но никаких серьезных опытов и заданий ему не давали. Конечно, сотрудники восхищались его школьными успехами и поступлением в Гарвард, однако ничего стоящего не доверяли. Энди начинало раздражать, что в его обязанности входят уборка мусора и стерилизация лаборатории, и он все чаще жаловался друзьям на свою «работу». Порой он тоже делал глоток-другой виски, хотя никогда не выходил за рамки.

Наконец эти попойки здорово разозлили Изабеллу. К июлю ее терпение лопнуло, и она обозвала троих малолетних пьяниц жалкими неудачниками.

— Да вы живо вылетите из колледжа, если будете так пить! — возмущалась она. — Вы натурально сопьетесь, если не прекратите это безобразие. Посмотрите на себя! В кого вы превратились! Вы же только и можете, что пить и играть в приставку. Вас самих должно тошнить от всего этого! — Она посмотрела на Шона в упор. — Как ты можешь?

Шон поник головой. Прошло всего пять недель со смерти Кевина, поэтому родня и близкие прощали ему промахи, но только не Иззи! Самое печальное — она была полностью права.

— И что прикажешь нам делать? Чем заниматься все лето? — спросил Билли, забирая у Шона фляжку, из которой тот не сделал ни глотка.

— Да хотя бы идите на пляж! Или погоняйте мяч! — крикнула Иззи.

— На улице холодно, — пожаловался Билли. Последние дни на улице было сыро и туманно. Июль в Сан-Франциско всегда не жалует теплом, и это не улучшало настроение малолетних пьяниц.

— И что с того? Займитесь делом. Любым делом, понятно? И завязывайте с выпивкой, иначе плохо кончите.

На другой день ребята послушно собрались и пошли через парк к пляжу в Стинсоне, там они купили гамбургеры, которые вяло жевали и запивали на холодном ветру колой. Изабелле все трое сказали, что неплохо провели время.

Когда все разбрелись по домам, Иззи осталась с Шоном.

— Вот уедешь в колледж... Как думаешь, ты справишься? — Она волновалась, как бы оставшийся наедине с собой Шон не пал жертвой самой настоящей депрессии. Майк и Конни все еще безутешно горевали, но их сын, ставший внезапно единственным, выглядел хуже некуда. Под глазами залегли темные тени, плечи поникли, и теперь он ходил, изрядно ссутулившись, и часто смотрел лишь себе под ноги. Жаловался, что плохо спит и постоянно думает о погибшем Кевине. Это сводило беднягу с ума.

— Да все будет нормально, — не очень уверенно ответил Шон.

— Нормально должно стать раньше, чем ты уедешь, понятно? Возьми себя в руки, соберись! Хотя бы ради родителей. Ведь они немолоды, и ты все, что у них осталось.

Шон косо глянул на Иззи. Легко ей говорить! Конечно, она и Энди всю жизнь были единственными детьми. Такое положение вещей для них естественно и привычно. А родители Шона... они хотели двоих детей, они любили двоих детей и верили в светлое будущее для обоих. И вдруг, вот так внезапно и трагично, для одного из их дорогих мальчиков будущее просто исчезло, стерлось навсегда! И целой жизни было мало, чтобы принять такое настоящее, в котором нет будущего для любимого сына.

— Шон, я волнуюсь за тебя. Может, выберешь другой колледж, поближе, чтобы чаще бывать дома? Это поддержит твоих родителей.

Друг упрямо покачал головой. Он не мог оставаться здесь, в этом доме, полном воспоминаний, не мог слышать, как плачет в своей комнате мама, видеть новую седину на левом виске отца и понимать, что ничем не унять эту боль, не смягчить эту потерю. Изабелла знала: даже для нее атмосфера в доме О'Хара казалась невыносимой, что уж говорить о несчастном Шоне!

Они общались каждый вечер после подработки, и постепенно Шон перестал пить. Да и вообще пил теперь только Билли, и то все меньше, поскольку Изабелла смогла внушить ему, что в одиночку пьют лишь слабаки. Билли не желал прослыть слабаком. Он готовился стать звездой футбола, а настоящие футболисты едва ли получаются из слабаков.

Билли первым уехал в колледж. Это было в начале августа. В его новой команде начались регулярные тренировки, позволявшие набрать форму к началу сезона. Гэбби перебралась в Лос-Анджелес через неделю после него. Ей еще предстояло найти хорошую квартиру и перевезти вещи. Но раньше, чем разъехаться, «Большая пятерка» собралась на торжественном ужине в ресторане, а затем отправилась погулять по пляжу. Они бродили по остывшему песку босиком, договорились обязательно созваниваться и приезжать в гости на праздники, обещали никогда не забывать друг друга, поддерживать в трудные времена, и каждый торжественно поклялся, что приедет на первую игру Билли.

Утром в день отъезда Гэбби Изабелла зашла к ней домой, чтобы проститься. Габриэла уже собрала вещи и пила клюквенный морс. Подружки вместе позавтракали и поболтали о том о сем. Изи заметила, что Мишель снова похудела, но ничего не сказала. О том, что у девочки проблемы с весом, и так все знали. Оставалось надеяться, что отъезд Гэбби не станет для сестры дополнительным стрессом, который приведет к анорексии. Мишель всегда жила как бы в тени Габриэлы, несмотря на то что сестры очень любили друг друга.

Когда машина отъезжала от дома, Изабелла и Мишель плакали и махали вслед. Мать везла дочку в минивэне, так много у той было вещей. Гэбби планировала поселиться в западной части Голливуда, поэтому перевозила весь гардероб. Агенту удалось подобрать три подходящие квартиры с мебелью и техникой, и с их осмотра она и собиралась начать.

Когда Гэбби уехала, Изабелла еще немного поболтала с Мишель, спросила про учебу и подружек, а затем отправилась к Энди, который тоже скоро уезжал, и она хотела попрощаться. После короткого визита Изабелла заторопилась к Шону.

Конни устроила генеральную уборку и заливалась слезами всякий раз, когда находила что-то из вещей Кевина. Прошло всего два месяца, и она никак не могла прийти в себя. Дом казался ей мрачным склепом, где центральное место занимала комната погибшего сына. Здесь уже два месяца все оставалось нетронутым, словно ждало визита заплутавшего где-то хозяина. Конни тщательно смахивала пыль с полок, перебирала одежду, чтобы ее проветрить, пылесосила комнату. Прибираясь, она словно всякий раз отдавала дань памяти погибшему сыну, как если бы это могло принести облегчение.

Следующим покидал город Энди. Его отец летел в Бостон, поэтому Энди торопливо собирал вещи. Накануне он виделся с Изабеллой и Шоном, а с утра успел настрочить ей эсэмэску со следующим текстом: «Будь умницей. Уже скучаю. Люблю. Энди».

К счастью, Изабелла и Шон уезжали почти сразу за ним. Никто не хотел остаться в городе последним, не желая сполна ощутить вкус одиночества. Изабелла поужина-

ла с отцом и снова поехала к Шону. Его мать обняла ее при
встрече.

— У тебя все будет хорошо, — сказала Конни и улыбнулась. — Только будь осторожной, ладно? Я хочу увидеть
тебя на День благодарения целой и невредимой. И не
влюбляйся в первый же день!

— Это маловероятно, — ответила Иззи, и они обе засмеялись. — Мне надо учиться, а не глазки строить.

— Тебе незачем строить глазки, и без того любой парень
будет рад с тобой познакомиться, — заверила ее Конни.

Изабелла хмыкнула. Она никогда не могла похвастать-
ся яркой красотой, как Гэбби, да и вообще не особенно об
этом задумывалась. С ребятами она предпочитала дружить, и мысль о том, что кто-то из них может стать ее парнем, казалась ей малореальной. Мать никогда не учила ее
женским штучкам, которыми так хорошо владела Габриэла. Иззи скромно причесывалась, неброско одевалась,
считая, что этого вполне достаточно. Она привыкла жить
с отцом и смотреть на мир его глазами — практично и
вдумчиво. Он не ходил с ней по магазинам за кофточками
и сумочками, не цитировал чужие блоги, никогда не дарил
косметику. Даже в колледж Изабелла собрала свой старый
школьный рюкзак, с которым ходила уже много лет. Этого
было для нее достаточно.

Конни полностью обновила гардероб Шона. В его че-
модане уже лежали новые тенниски и джинсы, белоснеж-
ные кроссовки, свежий комплект постельного белья. Точно так же Конни собирала вещи Кевина, когда он уезжал в
Санта-Крус.

Конни заранее переживала из-за отъезда младшего —
теперь единственного! — сына. Она представляла, как
они с Майком останутся совершенно одни в опустевшем
доме, и ее сердце сжималось от боли. Она убеждала себя,
что Кевин не погиб, что он просто уехал чуть раньше

Шона. Так было проще. Так было не больно. Мэрилин попросила помочь ей с малышками, когда старшие ребята разъедутся, и Конни с радостью согласилась, потому что это могло отвлечь от мрачных мыслей и заполнить пустоту. Близняшки требовали много внимания и терпения, а бедная Мэрилин выбивалась с ними из сил. Любой младенец забирает у матери почти всю энергию, а двое забирают вдвойне.

Конни и Майк полетели в Вашингтон вместе с сыном, чтобы помочь ему устроиться на новом месте. Они вернулись на другой день последним рейсом, и уже в такси ими завладели мрачные мысли о темном, опустевшем доме.

Джефф отвез Изабеллу в Лос-Анджелес, помог ей распаковать вещи и почти весь день провозился с ее компьютером и музыкальным центром, что-то настраивая и улучшая. Комнатка в общежитии была крохотной, и делить ее предстояло с довольно миловидной девочкой, не внушившей Джеффу никаких опасений. Родители соседки казались вполне вменяемыми людьми и явно тоже волновались за свою дочь.

После отъезда родителей обе девочки спустились в кафе перекусить и поболтать. Затем Изабелла позвонила Гэбби. Та как раз раскладывала вещи в своей новой квартире, от которой была без ума. Уже через день Иззи поехала к подруге, чтобы оценить ее жилище, и вынесла вердикт, что это «очень взрослая и элегантная квартира». У дома были собственный внутренний двор с прудом, парковка и охрана в каждом подъезде. Мебель в квартире, конечно, оказалась довольно простой, без изысков, но девочки прошлись по магазинам и добавили к обстановке пару пледов и милых безделушек, ожививших интерьер.

— Что ж, теперь ты живешь в собственной, пусть даже съемной, квартире, — подвела итоги Изабелла. — Будущая звезда, да?

Обе рассмеялись.

Гэбби поделилась, что Билли уже был у нее и одобрил жилище. Он собирался переехать из общежития к ней в следующем году, если позволит график тренировок. Родители обоих не возражали. Квартира была достаточно просторной даже для двоих и казалась Изабелле в десять раз больше комнатки, которая ей досталась.

Отец отдал Гэбби машину, почти новый черный «лендровер», большой и элегантный. Теперь он красовался на парковке за окном.

Изабелла привезла в колледж только велосипед. Ее отец не мог позволить себе такую крупную покупку, как машина для дочери, а мать считала Иззи слишком юной для вождения. Так что на долю Изабеллы выпала участь студентки с проездным билетом.

Впрочем, стоило ли сравнивать? Джуди постоянно меняла машины, поскольку ее муж владел автосалоном. Даже Мишель получила на шестнадцатилетие новый джип. Изабелла могла бы, конечно, завидовать подруге, но слишком любила ее, чтобы портить дружбу подобной глупостью.

Они сидели на стульчиках на балконе новой квартиры Гэбби и болтали босыми ногами. Билли был на тренировке, соседка Иззи пригласила к себе двух школьных подруг, поэтому проводить время, загорая на балконе Габриэлы, казалось отличной идеей. Вдали от родительского контроля и привычной суеты подруги чувствовали себя взрослыми и самостоятельными.

Вечером Шон прислал эсэмэску. Писал, что общежитие при колледже неплохое и что занятия уже начались. Еще он спрашивал, не объявлялся ли Энди, который никому не отзвонился и не написал. Возможно, был очень занят, устраиваясь на месте.

Гэбби рассказала, что ее новый агент уже пробивает ей место в модельной студии. Конечно, пока было рано говорить, что ее возьмут, но агент утверждал, что дело в шляпе. Изабелла заверила подругу, что ей не о чем волноваться, любая студия примет ее без всяких раздумий. Через пару дней у Габриэлы начинались занятия на курсах актерского мастерства, а еще через месяц — первые пробы массовки в сериалах, так что оставалось держать кулачки на удачу.

На другой день Изабелла отправилась в главное здание колледжа, чтобы выбрать предметы и записаться на занятия. Хотя она и пришла рано, процесс оказался длительным. Пообщавшись с куратором, она подала заявку на изучение курсов философии, психологии, математики, истории искусств и несколько других. Судя по параграфам выданных ей учебников, работы предстояло много.

Затем Изабелла побродила по кампусу, чтобы получше все узнать. Все вокруг были довольно дружелюбны, студенты приветливо улыбались, и вообще учебный городок походил на маленький улей, заполненный трудолюбивыми пчелками. Изабелла чувствовала себя вполне комфортно среди незнакомых людей, хотя и скучала по друзьям. Впервые со времени учебы в начальной школе рядом с ней не было ее верных приятелей. Хорошо хоть, что Гэбби и Билли жили неподалеку.

На душе у Изабеллы было легко. Весь мир лежал у ее ног, готовый принять в свои объятия. И она с радостью ожидала перемен.

Глава 10

Тишина в доме оказалась еще более гнетущей и тяжкой, чем ожидала Конни. Вечерами они с Майком сидели перед телевизором или за столом, не зная, что сказать друг другу. Ничьи голоса не звучали в гостиной или в комнатах детей, никто не приходил в гости, чтобы с хохотом взлететь по лестнице. Другие родители тоже переживали по поводу пустоты, еще недавно заполненной хлопотами, связанными с поступлением в колледж и переездом. Но Майку и Конни приходилось хуже других. Их пустота была всепоглощающей, абсолютной.

Убийцу Кевина так и не нашли. Да, велось следствие, но за недостаточностью свидетельских показаний у полиции не было даже подозреваемых. Никакого возмездия, никакой справедливой кары — ничего. Конни заглядывала в пустые глаза мужа каждый вечер, и ее сердце разрывалось от боли. Он был сломлен, и как-то сразу становилось ясно, что никогда больше ему не стать прежним Майком О'Хара. Да и сама Конни едва ли была собой. Она перетаскивала себя изо дня в день, и каждый час был попыткой сделать очередной шаг.

Конечно, Конни часто приходила к Мэрилин. Ей нравилось играть с малышками, которым теперь было три месяца. Они отвечали на воркование и улыбались, увидев ее лицо. Но как бы здорово ни было возиться с этими крохами, рано или поздно Конни приходилось возвращаться в свой унылый дом, чтобы снова смотреть в глаза мужу и бороться с пустотой. Что-то умирало внутри ее, и она понятия не имела, как это исправить. Не было особых карт для тех, кто заплутал на этой страшной дороге, поэтому она искала свой новый путь вслепую, день за днем, час за часом.

Она часто звонила Шону в Вашингтон. Разговор с ним немного разгонял серую мглу последних месяцев, но сын слышал, какой далекий и пустой у матери голос, и тоже грустил после ее звонков. Они часто обменивались письмами по электронной почте, так что Конни знала все, что творится с Шоном, но все равно использовала малейший предлог, чтобы позвонить, и постоянно попадала в неудачные моменты, когда он был занят или куда-то торопился. В конце концов Шон сказал, что переписка удобнее, чем звонки. Конни чувствовала: сына тяготит то, что она названивает ему трижды в день, но ничего не могла с собой поделать.

Жизнь казалась Конни мучением, которому не видно было конца, и однажды она призналась в этом Мэрилин.

— Я не знаю, как быть...

Обе помолчали.

— Кстати, как дела у Билли?

— Неплохо. Ему нравится на побережье. Режим тренировок очень плотный, Билли едва успевает учиться. Он говорит только о футболе, я даже не знаю, чем еще он занимается. Возможно, ничем. — Мэрилин вздохнула. — Но как я поняла, все свободное время он проводит с Гэбби.

Гэбби уже получила несколько предложений о съемках для журналов, но карьера модели была для нее лишь ступенью. Однако она прилежно изучала все, что мог предложить модельный бизнес.

— Знаешь, они так быстро растут, — внезапно сказала Мэрилин. — Все дети, я имею в виду. Помню, я поймала себя на мысли, что не верю в их скорый отъезд, хотя давно к нему готовилась. Словно вся эта суета была театральной постановкой.

Конечно, для Мэрилин все было гораздо проще. Дома оставался Брайан, который перешел в восьмой класс и начал открывать для себя подростковые увлечения. Мать следила за тем, как он набивает себе шишки, пытаясь общаться с девочками, как совершает те же ошибки, что и Билли когда-то. Это было так ново и так знакомо одновременно. Хорошо, что Брайану было с кого теперь брать пример. Джек всегда воспринимал его как собственного ребенка, выслушивал, поддерживал — словом, давал ему все, чего никогда не мог дать настоящий отец. С близняшками Джек тоже прекрасно управлялся, не забывая и об их маме. Он был хорошим человеком и не разочаровывал Мэрилин. Ларри больше не появлялся в их жизни, не искал встречи с младшим сыном после отъезда старшего, и это, полагала Мэрилин, было только к лучшему.

Когда вся молодежь уже освоилась там, куда перебралась из родных домов, Джуди позвонил школьный психолог. Стоял октябрь, спортивные занятия проходили в зале, и учитель обратил внимание на то, что Мишель очень похудела. К ней снова вернулась анорексия, и лечащий врач прописал ей лекарства и диету. Болезнь прогрессировала. Когда Мишель встала на весы, Джуди едва не потеряла сознание. Дочь постоянно носила одежду с длинными рукавами и брюки, поэтому никто не подозревал, как ужасно выглядит ее тело. В ней было всего сорок килограммов при росте метр семьдесят пять. Девочку немедленно госпитализировали и не собирались выписывать, пока она не наберет вес. Ей была прописана групповая терапия с другими детьми, страдавшими расстройствами питания.

Приехав из больницы домой, Джуди позвонила Мэрилин и Конни. Новость никого не удивила. Плача навзрыд, она рассказала, как яростно дочь сопротивлялась прописанной ей диете, клялась сбежать из клиники. Лечение было рассчитано на шесть недель. Джуди пребывала в ужасе от происходящего. На первом же групповом сеансе дочь сказала, что родители живут только ради ее старшей сестры, а на нее им просто плевать. Джуди плакала и говорила, что это не так и что она любит Мишель не меньше, чем Габриэлу. Потом говорили другие девочки, и их истории были очень похожи на рассказ Мишель.

Конни и Мэрилин утешали подругу. Они не стали комментировать слова Мишель, однако втайне соглашались с ней. Если единственный способ обратить на себя внимание матери — умереть с голоду, то Мишель использовала этот способ и сполна наслаждалась результатом. Теперь весь мир Джуди вращался вокруг несчастной Мишель, а не вокруг успешной Габриэлы, уехавшей в Лос-Анджелес.

Джуди много времени проводила в клинике, навещая младшую дочь, которая сдружилась с парой таких же худых девчушек, как и она сама.

Гэбби звонила сестре каждый день и всякий раз просила прощения за то, что уделяла ей мало внимания, пока была дома. Мишель плакала и говорила, что это ничего, что она понимает, как занята была Гэбби подготовкой к переезду и как важно, чтобы ее карьера сложилась удачно. Мишель могла быть всепрощающей, ведь она получила то, о чем мечтала: внимание близких.

Кроме того, ей достался еще один бонус, на который она никак не рассчитывала, — ее стал навещать брат Билли, Брайан. Он был на три года младше Мишель, но упрямо ходил к ней и говорил, что без нее школа опустела. Брайан приезжал на автобусе в часы посещений и всегда привозил что-нибудь из фруктов. На вопрос Мишель, с чего это вдруг он стал так внимателен, Брайан напомнил о Билли и Гэбби, которые встречались уже несколько лет.

— И что с того? При чем здесь они? — дразнила его Мишель. — Или мы теперь вроде как родня?

Брайан был милым, приятным мальчиком, к тому же смотрел на нее так, словно был старше и мудрее. Он искренне переживал за ее здоровье, и это было приятно Мишель. Парень хорошо учился, здорово повзрослел за последний год и выглядел таким же красавчиком, как старший брат. Ему было всего тринадцать, но с его ростом он явно казался старше. Он не лез Мишель в душу, говорил о школе, о своем отчиме и сестричках, приносил яблоки и печенье, которые Мишель грызла во время разговора. Она не ела печенье последние три года, с тех самых пор, как начала ограничивать себя в пище, но ей не хотелось разочаровывать мальчишку.

За несколько недель Мишель привыкла к визитам Брайана. Они очень сдружились, несмотря на разницу в возрасте. Брайан покупал печенье и фрукты на свои карманные деньги, стараясь всякий раз приносить что-то новое, и Мишель послушно все съедала.

— Вот ты смеешься, а однажды мы действительно можем породниться, — задумчиво сказал Брайан. — Вдруг Гэбби и Билли поженятся?

Мишель улыбнулась в ответ. Брайан выглядел совсем как взрослый, но рассуждал порой, как ребенок.

— Всякое может быть. Они всегда были неразлучны. А сейчас даже живут вместе, словно уже поженились...

На групповом сеансе Мишель призналась, что завидует сестре и тому, что с ней встречается такой парень, как Билли. Она тоже хотела бы с кем-нибудь встречаться, но парни не слишком-то обращают на нее внимание. Наверное, она недостаточно хороша собой, говорила с горечью Мишель. В шестнадцать лет она еще ни разу ни с кем не целовалась, ее не приглашали погулять или в кино, и она начинала думать, что умрет старой девой. Остальные участницы терапии единодушно сказали, что если Мишель слегка поправится, то станет более привлекательной для парней.

Самое странное, что в какой-то момент Мишель рассказала о своих страхах и Брайану. Он не стал поднимать ее на смех. Как и его новая подруга, он всегда жил в тени Билли и считал себя менее привлекательным и талантливым, чем брат.

— Гэбби и Билли — звезды, — заметил он. — А рядом со звездами расти нелегко.

Мишель кивнула. Да, в этом они были похожи. К тому же оба отлично учились. Это еще больше роднило новоиспеченных друзей.

Ко Дню благодарения Мишель обещали выписать. Брайан очень радовался, что его подружке стало лучше, и продолжал регулярно бывать в клинике. Джуди, увидев список посещений, была изрядно удивлена тем, как часто там встречается его фамилия.

— Что он здесь делает? — спросила она изумленно. Ей и представить было трудно, как ее дочь может общаться с парнем на три года младше ее.

— Мы просто болтаем, мам. Он очень хороший, — призналась Мишель. Одноклассники почти ее не навещали, у них были собственные дела в их собственных интересных жизнях.

Внезапно Джуди осознала, что у ее дочери и Брайана куда больше общего, чем учеба в Этвуде. Теперь Джуди более внимательно наблюдала за Мишель, старалась угадать, что творится у нее в голове, присматривалась к мелочам. Если дружба с младшим братом Билли делала ее дочь счастливой, Джуди была целиком за эту дружбу.

Дома Джуди сразу позвонила Мэрилин, чтобы поделиться с ней новостью. Та была невероятно занята: малышки по-разному набирали в весе и теперь находились на разных схемах кормления. Однако о дружбе сына с Мишель она знала.

— Думаю, ему не хватает Билли и Гэбби, а Мишель напоминает ему о них. Наши дети сейчас борются с одиночеством, — задумчиво сказала Мэрилин.

— Как и мы все, — вздохнув, согласилась Джуди. — У тебя хотя бы есть малышки, и это здорово! Никогда не думала, что без Габриэлы дома будет так пусто. Правда, ее отъезд позволил мне сблизиться с Мишель. Мы с Адамом слишком погрузились в заботу о Гэбби, совершенно забыв о младшей дочери. Порой мне кажется, что сеансы групповой терапии детей куда больше дают разобраться в себе их родителям.

На День благодарения ребята вернулись домой. Не для каждого это возвращение оказалось приятным. Например, Шон вошел в дом и внезапно впервые по-настоящему осознал, что никогда больше не увидит Кевина. В пятницу он напился в баре, сел за руль пьяным, и его остановила полиция. Это поразило всех, поскольку Шон был ответственным человеком. Майк расстроился, а Конни посетило нехорошее предположение, что Шон бессознательно пытается копировать поведение старшего брата, как бы удерживая тем самым воспоминания о нем. Она прочла несколько психологических трактатов о том, как справиться с потерей близких, и в одной из книг было написано о подобном заместительном поведении. Конечно, она не решилась сказать об этом сыну.

Конни позвонила семейному психологу и поделилась с ним своей догадкой. Психолог поддержал ее версию. Более того, по его словам, поведение Шона было вполне предсказуемо. Он обязательно успокоится и смирится, однако пока для этого не настало время. Шон не умел горевать так глубоко, как горевали его родители, и в силу возраста выбрал другой путь — отрицание и непринятие. Психолог посоветовал не давить на парня. Конни и не стала давить. Она просто попросила Майка не давать сыну ключи от машины.

Шону предстояло заплатить штраф и в понедельник в суде услышать условия возвращения водительских прав. Майк обратился к адвокату. К сожалению, попытка смягчить полицейских оказалась тщетной: в крови Шона было 0,9 промилле алкоголя, что выходило за всякие рамки.

Шон, сгорая от стыда за то, что натворил, рассказал друзьям о своей ошибке. Изабелла в досаде обозвала его дураком. Она не верила своим ушам, когда он рассказывал, как вывалился из бара и сел в машину.

Изабелла злилась целый день. Ее возмущало, что Шон подверг опасности свою жизнь и жизнь окружающих. А затем случились столь невероятные — и отнюдь не приятные — перемены, что она забыла о своей досаде на друга. Отец позвал ее с собой на День благодарения к Дженнифер, где должна была собраться компания их общих друзей. И уже в субботу объявил Изабелле, что Дженнифер переезжает к нему жить.

Услышав новость, Иззи в удивлении вытаращила глаза.

— Ты в своем уме? Да вы едва знакомы, пап! Она моложе! Она сильно моложе тебя! — Новость привела ее в бешенство.

Однако Джефф упрямо выпятил челюсть.

— И что с того? Что это меняет? — Он хотел быть честным, поэтому сказал то, что было у него на уме: — Без тебя в доме пусто. А твоя мать давно не живет с нами. Почему я должен...

— Вы что, поженитесь? — в ужасе спросила Изабелла.

— Не знаю. Мы это не обсуждали. По крайней мере пока не обсуждали. Думаю, совместная жизнь все покажет.

— Что покажет, папа? А если тебе не понравится жить с ней? Ты что, скажешь ей «прощай» и попросишь собрать чемоданы?

— Слушай, ты говоришь так, словно она случайный жилец по объявлению. А ведь мы с ней встречаемся и хорошо ладим. Изабелла, ты же знаешь, Дженнифер — первая, с кем мне так легко.

Когда Иззи сообщила эту новость Шону, он отмахнулся и сказал, что не видит в случившемся ничего страшного. Он все еще был расстроен своим поступком и сгорал от стыда. К тому же предстояло узнать, какое решение примет суд.

Для Гэбби поездка домой тоже оказалась не слишком радужной. В первый же день она поругалась с Мишель. Они не сошлись во мнениях, а младшая сестра проявила несвойственное ей упрямство, в конце спора заявив, что устала жить в тени Гэбби и что она вовсе не невидимка. Она посоветовала «звезде» Гэбби не лезть в ее дела. Скандал разгорелся в присутствии родителей и потряс всех свидетелей. Поведение Мишель поразило близких даже больше, чем проступок Шона.

— А что тут делает Брайан? Он же совсем мелкий, разве нет? — спросила Гэбби у матери.

— Они с Мишель дружат. Брайан каждый день навещал твою сестру в клинике, — поведала Джуди. — Он очень внимательный.

Гэбби кивнула, соглашаясь, однако ей все равно казалась странной подобная дружба. Трехлетняя разница в таком возрасте — непреодолимая пропасть, каким бы взрослым ни выглядел брат Билли. Гэбби уехала всего три месяца назад, а в родном доме столько поменялось!

Так думали все, кто вернулся на День благодарения. Родители постепенно привыкали к их отсутствию, учились заново строить свою жизнь с учетом новых обстоятельств.

Билли возвратился в колледж сразу после праздника, поскольку на субботу была назначена важная игра. Гэбби отправилась в Лос-Анджелес вместе с ним, чтобы присутствовать на матче. Остальные собирались смотреть игру по телевизору.

Три дня пролетели незаметно, и к понедельнику дома снова опустели. Только Шон остался с родителями, чтобы присутствовать на слушании. Ему повезло, судья отнесся с пониманием к недавней потере родителей, поэтому Шон отделался предупреждением. Права ему вернули, назначив наказание в виде штрафа. Адвокат Майка отлично поработал, убедив суд в том, что у семьи не самые лучшие времена. Уже вечером Шон вылетел в Вашингтон.

Конни и Мэрилин обсуждали детали произошедшего, гуляя в парке с малышками.

— Шон теперь кажется совсем взрослым. Таким независимым, упрямым, — призналась Конни. — Жаль, что он так сглупил. Майк поначалу ужасно злился, но теперь успокоился. А я продолжаю волноваться за сына. Мне очень... понимаешь, очень страшно, как бы он не пошел той же дорожкой, что и Кевин.

— Не переживай. Шон всегда был более ответственным. Он справится. Ты же видела: он искренне переживает случившееся. Все образуется, — убеждала Мэрилин, толкая впереди себя коляску. — Билли тоже повзрослел. Кажется очень серьезным. Он даже помогал мне с девочками, купал Дафну. Такого прежде не было, и я считаю это первым шагом.

— Как же тебе повезло, что у тебя еще две девчушки! — почти завистливо сказала Конни и вздохнула. — Это как глоток молодости в наши годы.

— Не совсем, — рассмеялась Мэрилин. — Порой я чувствую себя гораздо большей развалиной, чем пару лет назад. Все ломит, тут тянет, там болит. Я мало сплю и очень нервничаю по любому поводу. Погляди на меня! Я выгляжу так, словно мне шестьсот лет!

Мэрилин надеялась, что Конни потихоньку приходит в себя после смерти Кевина, но не была уверена и опасалась спрашивать напрямик. День благодарения семья О'Хара провела у родни Майка, не желая оставаться в доме, наполненном воспоминаниями. Это был не самый лучший знак.

— Как было бы здорово собрать у нас всю «Большую пятерку» на Рождество, — сказала Конни. — Всех, включая друзей и родных. Мне недостает шумных гостей. Мой дом словно вымер...

Конни вспоминала, как друзья Шона толпой поднимаются по лестнице, чтобы запереться в комнате и смотреть видео или играть в компьютерные игры, как они бродят по кухне, гомоня и топая, таская горячее печенье и оставляя кругом крошки. Ей было странно думать, что она никогда больше не увидит, как домой приходит Кевин, недовольный этой мышиной возней, бурчит что-то недовольное по поводу «этих мелких», но улыбается исподтишка, заражаясь невольно их хорошим настроением.

Она знала, что ей не хватит всей жизни смириться с тем, что Кевина больше нет.

Глава 11

Снова собрать всех вместе помогло Рождество. Приезжали дети в разные дни, поскольку у каждого было свое расписание занятий.

Дома были украшены гирляндами, на оградах и дверных козырьках висели фонарики, в гостиных стояли нарядные елки.

Свое дерево Конни украшала с тяжелым сердцем. Майк в процессе участвовать отказался. Обычно гирлянды вешал он, но в этот раз работа легла на Конни. Она наряжала елку и плакала, вспоминая прошлое Рождество и Кевина в смешном красном колпаке. Теперь на празднике будет один Шон, и ради него Конни О'Хара вешала на ароматные еловые лапы игрушки.

Уэстоны всегда украшали небольшую сосенку, которая росла у них во дворе. Делали они это с неизменным вкусом и каждый год чуть иначе. В этот раз был приглашен декоратор, который выбрал для сосны красные банты и длинные бусы. Энди всегда считал, что их рождественское дерево какое-то нарочитое, словно для обложки журнала. Он предпочел бы простые разноцветные шарики и шишки.

Мэрилин и Джек решили отметить первое Рождество близняшек на полную катушку. Вся семья высыпала во двор, чтобы развесить фонари и установить светящегося Санту в санях с шестеркой оленей перед входом. Возможно, это было чуть по-детски, но все были довольны.

Джуди каждый год наряжала белую ель — укутывала ее в золотой дождь для Мишель и Гэбби. Окна дома обвивала золотой мишурой. Каждый год ель была белой и одетой в золото, и Джуди никогда это не надоедало. В этот раз Адам снова называл ее умницей и подарил новенький «ягуар».

Мишель чувствовала себя намного лучше. Гэбби снималась для рекламы известной косметической фирмы и в случае успеха должна была заработать кучу денег. В январе начинались курсы актерского мастерства, и она с нетерпением их ждала.

Брайан по-прежнему часто бывал у Мишель, даже когда ее выписали из клиники. Теперь она ходила в школу и выглядела почти как все. Она успокоилась, перестала искать во всех врагов и даже была рада, что Гэбби приезжает на праздники. Теперь сестра, на долгие годы похитившая у Мишель любовь и заботу матери, не представляла угрозы. Мишель развивалась и искала себя, выбравшись из чужой тени. Удивительно, но Брайан тоже менялся, становился более самостоятельным и уверенным в себе и теперь уже не казался бледным подобием старшего брата. Билли тоже не терял времени даром. Он был квотербеком университетской команды и подавал большие надежды. Друзья и знакомые, которые ходили на игры Билли в школе, теперь смотрели его игру по телевизору. В январе парню предстояла важная игра, которую проводили на стадионе «Роуз боул». Гэбби собиралась ехать на матч вместе со своими родителями и семейством О'Хара.

Теперь в жизни Гэбби стало куда больше взрослых забот, чем прежде, и она относилась к своей карьере и работе очень серьезно. Ходила на нужные отборы и пробы, участвовала в презентациях. Теперь ей не требовалось сдавать тесты и писать конспекты, она перескочила студенческий мир в одночасье, сразу же вступив во взрослую жизнь.

Билли уважал ее устремления и восхищался достижениями. И для него колледж был всего лишь мостиком, соединившим школу и будущую карьеру в национальной футбольной лиге. Ему оставалось сыграть матч перед Рождеством, а затем он должен был приехать к родителям.

Гэбби прилетела одним рейсом с Иззи, из аэропорта они взяли одно такси на двоих. Домой Изабелла ехала с тяжелым сердцем. Она знала, что Дженнифер переехала к ее отцу сразу после Дня благодарения, и это был первый раз, когда чужая женщина должна была встретить Изабеллу на пороге отчего дома. В целом Иззи смирилась с выбором Джеффа, в глубине души его подруга даже нравилась ей, но она боялась, что в один прекрасный момент она будет вынуждена пройти через все то, что выпало в недавнем прошлом на долю Билли. Ее пугала мысль, что папа решится завести парочку младенцев, с которыми будет носиться, забыв о седине в волосах.

Иззи вылезла из такси, помахала Гэбби и направилась к двери. Повернув ключ, она дернула ручку и вошла внутрь. В этом доме она жила с рождения, знала каждый уголок, помнила запахи. Поначалу ничего не показалось ей новым или угрожающим. Однако не успела Иззи облегченно вздохнуть, как взгляд зацепился за передвинутый диван под новым пледом, новые книги на полках, поменявший место рабочий стол отца. Возле стола высилось узкое кожаное кресло, на подоконниках красовались цветы. Да и ель в гостиной была украшена совершенно непривычно. Приблизившись, Изабелла стала рассматривать колючие ветки. Ни одной игрушки, жившей в доме от Рождества до Рождества уже много лет, теперь не было. Тут были новые шарики, обсыпанные серебристой крошкой, и мишура. Внезапно почувствовав себя лишней в собственном доме, она торопливо прошла в свою комнату, и хотя там все казалось прежним и знакомым, предательское чувство собственной чужеродности росло и ширилось. Она присела на кровать и придирчиво осмотрелась. Нет, в ее комнате не тронули ни единого предмета.

Пиликнул телефон — пришла эсэмэска от Шона: он только выезжал, планировал быть дома поздно вечером и обещал сразу позвонить. Иззи пожелала ему спокойного полета и сообщила, что дома довольно непривычно. Шон не ответил. Возможно, уже сел в самолет.

Внезапно Изабелла сообразила, что не купила для Дженнифер подарок, и торопливо отправилась на Филлмор-стрит, чтобы купить какую-нибудь безделушку. В итоге она вышла из бутика Марка Джейкобса со свитером, хотя в пакете и без того уже лежал альбом фотографий с Кубы. Альбом она купила просто так, потому что фотографии ей понравились. Вернувшись домой, Изабелла сразу же пошла к себе. Мысль о том, чтобы выйти в гостиную, посидеть на диване и съесть несколько крекеров, теперь казалась странной, словно в доме она была всего лишь гостьей.

Дженнифер вернулась поздно. Услышав, как хлопнула дверь, Изабелла выключила свет и затихла, понимая, что еще не готова к встрече. Однако спустя пару минут дверь комнаты приоткрылась. Дженнифер осторожно сунула голову внутрь и ойкнула от неожиданности.

— Не думала, что ты уже здесь, — виновато сказала она. — Я хотела убедиться, что все готово к твоему приезду. Как добралась?

— Хорошо, — смущенно ответила Иззи, сев в постели. Она пряталась в темной комнате, словно вор или последний трус. Дженнифер посмотрела на нее так, что сразу стало ясно: она все понимает. — Я... просто отдыхала после перелета, — пробормотала Иззи.

— Есть хочешь?

Джефф составил список продуктов, которые любила или не любила его дочь, и Дженнифер сделала покупки в точном соответствии с ним. Она понимала, каково приходится Изабелле: девочка жила с отцом пять лет, и ни одна женщина еще не вставала между ними. А теперь посторонний человек воцарился в ее доме, присвоил себе любовь Джеффа, пользовался ее кухней и гостиной, ночевал под ее крышей. Дженнифер очень хотела завоевать доверие Иззи.

— Нет, спасибо.

— Я купила сыр и французский батон, а еще паштет. Твой отец сказал, ты любишь бутерброды. — Дженнифер глядела с надеждой.

Изабелле захотелось оказаться на другом конце света.

— Нет-нет, я... договорилась поужинать с друзьями, — пролепетала она. Это была ложь, но оставаться на ужин с Дженнифер было выше ее сил.

Гэбби собиралась на «Щелкунчика» с семьей. Мальчишки еще не приехали. Так что Изабелле некуда было пойти. Она понимала, что ведет себя глупо, но ничего не могла с собой поделать. Правильнее было бы поскорее привыкнуть к Дженнифер, поскольку ее привел в дом любимый отец, однако вместо этого она чувствовала себя так, словно ее предали.

Она уныло побрела в гостиную, где застала Дженнифер за раскладыванием на столе журналов. Естественно, это были те издания, которые Иззи частенько читала. Она чувствовала благодарность за заботу, но не могла себя заставить к ним прикоснуться. Вместо этого она подошла к елке и пару минут ее разглядывала.

— А что стало со старыми украшениями? — Вопрос против воли Изабеллы прозвучал как-то угрожающе.

— Твой отец сложил их в коробку. Они в подвале. Мы специально купили новые, для нового настроения. Старые игрушки сильно облупились.

Изабелла знала это, но игрушки ей нравились. Некоторые были не на петлях, а на старинных прищепках, и это придавало им особое очарование. Новые игрушки были, конечно, красивее, но все равно это было не то.

— Хм... — только и произнесла Изабелла.

— Можем их принести, — нервно добавила Дженнифер.

На ней были узкие джинсы и черный свитер по фигуре, и она взволнованно теребила висевшую с рукава нитку. По плечам струились роскошные темные волосы, глаза блестели. Дженнифер выглядела моложе своего возраста и была красавицей. Пожалуй, она больше тянула на ровесницу Изабеллы, чем на будущую мачеху. Возможно, причиной тому были йога и спорт.

Дженнифер села на диван и дружелюбно улыбнулась. Она явно чувствовала себя как дома, чего нельзя было сказать про Изабеллу.

— Нет, пусть хранятся в подвале, — ответила Иззи после неловкого молчания. Тему с игрушками стоило закрыть, иначе вежливый разговор мог перейти на опасную почву. Она села в кресло напротив Дженнифер и поджала под себя ноги. Поза была удобной, но комфорта не принесла.

— Я знаю, что тебе нелегко смириться с моим присутствием, — внезапно сказала Дженнифер. У нее был мягкий тон психолога, вызвавший у Изабеллы почти негодование. — Поверь, я тоже была в подобной ситуации. Мама умерла, когда мне было шестнадцать. Не успела я смириться с потерей, как отец влюбился в мамину подругу и женился. Всего через год! У нее было двое сыновей младше меня, ужасных сорванцов, которых я сразу невзлюбила. А потом у них родилось еще двое детей. Сначала я ее ненавидела. Ненавидела, понимаешь? А ведь она нравилась мне, пока мама была жива! Отъезд в колледж стал для меня спасением. Я выбрала место учебы как можно дальше от дома и не хотела возвращаться. А потом я поняла, что злость и обида ушли. Ведь я всегда любила отца и желала ему добра. Он сделал свой выбор, потому что хотел быть счастлив. Сейчас мы с мачехой друзья. Не сказать, что мы очень близки, но она нравится мне. И я люблю своих сводных братьев, они отличные ребята. — Дженнифер помолчала, вспоминая. — Отец умер в прошлом году. А я все равно езжу домой навестить моих близких.

— Так вы с папой хотите пожениться и завести детей? — не выдержала Изабелла.

— Не знаю. Может быть, но я не уверена. Пока у нас с Джеффом есть все, что нужно. — Дженнифер помолчала. Она не стала говорить Изабелле, что не чувствовала себя готовой к материнству. Не каждая женщина создана для этого. — Потеряв мать, я замкнулась в себе. Конечно, со временем научилась общаться, но сближаюсь с людьми я по-прежнему с трудом. Я вообще думала, что никогда не выйду замуж и не заведу детей. Мне все время казалось, что стоит к кому-то привыкнуть — сразу же его потеряешь. — Ей хотелось быть откровенной, чтобы расположить к себе дочь Джеффа.

Наконец Изабелла посмотрела ей в глаза. Дженнифер открыто встретила ее взгляд.

— Грустно слышать это. Ведь у тебя еще могут быть дети. Конечно, я не могу сказать, что очень хочу обзавестись сводными братом или сестрой, но этого может хотеть папа, а я желаю ему счастья.

— Мы не говорили на эту тему. Мы просто живем под одной крышей, и нам хорошо вместе. Пока этого достаточно. И как бы то ни было, ты всегда останешься его любимицей. Он очень тобой дорожит.

— И тобой, — мягко добавила Иззи.

— Я очень на это надеюсь. — Дженнифер улыбнулась. — Под одной крышей находятся три человека, которые друг другу дороги. Мне кажется, это не так уж плохо. Я хочу, чтобы тебе было комфортно рядом со мной, ведь изначально это твой дом, а не мой.

— Пожалуй, — не слишком уверенно сказала Изабелла.

Она понимала, что избранница отца очень старается, прилагает массу усилий, чтобы все сложилось хорошо. Это заслуживало похвалы и одобрения. Но все равно ей казалось, что она стала лишней в родном доме. Возможно, сейчас отношения отца и Дженнифер еще не слишком крепки, но если им будет хорошо вдвоем — Изабелла чувствовала это, — то это будет нерушимый союз. От такой мысли ей стало немного грустно. Вроде бы Дженнифер не торопила события, но поторопить их мог отец.

Могли ли они в недалеком будущем пожениться? Всякое бывает. Может ли Джефф в пятьдесят шесть связать себя узами брака с женщиной на семнадцать лет моложе? А потом еще и завести кучу сопливых малышей?

— Пойми, я не враг тебе. Я хочу для тебя самого лучшего, — продолжала Дженнифер.

Изабелла подавила желание ответить на это: «Тогда отправляйся домой». Она натянуто улыбнулась. Дженнифер очень старалась подружиться, что было похвально. Возможно, это радушие и теплота тоже давались ей нелегко, учитывая ее признание в том, как трудно она сближается с людьми.

— Я понимаю. Думаю, со временем я привыкну к тебе и тому, что все меняется. Просто некоторые вещи... — Изабелла развела руками. — Мне очень нравится новое кресло. И цветы тоже. — Везде были эти штрихи, что-то поправляющие, а что-то меняющие до неузнаваемости.

— Кстати, вы встречаетесь с мамой на Рождество? — Дженнифер знала, что Кэтрин живет в Нью-Йорке и редко видится с дочкой.

Мать Изабеллы так и не научилась дарить материнскую любовь, но последние годы ей хотя бы не приходилось притворяться.

— Нет. Она в Лондоне. Приедет через несколько недель по делам. Тогда мы и увидимся. Думаю, поужинаем вместе.

Дженнифер кивнула. Она не хотела критиковать Кэтрин, но ей было жаль девочку, оставшуюся практически без матери. Отец был единственным оплотом надежности в ее жизни. Только он дарил ей любовь, не требуя ничего взамен. Неудивительно, что Изабелла воспринимала Дженнифер как угрозу.

— Я выложу паштет и сыр, вдруг ты захочешь перекусить.

Она вскрыла упаковки и красиво разложила ломтики снеди на тарелке вместе с веточками винограда. Выглядело все это очень аппетитно, а когда рядом появилась плетенка со свежим французским хлебом, Иззи и сама не заметила, как слопала половину закусок. Уже минут через пять она рассказывала Дженнифер о соседке по комнате и о ее ужасных привычках. Иззи хотела поговорить с комендантом о переселении в другой блок или войти в долю с Гэбби, чтобы хотя бы часть времени жить у нее. Правда, у подруги постоянно бывал Билли, а третий, как всем известно, лишний. Дженнифер посоветовала написать заявление на имя декана факультета, чтобы ей дали другую комнату.

Еще через полчаса приехал Джефф и невероятно обрадовался, застав их в гостиной за непринужденным разговором. Изабелла бросилась ему на шею и расцеловала в обе щеки. Отец крепко ее обнял и приветливо улыбнулся Дженнифер. Та кивнула. Дела шли лучше, чем она рассчитывала. Наверное, ее терпение и умение быть честной принесли свои плоды.

Они поужинали вместе прямо на кухне. Дженнифер пожарила двух цыплят, а Джефф нарезал салат и приготовил пасту со сливочной заправкой, как любила дочь. После ужина все втроем перебрались в гостиную, где за разговором съели целую банку мороженого с фисташками. Рождественская елка подмигивала огоньками новой гирлянды. Остальной свет был выключен, и оттого елка выглядела очень по-домашнему. Почему-то в воздухе отчетливо витал дух Рождества, ощущение праздника, на которое никто даже не рассчитывал, предполагая, что семейный ужин получится провальным. Джефф поставил старую пластинку с рождественскими песнями, и они еще долго сидели, не желая расходиться. Дженнифер устроилась в кресле, оставив Джеффа с Изабеллой на диване. Она была достаточно мудрой, чтобы не разбивать эту устоявшуюся пару в первый же совместный вечер. Невооруженным взглядом было видно, что отца и дочь соединяет крепкая связь, что они дорожат друг другом, и это согревало сердце Дженнифер.

Изабелла пошла спать поздно, оставив папу и Дженнифер в гостиной. Едва она переоделась в пижаму, как пришло сообщение Шона. «Я дома», — коротко написал он. Иззи улыбнулась и ответила: «И я». Это была чистая правда. Она была дома. Ей были здесь рады, и никто не посягал на ее права.

Забравшись в знакомую с детства постель, Иззи натянула до подбородка одеяло. Ничего не изменилось. А если и изменилось... то к лучшему.

Глава 12

Жизнь во всех семьях прямо-таки бурлила в связи с приездом детей на каникулы. Домá словно стряхивали с себя сон и оживали.

Про дом О'Хара можно было сказать, что он, как большая губка, буквально впитывал в себя хорошие эмоции, которых так долго был лишен. Не только Шон радовал родителей, но и его друзья, приходившие в гости. Майк и Билли говорили о футболе. Майк видел все его игры по телевизору и планировал вместе с Шоном и Конни поехать на игру в «Роуз боул». То, что Билли сразу же допустили к серьезным играм, было самой настоящей удачей. Конечно, отчасти тому способствовала серьезная травма предыдущего квотербека университета, но главным образом все решил талант Билли. Молодой футболист играл очень четко и быстро влился в команду. Друзья неимоверно гордились его успехами.

У Нортонов тоже все складывалось неплохо. Мишель и Гэбби обсуждали общие планы, словно и не было между ними никакого соперничества.

Брайан радовался возвращению старшего брата, показывал Билли, как управляться с близнецами, и тот изумлялся его ловкости.

Целая неделя вместе! Это было так здорово.

Мэрилин и Джек устраивали рождественскую вечеринку. Были приглашены все дети и их родители. О'Хара радостно откликнулись на приглашение, но ушли домой рано, поскольку чувствовали себя немного неловко среди веселящихся друзей. Они как будто вовсе разучились радоваться жизни и теперь ощущали свою инородность. Джуди и Адам привезли Гэбби и Мишель. Билли всю вечеринку не отходил ни на шаг от Габриэлы. Энди приехал только с мамой, отец работал над новой книгой и улетел на презентацию. Джефф привез Изабеллу и Дженнифер. Мэрилин чуть позже сказала Конни, что эта Джен очень даже ничего, да к тому же явно неплохо ладит с Иззи. Конечно, девочка сопротивлялась изо всех сил роману отца, но это было закономерно и со временем должно было пройти.

О'Хара предложили детям поехать в их домик в Тахо между Рождеством и Новым годом, чтобы покататься на лыжах. Билли уезжал на тренировку, поэтому мог остаться всего на один день, а остальные идею приняли с радостью. Шон сказал, что позовет с собой пару девчонок, Майк и Конни не возражали, они доверяли Шону.

В Тахо поехали на двух минивэнах, забитых багажом, с закрепленным лыжным снаряжением на крыше. Дом был большим и вместительным, рядом на участке была построена сауна. Разобрав вещи, гости собрались в гостиной и принялись обсуждать ужин. Единственным условием был запрет на употребление спиртных напитков, и все без возражений согласились, даже Билли, который все-таки привез с собой фляжку с виски. Шон, хмурясь, сказал, чтобы Билли не злоупотреблял. Сам Шон не пил с начала учебного года.

После ужина они долго сидели у камина и рассказывали, как идут дела вдали от дома. Иззи разговорилась с Энди, который восхищался Гарвардом и предлагал ей туда перевестись. Изабелла качала головой. Ей нравилось в Калифорнии, где учились Гэбби и Билли. Как если бы она уехала из родного дома, а близкие последовали за ней. Энди говорил о своей учебе с пылом человека, который занят любимым делом. Он всегда знал, чего хочет, равно как и Билли, с раннего детства знавший, какой путь изберет. Такую дорогу им подсказали в семье, и они послушно следовали по ней, воплощая мечты своих родителей. Мать Изабеллы до сих пор надеялась, что дочь передумает и пойдет на юридический факультет. Но Иззи выбрала свой путь. Со следующего семестра у нее начинался курс психологии девиантного поведения, который был ей интереснее всего прочего. Куратор сказал, что курс ведет талантливый преподаватель. На лето Изабелла планировала стажировку в клинике для детей с задержкой развития. Ей хотелось помогать тем, кто нуждался в помощи. В этом она была очень похожа на отца.

Следующий вечер Иззи и Энди также коротали вместе, когда все остальные уже разбрелись по комнатам. Они нашли в буфете бутылку вина и, несмотря на запрет, решили выпить по бокалу. Шон уже поднялся к себе с девчонкой, которую позвал на выходные. Они познакомились в выпускном классе, а теперь стали встречаться. Подруга Шона была чемпионкой по беговым лыжам, и у нее была потрясающая спортивная фигура. Ночевала она в комнате для девочек, но Шон надеялся, что к концу праздников она переберется в его комнату. Судя по тому, как страстно они целовались на лестнице накануне, у Шона были все шансы.

— Кстати, ты все еще девственник? — спросила внезапно у Энди Изабелла, когда они выпили по бокалу запрещенного вина. — В Гарварде есть горячие цыпочки или как? — Конечно, она подтрунивала над своим другом. По ее понятиям, он был весьма привлекательным, так что вряд ли у него были трудности с женским полом.

Пожалуй, он был даже слишком привлекательным. Изабелла и сама была бы не прочь закрутить с ним роман, но боялась испортить давнюю дружбу банальной интрижкой.

— Забавно, что ты спросила, — задумчиво промолвил Энди и рассмеялся. — Да, представь себе, я все еще девственник. У меня такой объем домашних заданий, что некогда даже сходить на свидание. Приходится выбирать между хорошими отметками и личной жизнью.

— Представляешь, у меня точно такая же история! Я даже ни с кем толком не успеваю познакомиться. По сути, у меня с лета не было ни одного свидания. Как будто в моем университете вообще не существует флирта и секса. Хотя, знаешь, о моей соседке по комнате идет слава знатной шлюшки. Говорят, переспала с половиной студенческого городка. Трахает все, что видит. — По сравнению с ней Изабелла выглядела просто монашкой. — Мне начинает казаться, что это я какая-то странная.

Иззи одним глотком допила вино, и Энди снова наполнил бокалы. Они немного помолчали, потягивая напиток.

— Послушай, у нас одна проблема на двоих, и ее надо как-то решать. Я чувствую себя каким-то ископаемым, потому что все еще девственница. Полагаю, ты не в лучшем положении. Что скажешь? — Вино уже ударило Изабелле в голову. Она даже не слишком хорошо фокусировала взгляд на своем собеседнике, но это ее только забавляло.

Энди посмотрел на нее в изумлении. Он всегда относился к Иззи как к сестре, хотя, естественно, находил ее привлекательной.

— Скажу по поводу чего? — осторожно спросил он, полагая, что его подруга снова шутит. Однако у нее было очень серьезное лицо. Мысль, что Изабелла сама делает ему подобное предложение, взволновала и завела Энди.

— Мы можем помочь друг другу. Почему нет? Между нами существует взаимная симпатия, — рассуждала Изабелла. — А что, если в постели у нас все сложится просто великолепно? Ну мало ли? Кажется, все в нашей компании решили эту деликатную проблему, и только мы задержались где-то на пороге.

На самом деле это было не совсем так. Шон также был девственником, по крайней мере в конце августа он сетовал, что так и умрет невинным, если немедленно что-то не придумает. Билли и Гэбби занимались сексом с пятнадцати, и процесс им явно нравился. Да и остальные одноклассники по большей части уже простились с невинностью, некоторые год или два назад.

— Мы, возможно, единственные девственники на наших потоках, это позор, — рассуждала Изабелла, прихлебывая вино.

Энди молча пил из своего бокала, впервые рассматривая ее под неожиданным углом, и попытался судить о ней как о потенциальном сексуальном партнере. Ему понравилось то, что он видел. Иззи была очень хорошенькая.

— Я не понял, ты что-то предлагаешь? — спросил он, когда подруга сделала паузу.

Только у Энди была отдельная спальня, поскольку ему досталась комната горничной. Изабелла помнила об этом и указала на нужную дверь. Сама она ночевала в проходной комнате, что было совсем не вариантом для нынешней затеи.

И прежде чем оба могли передумать, Энди быстро встал, взял за горлышко бутылку вина и бокал, ухватил за руку Иззи и направился в свою комнату. Внезапно его тело словно стало проводником чистого тока, бежавшего по мышцам, заставлявшего вставать дыбом волоски. Он вел Изабеллу за собой, и она шла немного неровно и чуть слышно хихикала. Она совершенно не представляла, каким будет первый раз, и надеялась, что боль окажется несильной. Она вспомнила леденящие душу истории подруг про «море крови» и боль, «словно ножом режут». Впрочем, Изабелла была достаточно разумной, чтобы делить услышанное натрое, если не больше.

— У меня нет презерватива, — внезапно объявил Энди уже в темноте, когда оба оказались в его спальне. Он не хотел упустить свой шанс, бегая по дому и дергая спящих друзей в поисках резинки.

На лицо Иззи падал лунный свет, и нежный овал ее лица с тонкими, аристократическими чертами казался изумительно красивым. Энди всегда считал ее хорошенькой, но до этого никогда по-настоящему не вглядывался в темные глаза, не имел шанса погрузить пальцы в густые каштановые волосы. Изабелла сама предлагала ему сокровища, о которых он даже не просил. Еще до того как она расстегнула ему ширинку, перед его внутренним взором пронеслась вереница картин, одна привлекательнее другой.

— Я тебе доверяю, — сказала Изабелла просто, тем самым отметая необходимость бросаться на поиски презерватива.

Энди снял джинсы и майку. У него были крепкие длинные ноги, упругие бицепсы и плоский живот. Изабелла стянула кофточку и торопливо расстегнула бюстгальтер. Маленькие, очень круглые груди казались невероятно белыми в лунном свете. Когда Энди положил на них ладони, цветовой контраст стал еще заметнее. Они были мягкими, податливыми, с шелковистой нежной кожей. Энди увлек Изабеллу на кровать, избавляясь от оставшейся одежды.

Его ладони шарили по всему ее телу, трогая, изучая. У него была сильнейшая эрекция. Изабелла смотрела на его член и гадала: каково это — почувствовать проникновение подобной штуки внутрь? Ей было немного страшно, и она гнала страхи прочь, закрыв глаза. Когда Энди оказался между ее ног, она затаила дыхание.

У него уже был опыт жарких взаимных ласк с девчонками, но так далеко он еще не заходил, и возбуждение почти ослепило его. Не рассуждая, не спрашивая, как Изабелла себя чувствует, он вошел резко и решительно, легко преодолев преграду девственности. Ощущения были настолько потрясающими, что он не смог замереть, чтобы дать ей возможность привыкнуть. Он даже не слышал ее сдавленного вскрика.

Все кончилось очень ярко и быстро. Энди замер, с навалившимся чувством вины осознавая, что вел себя слишком эгоистично. Возможно, Изабелла уже жалеет, что выбрала столь невнимательного партнера для своего первого раза. Сам он ни о чем не жалел, естественно. Ему было так хорошо, что на душевном подъеме он боролся с желанием признаться Изабелле в любви.

Энди осторожно коснулся пальцами ее лица и заметил, что она зажмуривает глаза. Она так сильно закусила губу, что выступила кровь.

Запоздало он обозвал себя идиотом.

— Было так больно? — спросил он виновато.

— Нет, не очень. И потом, говорят, уже во второй раз все гораздо лучше. — Иззи обняла его, и они лежали какое-то время вот так, ничего не говоря.

Энди гладил подругу по плечам и волосам. Ему хотелось продолжать, хотелось снова и снова входить в нее, но он боялся причинить ей боль.

— Ты... ты не жалеешь? — выдавил он наконец.

— Нет, что ты, — сказала Изабелла уверенно.

Она все-таки задавала себе вопрос, почему эта идея казалась ей такой удачной, когда бутылка была едва почата. Она всегда любила Энди, но не так, как положено любить своего парня. Теперь-то она точно это знала. Пожалуй, сама по себе затея с лишением девственности с близким другом была не так уж и плоха, но только теперь, когда все кончилось, Изабелла поняла, что потянула за ручку дверь, отворять которую, возможно, совсем не стоило. Они с Энди учились в разных колледжах, жили в разных городах, их дороги расходились на годы. Возможно, решив одну проблему, они породили новую.

— А ты? — спросила она. — Ты не жалеешь?

— Да что ты?! — Энди улыбнулся. В темноте блеснули его белые зубы. — Мне кажется, я всегда любил тебя. Просто не сознавал этого.

Изабелла в ужасе прикрыла глаза. Она-то не любила, точно не любила! Он был ей как друг, как брат, не больше того. Отдать ему девственность было ошибкой, которую уже не исправить. Некоторые поступки полностью меняют отношения.

— Я... мне надо к себе, — пробормотала она.

Ей нужно было вернуться раньше, чем друзья узнают, что она переспала с Энди.

Энди, желая защитить ее от лишних расспросов, кивнул. То, что случилось этой ночью, касалось только их двоих и никого больше. Он вскочил с постели и выпрямился во весь рост. Изабелла невольно залюбовалась его крепким, сильным торсом. Как жаль, что она не могла его полюбить! Как бы ей хотелось смотреть на него не просто одобрительно, с приязнью, а с нежностью и обожанием!

К сожалению примешалась еще одна чудовищная мысль. А если она забеременеет? Они не предохранялись, что поначалу в винных парах не показалось ей особо страшным. Она думала только о возможных болезнях — а заразиться чем-то от девственника было маловероятно, — совершенно забыв о другой опасности.

— Не провожай меня, — прошептала Иззи.

Энди привлек ее к себе и поцеловал.

Изабелла мигом натянула одежду и почти сбежала, захватив бокалы и вино. На кухне она быстро ополоснула бокалы, вылила остатки вина и сунула бутылку в мусорное ведро, тщательно завалив ее пакетами и пустыми упаковками.

В свою комнату она проскользнула на цыпочках, переоделась в ночную рубашку и торопливо смыла размазанную по ногам кровь в ванной.

Она думала о том, что будет делать, если забеременеет. Родители испытают шок. Мать и отец Энди — особенно, но и ее папа вряд ли обрадуется такому неожиданному подарку. Она думала не о том, возможен ли между ними роман или даже короткая связь, а о том, что ребенок разрушит жизни обоих. Энди исполнилось девятнадцать, и впереди его ожидали десять-одиннадцать лет учебы. Ей так вообще было восемнадцать.

Изабелла легла на кровать и до самого подбородка натянула простыню. Ее соседки даже не думали просыпаться. Иззи попыталась припомнить, каково это — заниматься любовью с Энди, но воспоминание ускользало, да и вообще казалось не очень приятным. Хотелось просто заснуть сегодня и проснуться утром в каком-нибудь другом месте, например, на берегу реки или в лесу, причем в полном одиночестве. Когда она закрывала глаза, пытаясь заснуть, комната начинала мягко кружиться по часовой стрелке, вызывая легкую тошноту.

Иззи подумала, что малость перебрала с вином, и в следующий момент отключилась.

Энди она встретила только за завтраком. Девчонка, которая приехала с Шоном, помогала ему и Гэбби накрывать на стол. Вообще-то она никому особо не понравилась, потому что слишком много болтала всякой ерунды, вызывающе громко смеялась и рассказывала дурацкие истории.

Иззи выглядела бледной и измученной, поскольку не спала целую ночь. Едва она открыла глаза поутру, как у нее начался ужасный приступ мигрени. Выпитое накануне вино не лучшим образом сказалось на самочувствии. А воспоминания о прошедшей ночи и вовсе вызывали тошноту.

С Энди все было совсем наоборот. Он двигался по кухне с видом короля вечеринки и, увидев Изабеллу, лучезарно улыбнулся.

— Привет, — вяло выдавила она, налила себе из кувшина кофе и плюхнулась на диван.

— Как ты? — спросил Энди каким-то особым, покровительственным тоном.

К счастью, никто не счел это странным. В «Большой пятерке» мальчишки всегда старались вести себя по-джентльменски.

Изабелла внутренне сжалась. Ей хотелось сказать ему о своей уверенности, что она уже беременна, и от мысли об этом ее начинала мучить тошнота. Она слышала ужастики о наивных дурочках, залетавших в первый же раз, и теперь была в страхе от того, что относится к их числу. При мысли об этом голова едва не разваливалась на кусочки.

— У меня страшная мигрень, — тихо пожаловалась она.

Энди понимающе кивнул. У него тоже болела голова, но прекрасное настроение служило отличным отвлекающим средством. Слишком возбужденный от того, что между ним и Изабеллой случилось настоящее чудо, он почти порхал от радости и считал себя по уши влюбленным.

В отличие от него Изабелла чувствовала себя отвратительно не только физически, но и морально, молча давилась кофе и предавалась унынию.

Энди навалил себе огромную тарелку еды и с удовольствием все съел. Его хорошее настроение крепло с каждой минутой.

Гэбби принялась наносить на лицо крем от загара, поскольку собиралась спуститься на лыжах со склона. Пигментные пятна и ожоги ей, как модели, были противопоказаны. Она с юных лет умела ухаживать за кожей, как и ее мать.

Снег ослепительно искрился, солнце стояло высоко в синем небе. Кататься хотели все, кроме Иззи. Она сказала, что наденет свитер и шапку и скоро будет готова, но когда Гэбби зашла за ней в спальню, то застала сидящей на кровати с выражением вселенской скорби на лице.

— С тобой все в порядке? — спросила Гэбби озабоченно и села рядом.

Иззи уже собиралась ответить «да», но внезапно осеклась, шмыгнула носом и разрыдалась. Гэбби обняла подругу и стала гладить ее по волосам, ожидая, пока поток слез иссякнет.

— Прошлой ночью я совершила ужасную глупость, — наконец призналась Изабелла, всхлипывая.

— Насколько ужасную? — уточнила Гэбби. У нее мелькнула мысль о сексе, но поскольку на горизонте не было ни одного красавчика, кроме ее Билли, эту мысль она отвергла. В то же мгновение она подумала о наркотиках, и ее прошиб ледяной пот. — Совсем ужасную?

— Совсем ужасную. — Иззи выглядела несчастной. — У меня был незащищенный секс.

— Секс? — Похоже, Гэбби была не так уж и далека от истины. Она мысленно представила себе подругу в объятиях любого из их компании. — С Шоном, что ли? — Конечно, такой вариант не следовало отвергать, хотя между Шоном и Изабеллой никогда не было влечения. Но это было более вероятно, чем отношения с Энди. Вариант с Билли Габриэла, естественно, сразу отмела. Что ж, Иззи и Шон много общались, особенно после смерти Кевина. Похоже, это их сблизило больше, чем можно было ожидать.

— Нет. — Изабелла жалобно затрясла головой и поморщилась от боли в висках. — С Энди.

— Да что ты?! Ого! — Гэбби выглядела ошарашенной. — Я даже подумать не могла... Конечно, он симпатичный. Правда, мне всегда казалось, что он немного незрелый. Но ведь мы просто друзья... — Гэбби улыбнулась подруге. По сути, зрелым ей казался только Билли, но не следовало ранить чувства Изабеллы. Билли был взрослым с очень ранних лет, равно как и Гэбби рано почувствовала себя настоящей женщиной. — Значит, у вас любовь, да? — спросила она, глядя почти по-матерински.

— Точно нет, — призналась Иззи, умирая от стыда. — Это была глупая затея. И теперь в связи с этой глупой затеей я разрушила нашу дружбу. А если я забеременею?

— А вы что, совсем ничем не пользовались? Ни презервативом? Ни таблетками?

— Нет, — вздохнула Изабелла.

Гэбби вытащила из-под своей кровати сумку и, порывшись в ней, достала коробочку таблеток.

— На, выпей одну. Их принимают в экстренных случаях. Иногда я забываю принять противозачаточные и тогда пользуюсь этим. Или, например, кишечный грипп, антибиотики... разное. Лучше перестраховаться. — Гэбби рассуждала, как ходячая энциклопедия.

Изабелла, не желая терять ни единой минуты, взяла таблетку и послушно проглотила ее, глядя на подругу с благодарностью.

— Она быстро подействует? Ведь еще не поздно? — поинтересовалась она обеспокоенно. Гэбби покачала головой. — Спасибо тебе. Я переживала так, что была готова спрыгнуть с какой-нибудь скалы в пропасть.

— Ерунда. Ты просто запаниковала, это бывает. — Гэбби помолчала. — А что дальше? Как поступишь с Энди?

— Не знаю. Надо сказать ему, что мы напрасно... ну... ты понимаешь. Как-то объяснить, что ради сохранения дружбы лучше обо всем забыть. Я ценю нашу дружбу. Мы же вместе выросли! Конечно, у вас с Билли все иначе, вы давно встречаетесь. А то, что произошло у нас с Энди, — просто выброс гормонов. Я действовала глупо. Да и какие отношения, Боже мой! Мы же учимся в разных городах!

Гэбби кивнула. Она не спорила, прекрасно понимая, о чем говорит Иззи. Они с Энди всегда были как брат и сестра. И что это им вздумалось заняться сексом?

— И как ты ему скажешь?

— Ума не приложу. Надеюсь, подвернется подходящий случай. — Изабелла шмыгнула носом. — Сегодня кататься точно не пойду. Не тот настрой. — Она не желала признаваться еще и в том, что у нее похмелье. Достаточно было и того, что она переспала с лучшим другом. Не стоило объяснять, что глупость была совершена в подпитии. — Понимаешь, ведь это я все придумала. Я предложила избавиться от девственности. Так сказать, облегчить нам обоим жизнь. Это казалось очень простым решением. О последствиях я не подумала.

— Быть может, ему тоже неловко, — предположила Гэбби. — Вдруг Энди как раз думает, как бы замять момент?

Но увы, все обстояло совсем иначе. Энди был все себя от счастья. Он буквально порхал с холма на холм, думая о том, как сильно влюблен, и представлял, как снова и снова занимается любовью с Изабеллой, сжимает ее в своих объятиях, и без перерыва улыбался. Он настолько размечтался, что едва не врезался в дерево, отчего получил нагоняй от Шона.

Поэтому пожелание Иззи больше никогда не повторять их сексуальный опыт весьма его ошарашило.

— Неужели все было так плохо? — спросил Энди жалобно, упав духом. Первое, что пришло ему в голову, были ужасные ощущения от первого секса, полученные Изабеллой. Он и предположить не мог, что она просто не разделяет его чувств.

— Да нет, дело не в этом, — залепетала Иззи, краснея. — То есть было, конечно, больно, но недолго. Я просто не хочу портить нашу дружбу. Ты же мне как брат. И ты на ближайшую сотню лет запрешь себя в своем медицинском колледже вдалеке от меня. — Она не находила слов. Разве можно вот так в лоб признаться человеку, что никогда его не полюбишь? — Да и мне роман сейчас не нужен. У меня впереди учеба. Мы будем считать себя связанными непонятными иллюзорными отношениями. Ты же много значишь для меня! Я не хочу тебя потерять.

Энди по-прежнему непонимающе смотрел на нее. Если он важен для Изабеллы, если она дорожит им, что значат время и расстояние? Должно быть, думал он с горечью, дело все же в сексуальной несовместимости.

— Да не смотри ты на меня так, — с отчаянием произнесла Изабелла. — Ты красивый парень, очень сексуальный. Но я не готова променять нашу дружбу на ничего не значащий секс, понимаешь?

Энди был потрясен.

— Ничего не значащий? Значит, то, что произошло этой ночью, ничего для тебя не значило? — Он прижал ладонь к сердцу. — Для меня все было по-настоящему.

— Да пойми же ты! Я лишь пытаюсь защитить нашу дружбу. Мы оба напились и сглупили. Ты хочешь променять дружбу на секс, а я не готова к такому повороту. У нас была пьяная договоренность, которая сегодня мне кажется совершеннейшей глупостью. Ничего не может начинаться с пьяного секса, ясно тебе?

Смысл слов Изабеллы начал доходить до Энди. Да, она была в чем-то права, рассуждала трезво и здраво. Вообще-то она всегда была самой разумной в «Большой пятерке». Но ведь существуют и иные вещи, помимо здравого смысла! Такие, как чувства и эмоции. Естественно, никакие чувства не выдержат проверки десятилетней разлукой, но Энди не был готов так быстро сдаться.

— Ты говоришь только о сексе, — возразил он. — Почему у нас не может быть и того и другого? Дружбы и секса? Разве это не называют любовью? — В его голосе сквозили упрямые нотки.

— Да я уже люблю тебя. Без всякого секса. — Изабелла устало вздохнула. — Десять лет, Энди. Десять! А если ты станешь изменять? И если я стану изменять? А ведь это почти неизбежно. И когда все вскроется, мы возненавидим друг друга. — Она коснулась ладонью его плеча и решила подсластить пилюлю. — Прошлая ночь была прекрасна, но она была ошибкой.

В итоге Энди не оставалось ничего иного, как смириться. До самого вечера он старался держаться подальше от Изабеллы и почти все время молчал.

Шон заметил перемену его настроения и решил прояснить ситуацию, поговорив с Иззи.

— В чем дело? — спросил он у нее тихо. — Вы поссорились? — Стычки внутри группы происходили крайне редко и чаще всего решались благодаря вмешательству третейского судьи.

— Нет. Не сошлись во мнениях, — уклончиво ответила подруга. По ее лицу было ясно, что углубляться в тему не стоит. — Мы... как бы это сказать? В общем, у нас противоположные взгляды на один и тот же предмет.

— Вернешь моим родителям бутылку вина, — словно между прочим велел Шон. — Ты знаешь правила. — Он выносил поутру ведро и видел пустую бутылку, тщательно зарытую под другим мусором.

— Прости, пожалуйста. Я куплю такую же. Так получилось.

— Мне все же кажется, что вы с Энди поругались. Я прав?

— Ну... В общем, он увидел меня с бутылкой и устроил мне взбучку, — соврала Изабелла. — Я обещала больше не пить.

Памятуя об истории с выпивкой, на которую после школы подсели многие ребята, Шон понимающе кивнул:

— Я считаю, что Энди прав. Ты же сама ругалась насчет пьянства, и вот... В общем, вино мы как-нибудь купим, так что не волнуйся на этот счет.

— Спасибо.

Спустя десять минут Иззи смущенно протянула Шону чек на двадцать долларов.

С Энди они почти не общались, а к концу выходных и вовсе перестали разговаривать.

В последний вечер Энди не выдержал и отозвал Иззи в сторонку.

— Изабелла, мне очень жаль, — сказал он. — Я разочарован твоими словами и твоим отношением. Я думал несколько дней и решил, что ты права. — Он порывисто обнял Иззи. — И мне тоже не хочется потерять нашу дружбу, потому что я дорожу нашими отношениями. Но... — Тут он прижался губами к ее уху и жарко прошептал: — Если тебе потребуется нырнуть в мужские объятия, я всегда к твоим услугам.

— Нет уж, как-нибудь обойдусь. — Изабелла неловко рассмеялась, затем посерьезнела. — Нам вообще не стоило затевать подобную глупость.

Энди промолчал. Конечно, он не разделял мнения Иззи. Она казалась ему привлекательной, веселой, умной, и он не видел причин, всерьез препятствовавших их роману. Однако тринадцать лет дружбы накладывали на обоих ответственность и усложняли самые простые вещи. Энди знал, что Изабелла мыслит практично, и доверял ее мнению. Но знать и чувствовать — не одно и то же.

— А я все равно не жалею, — заявил он. — Да и о чем жалеть? Посуди сама. Наша цель достигнута: мы больше не девственники. И если выбирать, с кем именно потерять невинность, я считаю твою кандидатуру лучшей. Лучше отдать девственность тому, кого знаешь, чем совершенно постороннему человеку.

Изабелла пожала плечами, но спорить не стала. Для нее первый секс не стал событием и ничего особенно не изменил, кроме ее отношения к Энди. Быть может, он верно толковал произошедшее, но ей было все равно, девственница она или нет. Ее сумасшедшая идея была подсказана излишком вина, а не истинным влечением. Крепкий торс друга совершенно не вызвал у нее возбуждения.

— Ты со мной согласна? — упорствовал Энди.

Иззи кивнула, чтобы быстрее закрыть тему. Хорошо, что неловкий момент миновал. Она вспомнила таблетку, которую ей дала Гэбби, и вздохнула. Здорово все-таки, что у нее есть не только верный друг, готовый избавить от девственности, но и верная подруга, готовая помочь избежать последствий.

В город все возвращались довольные.

Шон не слишком преуспел в отношениях с девчонкой, которую брал с собой, но за праздники она так ему наскучила, что этот факт его больше не печалил.

Билли предвкушал большую игру на стадионе «Роуз боул». Его отец нанял целый автобус, чтобы вместе с друзьями поехать посмотреть матч. Мэрилин и Джек устраивали вечеринку для родителей и тоже предвкушали важную игру. Пропустить матч вынужден был только Энди, который возвращался в Бостон.

Втайне Изабелла радовалась, что не увидит на стадионе Энди. Ей требовалось время, чтобы впечатление о совершенной глупости стерлось из ее памяти. Кроме того, она боялась напиться по случаю победы или проигрыша команды Билли и самым нелепым образом повторить свою ошибку. А что? Энди был хорош собой, к тому же наверняка предпринял бы массу усилий, чтобы ее уболтать. Нет-нет, только время могло все исправить.

Компания отцов и детей из Сан-Франциско собралась отпраздновать наступление нового года. Многие заняли комнаты в отеле Пасадены, а Шон и его родители остановились в отеле «Беверли-Хиллз». Гэбби и Иззи встретились с Шоном на ужине в ресторане. Билли не смог присутствовать, у него была серия тренировок. Гэбби посетовала, что бедняга страшно переживает. Билли собирался лечь в десять вечера, чтобы утром быть в форме. После ужина Иззи, Гэбби и Шон поехали в отель на вечеринку к Мэрилин и Джеку. Разговоры были только о предстоящем матче. Лихорадка, казалось, захватила всех. Билли шел к этому важному матчу тринадцать лет, и все без исключения им гордились. Утром они сели в микроавтобус О'Хара и рванули в Пасадену. На стадионе, куда они приехали почти за час до начала игры, Брайан не мог усидеть на месте и ерзал от волнения. Гэбби кусала губы. Парад роз, который проводился перед матчем, наблюдали в полной рассеянности.

Изабелла знала, что Ларри тоже собирался приехать, и осторожно выискивала глазами его самого и развеселую компанию, которую он хотел привезти. Лишь бы он не напился до беспамятства. Билли требовалась отеческая поддержка, а не орущий пьяный фанат на командной трибуне.

День выдался теплым и солнечным. Иззи и Гэбби болтали с Мишель. Брайан носился и скупал у торговцев напитки и сувениры, чтобы куда-то направить бьющий из него фонтан энергии. От длительного ожидания нервы у всех были взвинчены до предела, и когда на стадионе появился отряд чирлидеров в ало-золотой форме, вся компания взревела от восторга. Зрители дули в рожки и визжали, прыгая на трибунах. Игроки из Алабамы, появившиеся на поле, выглядели внушительно: крепкие, поджарые, с мускулистыми ногами. Вслед за ними на поле высыпали игроки Южнокалифорнийского университета. Они тоже были как на подбор. Трибуны буквально взорвались.

Игра началась. Команда Билли вырвалась вперед, но уже после первого перерыва Алабама сравняла счет, а затем его удвоила. К четвертому тайму, казалось, выдохлись обе команды.

Ларри просто сходил с ума. Его компания заняла целый ряд, по обе стороны от него сидели молоденькие деви-

цы в белоснежных шортиках и маечках, похожие на чирлидеров. Ларри прыгал на месте, складывал руки рупором и
кричал что-то, обращаясь сквозь рев толпы к сыну. Он жил
ради этого момента много лет. Билли воплощал его мечту.

К концу матча калифорнийцы почти сравняли счет,
но Алабама все равно вела. И — о чудо! — именно Билли
удалось привести свою команду к победе благодаря финальному тачдауну! Калифорния выиграла важный матч,
а Билли заслужил титул лучшего игрока. Это был незабываемый момент. Мэрилин рыдала от умиления на плече у Джека. Шон и девчонки прыгали на скамейках и
визжали до срыва голоса. Брайан носился по ряду и вопил, что Билли — его брат. Это был день Билли и тех, кто
его любил. Даже Ларри, прослезившись, обернулся к
Мэрилин и помахал ей рукой. Это был один из тех идеальных моментов, которые иногда подкидывает нам суровая реальность.

После игры вся компания вывалила со стадиона
вместе с девятитысячной толпой и осталась ждать, пока
Билли выйдет из раздевалки. Появившись, тот позвал
друзей и близких на победную вечеринку. Мэрилин обнимала сына. Сам Билли торопливо целовал Гэбби в макушку и щеки, словно не знал, куда выплеснуть владевшее им неистовство. В какой-то момент он подхватил
на руки и закружил свою подружку, повторяя, что любит ее.

Ларри обнял сына, пожал ему руку и уехал вместе со
своими приятелями праздновать победу в какой-то бар.

После проверки на допинг, что было стандартной процедурой по завершении матча, игроков загрузили в дорогой автобус, который покатил в Лос-Анджелес.

Шон, Гэбби и Иззи увидели Билли только на вечеринке в Голливуде в одиннадцать вечера. Билли схватил Гэбби
за руку и весь вечер не отпускал от себя ни на шаг. Он све-

тился от гордости и хотел делиться своим счастьем с любимой. Веселье закончилось только в два часа ночи.

Билли и Шон зашли в туалет по малой нужде. Они стояли у писсуаров плечом к плечу, как в школе, и болтали.

Застегнув ширинку, Билли полез в карман и достал маленькую коробочку. Вытряхнув на ладонь крошечную белую таблетку, он протянул ее другу. Поначалу Шон просто не понял, в чем дело. Кроме них, в уборной никого не было, однако вороватое выражение лица Билли заставило Шона заподозрить неладное.

— Что это? — спросил он почти шепотом. В глазах его застыл ужас.

Билли расхохотался, повернувшись к другу.

— Это экстази, парень. Ты что так перепугался? Нас уже проверили на наркотики, так что все нормально. У меня все под контролем.

— Ни черта подобного!

Шон схватил Билли за грудки и толкнул на ближайшую стену. Билли весил не меньше сотни, но Шон тоже был не хлипким ботаником. Он прижал друга к кафелю и схватил за запястье руки, в которой тот сжимал таблетку.

Билли смотрел ошарашенно.

— Что за черт?

— Ты в своем уме? — рявкнул Шон прямо ему в лицо. — Да мой брат погиб из-за этого дерьма! Его пристрелили из-за наркоты! Каждый раз, когда ты покупаешь эту дрянь, ты позволяешь проклятой индустрии вертеться! У тебя такой вид, будто ты не понимаешь, насколько страшное оружие у тебя в ладони. Но однажды оно убьет тебя, Билли! — Шон в отчаянии покачал головой. — Тебе же понравился сегодняшний день, правда? Так какого дьявола ты творишь? Хочешь погубить все лучшее, что есть в твоей жизни? Я люблю тебя, парень, ты дорог мне! Выброси эту хрень, выброси немедленно! — Шон разжал пальцы Билли, выхватил таблетку и бросил в сток. — Не загуби свою жизнь, как Кевин. Если я еще раз увижу, чтобы ты принимаешь наркоту, я лично тебя придушу, ты понял?

Шона трясло от ярости.

Билли стоял, непонимающе глядя на него.

— Да все тут принимают экстази, — попытался оправдаться он. — Я делаю то же, что и остальные.

— Ты завяжешь, понятно? — Лицо Шона внезапно исказила мука. — Прошу тебя, завязывай с наркотой! Умоляю тебя!

Билли обнял его и похлопал по спине. Они вышли из уборной, не сказав больше ни слова. Изабелла сразу поняла: что-то изменилось. Но Гэбби, казалось, ничего не заметила. Она смотрела на Билли влюбленным взглядом, улыбка не сходила с ее лица. Билли обещал заехать к ней после вечеринки, и она представляла, как здорово им будет.

Они подвезли сначала Иззи, затем Шона до его отеля. На прощание парни обнялись и пожали друг другу руки. В это пожатие Шон вложил все теплые эмоции, что испытывал к другу, — заботу, беспокойство, поддержку. Вслух ничего не было сказано, достаточно было сцены в уборной, когда Шон смыл в канализацию таблетку экстази. Билли понимал, что поступок друга объясняется страхом за его будущее, и ценил это. Однако теперь он жил в другом мире, не похожем на мир правильного Шона и рассудительной Изабеллы. Здесь учитывались только быстрые решения и стремительные перемены, а впереди маячили большие деньги. Билли слышал зов трибун и визг фанаток, он знал, что его ждет НФЛ. Победа над Алабамой только распалила его аппетит.

На другой день все спортивные издания пестрели фотографиями Билли. Снимок с финальным тачдауном был особо эффектным. Главный еженедельник Лос-Анджелеса назвал его лучшим дебютом месяца. Мэрилин фанатично вырезала каждую статью и вклеивала заметки в альбом.

Шон позвонил Изабелле утром перед отъездом. Он улетал в Вашингтон, где должен был приступить к учебе, а это требовало подготовки. Иззи еще накануне почувствовала некоторое странное напряжение, появившееся между Шоном и Билли, и ей не терпелось узнать, в чем дело. Она видела, что ее друг расстроен.

— Что между вами произошло? — спросила она.

— Да ничего. — Шон пожал плечами. — Так, мужской разговор.

Он не хотел рассказывать Иззи, что доставил Биллу послание от погибшего брата и надеялся на то, что оно дошло до адресата. Кевин ушел от них семь месяцев назад, и это изменило жизнь до неузнаваемости. Теперь Шон не признавал никаких полумер и какого-либо оправдания в применении наркотических средств. Никаких компромиссов! Он смыл в раковину истинное зло, опасного убийцу, способного лишать жизни и ломать судьбы. Люди, продававшие наркотики, являлись убийцами, и им не было прощения. Они заслуживали самой суровой кары. Но все эти мысли Шон оставил при себе, чтобы не волновать Изабеллу.

Он просто пожелал подруге удачи. Иззи твердо стояла на земле, и Шон никогда не сомневался в ее здравомыслии.

А Билли... Билли уже переступил черту, и это могло стать для него билетом в один конец. И поскольку в момент развода родителей в руке Билли появилась фляжка с алкоголем, то одному Богу известно, как далеко он мог зайти в более трудной жизненной ситуации.

— Ты приедешь на весенние каникулы? — поинтересовалась Иззи.

— Возможно. Некоторые ребята с потока собираются в Перу на практику. Я подумываю поехать с ними, но пока ничего не решил. Мама будет звать меня домой.

— Буду рада, если ты приедешь, — грустно сказала Изабелла.

Она всегда скучала по Шону, если они подолгу не виделись. Она скучала по каждому из своих друзей. Но с Билли и Гэбби они часто встречались, тогда как Энди и Шон словно улетели на другую планету. Бостон, Вашингтон... другой мир.

— Я дам тебе знать о своем решении, — пообещал Шон. Они попрощались и повесили трубки.

Изабелла перебирала в памяти события недели. Как здорово, что команда Билли выиграла и что они все вместе были на стадионе! Стоял прекрасный январский денек, жизнь казалась прекрасной и бесконечной.

Улыбаясь, Иззи отправилась завтракать. Все обсуждали только игру в «Роуз боул» и успех Билли. А затем в ресторан спустился Билли, и все захлопали в ладоши. Изабелла прослезилась, увидев, какое смущенное у него лицо. Билли выглядел самым счастливым парнем в мире.

Глава 13

Через неделю после знаменательного матча Гэбби получила уведомление, что косметическая компания выбрала ее своим лицом. Агентство сразу же выдало ей приглашение на пробы к нескольким крупным брендам, включая «Виктория сикрет». Габриэла порхала от счастья.

Накануне они с Билли полночи занимались любовью, а потом условились на другой день поужинать вместе.

Гэбби знала, что скоро будет не менее знаменитой, чем ее парень. Теперь следовало тщательнее выбирать наряды, выходя на улицу, поскольку ее могли сфотографировать папарацци. Она выбрала короткое, очень облегающее черное платье и открытые босоножки на высокой золотой шпильке. Ее шикарные, недавно промелированные волосы были тщательно уложены, ровная кожа светилась здоровьем. Макияжа было совсем мало — Гэбби делала упор на натуральность, и это было ее фирменным знаком.

После победы Билли подарил ей кольцо с гравировкой «Я люблю тебя». Это была золотая дорожка, усыпанная мелкими коньячными бриллиантами, с сердечком посередине, выложенным прозрачными бриллиантами. Конечно, это не было обручальное кольцо, но Гэбби надела его на безымянный палец. У них в запасе море времени, чтобы устроить все, как надо. Билли обещал жениться на Гэбби, как только окажется в Национальной футбольной лиге. Возможно, на это потребуется меньше тех четырех лет, которые требовались на полное обучение в колледже. По сути, Билли не желал получать образование, его стремления не нуждались ни в каких корочках и дипломах. Недавно ему исполнилось девятнадцать, в двадцать один он мог получить приглашение в НФЛ и бросить учебу. Большая игра, большие деньги. Гэбби всей душой хотела, чтобы амбициозная мечта ее парня сбылась.

Ее ждали на трех просмотрах, и она была уверена, что все три работодателя предложат ей участие в съемках. Пару раз Гэбби пересекалась на кастингах с одной моделью — у нее был совершенно противоположный тип внешности, и их агенты предложили девушкам сделать ставку на тандем. После этого Гэбби и ее новая партнерша успели сняться для «Вог», так что расчет оказался верен. Вторая модель приехала полгода назад из Солт-Лейк-Сити, и ей тоже невероятно везло на предложения.

Гэбби встретилась со своей новой подружкой в баре. Они выпили по коктейлю и договорились созвониться после кастинга. Затем Гэбби позвонила Изабелле, но у той все еще были занятия. Поэтому Гэбби просто отправила сообщение со своего «блэкберри», написав, что у нее все отлично. Затем позвонил Билли, поболтал с ней немного, сказал, что любит ее, пообещал заехать вечером и отключился.

Гэбби тоже нажала кнопку отбоя и сделала шаг на проезжую часть, чтобы остановить такси. Завидев пустую машину, она замахала рукой с телефоном, — красивая молодая девушка в черном облегающем платье и босоножках на шпильке, с разлетающимися по ветру светлыми волосами. Как раз в этот момент из-за угла выскочил автомобиль, двигавшийся на огромной скорости.

Она даже не успела понять, что произошло, когда автомобиль сбил ее с ног. Изящное тело в черном платье подкинуло в воздух, перевернуло и швырнуло на капот, словно тряпичную куклу. Машина, визжа тормозами, вылетела на встречную полосу, перелетела через бордюр, едва не сбив еще одного человека, и замерла частично на тротуаре, частично на дороге. Водительская дверца распахнулась, пьяный молодой человек вывалился наружу и попытался сбежать, но его поймали двое парней и прижали к машине, ткнув лицом в стекло. Полиция прибыла почти мгновенно, а еще через две минуты, завывая сиреной, прилетела «скорая». Пьяного водителя уже сажали в полицейскую машину, когда врачи бросились к распростертому на дороге телу Гэбби. Фотографии из упавшей и раскрывшейся папки с портфолио разлетались по проезжей части, словно опавшие листья. Один из полицейских подобрал телефон и положил в прозрачный пакет. Через несколько минут тело Гэбби тоже положили в пакет — только черный и непрозрачный — и погрузили на носилки. Машина «скорой» поехала прочь, люди молча смотрели вслед. Сирен машина не включала. Какая-то женщина содрогнулась и уткнулась в плечо своему спутнику.

Гэбби Томас погибла в восемнадцать лет.

Глава 14

Сотрудник полиции приехал к Томасам в Сан-Франциско, чтобы поговорить с родителями Гэбби. Едва открыв дверь, Джуди сразу поняла, что случилось непоправимое.

Билли позвонил Иззи, пытаясь узнать, куда запропастилась его любимая. Изабелла сказала, что Гэбби оставила ей сообщение насчет кастинга. По голосу было ясно, что у Гэбби все в порядке.

— Беспокоиться не стоит, — убежденно сказала она Биллу.

— Я говорил с ней в пять тридцать, она собиралась домой, — сказал тот. У него был взволнованный голос. Гэбби всегда предупреждала, если задерживалась, несмотря на то что у него был ключ от квартиры. — Она бы позвонила, случись у нее еще один просмотр.

Это было правдой. Билли и Гэбби созванивались почти ежечасно, чтобы раз за разом слышать такое повседневное и такое чудесное «я люблю тебя».

— А вдруг какой-то срочный кастинг? Перестань волноваться. Может, у нее телефон разрядился. Или связи нет.

Билли посмотрел на часы. Они показывали восемь.

— Уверен, что-то случилось.

У него был такой жалобный голос, что Изабелла невольно улыбнулась. Ее всегда умиляло, насколько эта парочка любит друг друга.

— Да ничего не случилось. Если бы у Гэбби были неприятности, она бы точно позвонила. Ты же сам это знаешь. Она бы позвонила тебе или мне. Просто расслабься, посмотри телевизор. Может, она и вовсе потеряла телефон. Да существует миллион возможностей. Почему ты представляешь себе только плохое?

Как раз в этот момент полицейский заходил в дом к Джуди, у которой от ужаса подкашивались ноги. Ее усадили на диван и рассказали, что случилось. Гэбби мертва, ее сбила машина. Водитель был пьян. Говоривший пытался смягчить слова, но как можно смягчить то, о чем он говорил? Дочь погибла по трагической случайности, стала жертвой ДТП, умерла в расцвете сил! Джуди рыдала и билась в истерике, и ее пытался успокоить плачущий Адам.

Мишель, услышавшая этот дикий вой, выскочила из комнаты. Едва увидев рыдающую мать, она все поняла.

— Гэбби! — вскрикнула она и зажала себе рот руками.

Джуди, размазывая слезы, кивнула. Мишель бросилась к ней и заключила в объятия, словно пытаясь защитить от страшных новостей. Словно нож, в сердце врезались воспоминания о том, как отчаянно она ревновала мать к сестре. Она признавалась в этом всем друзьям и близким, сетовала на то, что обделена красотой и удачей, тайно ненавидела Габриэлу. А теперь в шестнадцать лет, как и Шон несколько месяцев назад, Мишель вдруг осталась единственным ребенком в семье.

Полицейский сообщил номера, по которым следует звонить в Лос-Анджелесе, и посоветовал не мешкая отправляться туда, чтобы заполнить необходимые бумаги и забрать тело. Неловко пятясь спиной к двери, он выразил соболезнования и взялся за дверную ручку.

— У меня дочь того же возраста, — пробормотал он. — Представляю, как вам плохо...

Джуди покачала головой. Как он мог представить? Ведь его дочь была жива, а ее милая, чудесная красавица Гэбби погибла.

Поначалу они просто не представляли, что делать. Джуди позвонила Конни, зная, что только она поймет ее горе в полной мере. Собравшись вместе, подруги подумали, что нужно оповестить Билли. Они не знали, как это сделать, поэтому сначала решили позвонить Иззи.

Конни должна была связаться с Изабеллой, пока Майк и Джуди бронировали места на завтрашний рейс до Лос-Анджелеса. Лететь немедленно не имело смысла, да у них и сил для этого не было. Мишель сказала, что полетит вместе с родителями.

Конни трясущимися пальцами набрала номер Изабеллы. Та взяла трубку почти сразу — она думала, что ей опять звонит Билли.

— Добрый вечер, — радостно и немного удивленно сказала Иззи в трубку. Она только что вернулась из столовой, принеся с собой контейнер с салатом на ужин, поскольку недавно села на диету. — У вас все в порядке?

— У меня... дурные вести, — просто сказала Конни.

Майк сидел рядом и держал ее за руку, чтобы поддержать. Затем предстояло позвонить Шону, а это было не меньшее испытание. Сначала Кевин, потом Гэбби. Два молодых человека трагически погибли с разницей в семь месяцев. Только в отличие от Кевина Габриэла Томас не совершала ничего противозаконного и ничем не могла накликать свою смерть. Она просто ехала на кастинг. Ее сбил на машине совсем молодой парень, и теперь его жизнь тоже должна была круто измениться. Конни представляла, как нелегко будет принять новость его родителям. Один вечер разрушил две жизни и должен был повлиять на жизни всех их близких.

— Что такое? — встревожилась Иззи. Голос Конни звучал странно. Казалось, Иззи уже слышала однажды, как Конни говорит таким тоном.

— Мне больно сообщать это по телефону, но обстоятельства вынуждают... Изабелла, девочка, мне очень жаль, но Гэбби...

— Гэбби? Что с ней? — У Иззи внезапно замерло сердце — просто перестало биться и молчало несколько долгих мгновений, а потом вдруг понеслось настоящим галопом. Она вспомнила, когда именно Конни говорила с ней таким тоном. После смерти Кевина, вот когда это было. — Что?! Что с Гэбби?! — Ей казалось, что она кричит в трубку, но на самом деле она едва слышно шептала.

— Ее сбил пьяный водитель. Она мертва. — Конни шмыгнула носом.

— Господи... Господи... — Изабелла умолкла, а затем внезапно подумала о Билли. — Он знает? Билли уже знает?

— Еще нет.

— Это убьет его. Кто ему сообщит? Он звонил недавно. Волновался, потому что Гэбби не брала трубку с пяти тридцати...

— Наверное, в пять тридцать все и произошло. Машина на полной скорости вылетела из-за угла и сбила ее. Парень недавно поступил в колледж. Я не знаю деталей, но он точно был пьян и пытался сбежать после наезда. Его задержали свидетели.

— Как быть с Билли? — снова спросила Иззи.

— Нельзя сообщать такие новости по телефону. Поэтому я и позвонила тебе. Ты... — Конни помолчала. — Ты не могла бы поехать к нему и сказать при личной встрече?

Изабелла и без того уже знала, что это единственный выход.

— А Шон? — спросила Изабелла. — Энди? Они знают?

— Пока нет. Я позвонила тебе первой.

— Билли в квартире Гэбби, — сказала Иззи, словно говорила сама с собой. — Я поеду.

— Мне очень жаль Гэбби, — прошептала Конни. — И прости, что именно тебе придется сообщить Билли страшную новость...

Когда Изабелла повесила трубку, внутри у нее словно взорвалась бомба. Погибла ее лучшая подруга, почти сестра! Это была чудовищная боль, но каково придется Билли? Он потерял свою первую и единственную любовь, девушку, на которой хотел жениться, с которой собирался связать свое будущее — Гэбби показала подаренное им кольцо.

Иззи, двигаясь, как сомнамбула, не стала переодеваться и даже не умылась. Она вышла из общежития и поймала такси. Она думала только о Гэбби и Билли. Как ей хотелось позвонить в звонок и увидеть за дверью Габриэлу, живую и невредимую, смеющуюся.

Однако дверь открыл Билли. В руке у него была банка пива, он улыбался, но улыбка эта померкла, едва он увидел Иззи.

— Что...

Она, не в состоянии что-либо сказать, просто бросилась к нему в объятия. Он обнял ее и заплакал. Банка пива упала на пол и разлилась белой шипучей лужей.

— О нет... о нет... — Это было все, что Билли мог вымолвить.

Они оба плакали, раскачиваясь из стороны в сторону. Билли все понял по лицу Изабеллы. Ему не требовались слова. Он и Изабелла слишком давно знали друг друга.

Прошло немало времени, прежде чем Билли отстранился. Изабелла тихо закрыла дверь и отвела его в гостиную, где усадила на диван.

— Как? — выдавил Билли.

— Сбил пьяный водитель. Какой-то студент. Он пытался скрыться.

Волна гнева исказила лицо Билли, а затем он вновь разрыдался. Они снова обнялись и заплакали вместе.

Чуть позже на мобильный Иззи позвонил Шон.

— Ужас какой... — простонал он в трубку. — Как он? Держится?

— Плохо. Я в квартире Гэбби... — Стоило произнести это имя, как горло Иззи стиснуло, и она утратила способность говорить.

— Я еду домой, — сообщил Шон.

— Хорошо. — Она не знала, что еще сказать, но была рада, что Шон будет присутствовать на похоронах. Ей требовалась поддержка. — Ты говорил с Энди?

— Хотел поговорить сначала с тобой. Сейчас и Энди позвоню. Как ты?

— Тоже плохо. — Иззи прикрыла глаза и привалилась к плечу Билли. Она уже не знала, кто из них кого поддерживает.

— Держись. Я скоро буду. Мы вместе.

Вместе. Вместе, но уже не «Большая пятерка», с горечью подумала Изабелла.

— До завтра.

— Я тоже еду домой, — сказал Билли сквозь слезы.

Его лицо казалось детским и беззащитным. Изабелла погладила его по голове.

— Давай подождем Томасов. Завтра утром они прилетят сюда.

Он кивнул:

— Только не бросай меня здесь одного. — В его голосе звучала мольба.

— Не брошу. Обещаю, я буду рядом.

Потом позвонила мать Билли. Он не смог говорить, трубку взяла Изабелла и сказала, что присмотрит за Билли. Мэрилин, как и Конни, плакала. Это была общая потеря.

Билли спал в постели Гэбби, роняя слезы на подушку, еще хранившую аромат ее духов. Среди ночи он вскочил и принялся раскрывать шкафы, вдыхая запах ее одежды, словно фанатик. При этом он завывал, как раненое животное. Заснул он лишь на рассвете, обняв ворох из пижам и белья Гэбби.

Изабелла провела тревожную ночь на диване.

В полицейский участок на встречу с Томасами Иззи и Билли приехали в мятой одежде, в той же, в какой провели день накануне. Джуди была словно не в себе, Адам тихо плакал, а Мишель смотрела каким-то затравленным несчастным зверьком. Приехали все. Парень, совершивший наезд, по-прежнему сидел в камере.

— Да пусть он там сгниет, — процедил Адам сквозь зубы.

После заполнения формуляров они забрали тело. В Сан-Франциско все уже было подготовлено к траурной церемонии — похоронам и поминкам.

В аэропорт ехали все вместе. Билли и Изабелла даже не стали собирать личные вещи, не желая тратить время. Томасы вызвали машину, чтобы после ночного перелета быстрее добраться до дома.

Билли и Изабелла вышли у дома Билли. Их встретили Мэрилин и Джек. Брайан был в школе, и у его матери мелькнула мысль, что надо сообщить о случившемся учителям, поскольку Гэбби всего полгода назад окончила Этвуд.

Билли бросился к матери в объятия, словно снова превратился в маленького мальчика. Джек положил ему руки на плечи и, стараясь утешить, погладил по волосам. Они вошли в дом, помогли бедняге сесть на диван. Билли снова плакал и походил скорее на инфантильного малыша двухметрового места, чем на триумфатора «Роуз боул».

— Как жить без нее? — спросил он, обращая взгляд к матери. Он любил Гэбби с пяти лет, его любовь росла вместе с ним. Время не только не ослабило, а укрепило чувство.

Иззи, стоявшая за спинкой дивана, всхлипнула. Мысль о том, какой станет жизнь без Габриэлы Томас, не отпускала и ее.

Они поговорили немного, затем Мэрилин буквально за руку отвела сына в постель и уложила. Вернувшись в гостиную, она обняла наконец Изабеллу.

— Спасибо, что поддержала Билли и была рядом с ним.

— Не за что. Я же люблю его, — просто сказала Иззи. Она была бледной, под опухшими глазами лежали голубоватые тени. Джек предложил отвезти ее домой.

Мачеха встретила Иззи на пороге, ничего не сказав, потому что слова были лишними, — просто протянула руки и заключила в объятия. Изабелла плакала, и Дженнифер чувствовала, как разрывается от боли и сострадания ее собственное сердце.

— Мне так жаль... так жаль... — вымолвила наконец она.

Дженнифер сказала, что отец выступает в суде, поэтому не смог ее встретить. Иззи кивнула, чувствуя признательность за то, что хоть кто-то ждал ее дома, готовясь оказать поддержку. Она лишилась лучшей подруги, и образовавшуюся в душе брешь было невозможно залатать.

Дженнифер набрала для падчерицы ванну, заполнив ее пушистой пеной с вербеной, и сидела почти час рядом, слушая рассказы о Гэбби. Потом она принесла Иззи пижаму и уговорила лечь спать. Однако Иззи не спалось: она вылезла из постели и побрела вниз. Дженнифер последовала за ней и приготовила сандвичи. После этого Иззи попросила отвезти ее обратно к Билли. Она хотела повидать родителей Шона, но сначала решила удостовериться, что Билли в порядке.

Оказалось, что Шон уже там. Увидев Иззи, он сразу же притянул ее к себе и бережно обнял, поцеловав в макушку.

— Все будет хорошо, детка, — сказал он. — Все наладится.

Изабелла отстранилась и посмотрела на него.

— Нет. Не наладится.

Шон и сам это знал, поэтому в ответ лишь растерянно улыбнулся.

Билли после тяжелого дня удалось заснуть, поэтому друзья поехали к Томасам, а затем к Шону. Там они опустились на постель, вытянувшись рядом, и долго лежали, глядя в потолок.

— Энди приедет только на похороны. У него экзамены, поэтому дольше побыть не получится, — сообщил Шон.

— Я волнуюсь за Билли, — призналась Иззи.

— А я волнуюсь за всех нас. Мне кажется, наше поколение проклято. Постоянно кто-то погибает в этой стремительной жизни. Спивается, умирает от передозировки, кончает с собой. Других сбивают машины, убивают в перестрелках, сажают в тюрьмы. Что не так с нашим поколением? Мы словно в сумеречной зоне, на которую никогда не ступала нога наших родителей. Что с нами не так?

— Не знаю, — грустно откликнулась Изабелла. Прежде она не думала о таких вещах, но что-то было в словах Шона. Что-то, западавшее в душу.

Да, они были пропащим поколением. Поколением, делавшим слишком высокие ставки.

Глава 15

Похороны проходили пышно. Было столько белых цветов, словно играли свадьбу. Возможно, в других обстоятельствах это был бы перебор, но хоронили Гэбби Томас, а эта девушка заслуживала моря белых цветов.

Детский хор Этвуда пел «Аве Мария». Иззи сидела между Шоном и Энди. Джефф и Дженнифер сидели позади них. Билли занял место между Мишель и родителями Гэбби и рыдал, как дитя. Когда гроб выносили из церкви, он едва не лишился чувств, и его пришлось держать сразу двоим.

Джек шел прямо за Билли, чтобы при необходимости его подхватить. Все понимали, что это поворотный момент в жизни Билли, причем поворот отнюдь не счастливый.

Затем огромная толпа потекла в сторону дома Томасов. Гэбби любили все, поэтому попрощаться пришли сотни человек. Уже через час Билли был в стельку пьян. Это всех расстроило, но Мэрилин решила отложить разговор на потом. Они с Джеком отвезли его домой и уложили в кровать. Билли приходилось туго. Он клялся, что бросит колледж и пошлет к черту футбол, потому что без любимой все усилия бессмысленны. Джек позвонил в колледж и объяснил, что случилось. Там пошли навстречу и согласились дать Билли внеочередные каникулы для восстановления.

Шон, Изабелла и Энди сидели в саду Томасов. Было достаточно прохладно, но все трое устали от толпы. Энди уже ночью предстояло улететь обратно в Бостон.

— До сих пор не могу поверить, — пробормотал он. — Сначала твой брат, а теперь Гэбби. Они с Кевином были совершенно разными, однако оба мертвы. — Он помолчал. — Ужасно. Всего один шаг в неверном направлении, и тебя сбивает машина. Вжик — и конец...

— К чему ты ведешь? — вяло спросила Иззи.

— К тому, с чего все начиналось. Для них обоих, для Гэбби и Кевина. Изначально оба были невинными детьми, верили в добро... как и мы все.

— И что с того? Во что ты веришь теперь, а? — напряженно спросила она.

— В то же, что и раньше. В нас, конечно, — ответил Энди.

Иззи кивнула, но она не почувствовала той уверенности, которая слышалась в голосе Энди. Их пятерка лишилась одного звена, и потому почти ощутимо раздавался скрежет, с которым разваливалась вся фигура. Обстоятельства изменились со смертью Габриэлы Томас.

— Когда возвращаешься? — спросила Иззи у Шона.

— Через пару дней. Хочу поддержать Билли. Боюсь, он пока не сможет взяться за учебу или спорт.

— Когда мы летели сюда, он вообще сказал, что хочет бросить все. И учебу, и футбол.

— Не надо его торопить, — тихо произнес Шон. — Он оправится, а со временем и вовсе научится жить заново. Как мои родители после смерти Кевина. Билли не сдастся, ему же всего девятнадцать. Он жить не может без футбола! — Но они оба знали, что именно теперь Билли мог бросить спорт. — Мы должны следить за ним. Ты понимаешь, о чем я?

Изабелла кивнула. То, как быстро Билли напился на похоронах, о многом говорило. Точно так он напился на свадьбе матери. Похоже, это был его способ борьбы со стрессом, и способ не из лучших. Конечно, уходить от действительности в забытье проще всего, и это решение когда-то подсказал Билли его отец.

Шон знал, что Билли нуждается в поддержке. Друг мог разрушить свою жизнь, такая опасность реально существовала. Поэтому Шон и Изабелла остались до конца недели и все время находились рядом с Билли и семьей погибшей Гэбби. Они утешали Мишель и Джуди, а заодно и друг друга.

Изабелла все никак не могла избавиться от мучительных размышлений о том, что Гэбби больше никогда не позвонит ей на сотовый и не позовет в гости. Из жизни словно выпал гигантский кусок, лишавший смысла все воспоминания о детстве и юности. Как будто все было просто сном. Думая об этом, Изабелла частенько утыкалась носом в плечо Шона и тихонько плакала.

— Плохо, что ты уезжаешь, — сказала она как-то.

— Но я должен. И это ненадолго. Кстати, ты можешь приезжать ко мне на выходные. Тебе понравится, у нас там здорово.

Изабелла покивала, хотя они оба знали, что это невозможно. Даже по выходным они оба готовились к занятиям, у них была сильная загруженность, море обязательств. А если Билли вернется к учебе, то первое время в выходные придется быть при нем настоящей сиделкой, чтобы он не выкинул какой-нибудь фокус.

Билли не возвращался в Лос-Анджелес еще целый месяц. Иззи звонила ему по нескольку раз на дню, а когда он все-таки приехал, ходила вместе с ним на обед, уговаривала пойти на прогулку, помогала с домашней работой, а если он все-таки напивался, укладывала в постель. Оставалось надеяться, что Билли все-таки найдет в себе силы вернуться к жизни и вновь обрести себя.

К концу июня, когда заканчивался первый курс, он понемногу оклемался и поехал в гости к родителям. Он сознавал, что лишь благодаря своей подруге сумел преодолеть рубеж, казавшийся непреодолимой стеной.

— Билли сказал, что ты ангел, — сообщил Изабелле Шон.

— Какая ерунда! — засмеялась она. — Впрочем, все равно приятно слышать.

— Конечно, ерунда, но не мог же я разрушить его иллюзии, сказав, что ты маленький чертенок? Уж мать Тереза из тебя никакая. Помнишь бутылку вина, которую ты уговорила в доме моих родителей?

— Я заплатила за нее! — смущенно воскликнула Иззи. Хорошо хоть, что Шон не знал, с кем именно она разделила ту бутылку. Она старалась не вспоминать о своем первом сексуальном опыте и очень радовалась, узнав, что пару месяцев назад Энди начал встречаться с девочкой со своего факультета.

На лето особых планов ни у кого не было. Шон снова собирался работать на отца, да и Изабелла подумывала о подработке. Однако все они, без сомнений, планировали побывать на слушании дела пьяного водителя, сбившего Гэбби Томас. Джуди даже привлекла общество «Матери против пьянства», чтобы создать общественный резонанс и не дать подонку, убившему ее дочь, выйти сухим из воды. Парень подписал признание, и адвокат обещал, что он отделается годом тюремного заключения и еще пятью годами условно. Томасы были потрясены тем, как дешево оценивает судебная система их потерю, и принялись писать письма во всевозможные инстанции. Представители «Матерей против пьянства» должны были присутствовать на суде.

В аэропорту Лос-Анджелеса приземлился самолет, на котором прилетели родители, их друзья и члены МПП. На этот раз приехал даже Роберт, отец Энди. Для проживания, вернее, для временного штаба был выбран отель «Сансет-маркиз» в Западном Голливуде, расположенный недалеко от здания суда. На слушание все прибыли без опозданий.

Появился судья, все встали. Затем охрана ввела арестованного. Следом за ним в зал вошли его родители. Иззи не могла оторвать от парня глаз. Ему уже исполнилось восемнадцать, хотя на вид было сложно дать больше четырнадцати. Парнишка смотрел в пол и имел совершенно несчастный вид. Он больше походил на потерявшегося ребенка, чем на убийцу. Его мать тихонько всхлипывала, уткнувшись мужу в плечо. Рассматривая их лица, Изабелла снова подумала, как много жизней изменил один короткий миг, одно глупое бесшабашное нарушение правил. На всех присутствующих было тяжело смотреть.

Обвинитель кратко изложил суду обстоятельства дела, сообщил об основных фигурантах, результатах медицинского освидетельствования, выдвинул обвинение и огласил требования. Затем выступил адвокат, который попросил о смягчении приговора, уповая на милость суда, указывая на юный возраст и отсутствие криминального прошлого обвиняемого, а также на его чистосердечное признание. Адвокат был настолько смел, что попросил прокурора дать своему подзащитному всего год в исправительном учреждении, на что тот покачал головой. Погибла юная девушка, веско указал он и попросил обвинителя и адвоката подойти к нему. После того как они немного пошептались, судья кивнул. Затем он предложил кому-нибудь из родственников погибшей сделать заявление.

Вышел отец Гэбби. Темно-синий костюм и мрачное выражение лица опять напомнили о похоронах, которые он недавно пережил. Джуди и Мишель плакали. Билли казался рассеянным и был очень бледен. Шон с Иззи опасались, как бы он не потерял сознание.

Адам Томас произнес пламенную речь, в которой говорил о том, какой красивой, умной и всеми любимой была его Габриэла. Он говорил о будущем, которое у нее отняли, о надеждах, которые были погребены вместе с дочерью в земле. Он говорил о Джеймсе Эдмондсоне, казавшемся милым мальчиком со светлой головой, который на самом деле был способен на убийство. Адвокат возразил, что, по свидетельским показаниям, обвиняемый впервые перебрал со спиртным. Такое случалось с каждым первокурсником и вовсе не превращало его в чудовище.

— Но не все затем садятся за руль и убивают чужих детей! — выкрикнул Адам.

К тому моменту как он закончил, плакала добрая половина зала. Билли, сидя в первом ряду, открыто тер ладонями заплаканные глаза. Похоже, его лицо было знакомо прокурору, поскольку тот поглядывал с явным сочувствием и узнаванием.

Затем попросила слова одна из представительниц МПП, но прокурор ответил отказом. Он не хотел, чтобы зал суда превращался в площадку для политических лозунгов, которые так обожает пресса. Он и в отсутствие транспарантов и лозунгов чувствовал ответственность, лежавшую на нем. Прокурор позволил обвиняемому взять слово. Джимми Эдмондсон дрожащим голосом произнес, что целиком признает свою вину, и попросил прощения у семьи погибшей. Он плакал, как и пострадавшая сторона. У мальчишки был такой хрупкий, жалкий вид, что становилось ясно — в тюрьме он протянет недолго. Его мать смотрела на него почти так же, как смотрела Джуди на лежавшую в гробу дочь, — словно на покойника.

Затем слово взял сам судья. Он заявил, что, несмотря на признание и раскаяние, обвиняемый совершил тяжкое преступление. На его совести смерть человека, и этот факт не может отменить никакое признание. Вердикт был окончательным и обжалованию не подлежал: Джеймсу Эдмондсону предстояло провести пять лет в колонии строгого режима, к чему добавлялись еще два года условно, под строгим наблюдением, без капли алкоголя. И лишь по прошествии этих семи лет парню могли вернуть права на вождение автомобиля. Мальчишка беззвучно плакал и согласно кивал. Его голова дергалась, словно у тряпичной куклы. Адвокат торопливо объяснял его матери, что за примерное поведение Джеймса выпустят уже через три года. Женщина рыдала, обхватив голову руками. Она знала, куда отправляется ее худенький, неприспособленный к жизни ребенок, — туда, где сидят настоящие насильники и садисты. Да, его обвиняли в убийстве, но его преступление было совершено ненамеренно, Гэбби Томас была случайной жертвой.

После приговора прокурор стукнул молотком, и все встали. Охрана надела на мальчишку наручники. Джеймса Эдмондсона вывели из суда. Его подвывающую мать муж уводил, поддерживая за плечи. Она даже не взглянула на

Томасов. Просто не могла. Ее собственная боль была так велика, что она была не способна принять и их боль тоже.

Томасы и их близкие молча вышли из зала. Джуди и Адама трясло. Мальчик, получивший пять лет тюрьмы, был одного возраста с Габриэлой, а внешне и вовсе казался ровесником Мишель. Томасы жаждали справедливости, но теперь, когда справедливость восторжествовала, они чувствовали не торжество победителей, а только боль побежденных. Вердикт суда был не способен вернуть Гэбби. И хотя виновник трагедии оказался наказан, это тоже была чья-то боль и чья-то жестокая потеря.

Молчали все. Изэи шла и чувствовала горькое разочарование. Пригревало июньское солнце, но оно было не способно согреть душу, скованную ледяным холодом. Случившееся было чудовищным. Сначала Кевин. Затем Гэбби. А теперь вот еще одна потеря — чужой ребенок, виновный и все-таки по-своему невинный. Джеймс Эдмондсон отправлялся в тюрьму...

Все в том же молчании Томасы и их близкие добрались до аэропорта и сели в самолет до Сан-Франциско. Никто не чувствовал удовлетворения.

Да, для них кошмар, связанный со смертью Гэбби, был окончен. Зато для Джеймса Эдмондсона кошмар только начинался.

Глава 16

Остаток лета для каждого из них стал периодом передышки. Они исцелялись и отходили от недавней потери. Шон, Энди и Иззи часто говорили о Гэбби, о том, какой странной и пустой стала жизнь без нее. Билли пребывал в глубокой депрессии, и в июле мать отправила его к психологу, что оказалось недурной идеей. Все переживали за Билли, который все чаще напивался и уже не скрывал своей тяги к алкоголю. Шон постоянно читал ему нотации, напоминал о том, что именно выпивка подтолкнула парня по имени Джеймс к убийству Гэбби. Визиты к психологу, а также приближение футбольного сезона дали свои плоды. Билли потихоньку приходил в себя, а к концу лета уже почти оправился. Было ясно, что потеря любимой девушки никогда не сотрется из его памяти, но уже можно было не опасаться, что он, к примеру, покончит с собой от тоски или сопьется.

Остальные тоже пытались двигаться вперед. Джуди длительное время была сама не своя, но потеря сблизила ее с Мишель. Они вместе отправились в Нью-Йорк на несколько недель, чтобы сменить обстановку, и обратно вернулись явно в более оптимистичном настроении.

Энди много общался с Билли. Он даже не стал искать себе подработку на лето, чтобы почаще встречаться с другом и вместе с ним заниматься спортом. Также Энди часто ужинал у Шона дома. Они часами обсуждали то, насколько неожиданные повороты готовит иногда судьба и как сильно меняют людей потери и испытания.

Матери подростков продолжали общаться. Мэрилин очень волновалась за Билли, но возня с двойняшками отнимала столько сил и времени, что она почти полностью растворялась в заботе о них. Малышки были светлым лучом, неистощимым источником радости в жизни Мэрилин, и она отдавалась материнству целиком.

Дженнифер и Изабелла по-настоящему сблизились. Оставшись без лучшей подруги, Иззи бессознательно пыталась заполнить пустоту общением, поэтому открытая и отзывчивая Дженнифер без проблем нашла дорогу к ее сердцу. Да, Дженнифер не могла заменить Гэбби, но ее поддержка была для Иззи как нельзя кстати.

В начале августа Изабелла поехала вместе с семьей О'Хара в их домик в Тахо, стараясь не вспоминать о дурацкой ночи, которую она провела с Энди. Вечерами они болтали с Шоном о всякой ерунде. Он делился своими намерениями пробиться в ФБР после окончания колледжа. Теперь он высказывал не просто пустые мечты, он видел работу в ФБР как цель.

Они купались в озере, играли в теннис, лазали по горам и рыбачили. Отец Шона катал их на водных лыжах. Они занимались самыми обычными делами и развлекались, пытаясь вытеснить из памяти недавнюю потерю.

Вернувшись в сентябре в колледж, Иззи была уже вполне способна жить, не оглядываясь назад. Шон ринулся в Вашингтон, с восторгом предвкушая, как с головой окунется в занятия. Энди вернулся к коллоквиумам и медицинским семинарам. Билли остервенело тренировался, готовясь к новому сезону. Все они двигались в разных направлениях, у каждого был свой путь. Никто не забыл Гэбби, четырнадцать лет верной дружбы навсегда запечатлелись в их сердцах, но следовало смотреть вперед, чтобы не жить воспоминаниями.

Без поддержки и ежевечерней болтовни с Гэбби по телефону второй курс казался Изабелле унылым и серым. Она привыкла к тому, что в любой момент подруга была готова протянуть руку помощи, и без этой поддержки ей приходилось нелегко. Гэбби была для нее почти сестрой, частью ее самой, и выживать без нее было все равно что существовать без кусочка сердца. Теперь у Иззи была новая соседка по комнате, неплохая девчонка, которая нравилась ей, но настоящими подругами они так и не стали.

Для Билли второй курс стал настоящим мучением. Иногда воспоминания об утрате накатывали на него с такой силой, что перехватывало дыхание и начинало казаться, что он больше никогда не сможет втянуть в легкие ни глотка воздуха. К тому же с учебой совсем не ладилось, и лишь помощь Изабеллы позволяла не вылететь из колледжа. Он все свои силы бросил на тренировки, изматывал себя до полусмерти, проводя все время в поле. Теперь он думал только о футбольной лиге, это превратилось для него в навязчивую идею.

Зато спорт постепенно вытеснил алкоголь из жизни Билли. Тренер команды гордился его успехами и восхищался его физической формой. Первая же игра сезона оказалась триумфальной для Билли. Он стремился к победе любой ценой, и соперники пасовали перед его натиском. Мэрилин и Джек следили за его успехами, посещали игры. Ларри тоже приезжал и очень болел за сына. К концу сезона Билли знал, что у него есть все шансы попасть в национальную лигу. Оставалось продержаться в колледже всего семестр.

В начале января Билли поговорил с тренером. Тот похвалил его и посоветовал рваться к победе изо всех сил, поскольку до совершеннолетия ему оставалось совсем немного.

Выбранная цель стала для Билли спасением. Все его мысли были заняты теперь одним. Он выигрывал матч за матчем и привел свою команду к чемпионству. Весь мир ждал, когда он протянет руку за его богатствами. Колледж был ему ни к чему, это была лишь стартовая ступень к вершине футбольной карьеры.

Со смерти Гэбби он ни с кем не встречался, избегая женского общества. Прошел почти год, а он так и не научился думать о ней спокойно. В жизни без Гэбби рядом с успехом всегда соседствовала затаенная боль. Но Билли привык к этой боли, и она стала для него движущей силой.

В отличие от Билли Иззи все больше запутывалась и все меньше понимала, чего хочет и куда стремится. Она по-прежнему чувствовала величайшее желание помогать окружающим, но не знала, куда направить это желание. Она выбрала углубленное изучение английского и обсудила это с Шоном. Он все чаще говорил о ФБР, и в его тоне звучала убежденность. Потеря брата придала Шону уверенности и позволила определиться в намерениях. Смерть Гэбби выбила у Иззи почву из-под ног, и она совершенно не знала, когда и как снова обретет равновесие.

В один из редких визитов матери Изабелла объяснила ей, что сбилась с пути. Мать и дочь так и не стали друзьями, но порой Кэтрин давала неплохие советы. За долгие годы Изабелла научилась не ждать от нее большего.

— Я до сих пор не понимаю, чем тебя отталкивает юриспруденция, — сказала Кэтрин, пожимая плечами.

Она по-прежнему была хороша собой, хотя ей исполнилось сорок четыре. Возможно, она сделала подтяжку, потому что выглядела на тридцать с хвостиком. Теперь Кэтрин жила в Лондоне с мужчиной, с которым встречалась уже шесть лет. Его звали Чарлз Спаркс, он был старше Кэтрин на несколько лет. Насколько поняла Изабелла, Чарлз владел большой фирмой и был весьма обеспечен. Кэтрин казалась счастливой и довольной, поэтому Изабелла была за нее очень рада.

Иззи почти не знала собственную мать и не понимала ее стремлений. Однако у Кэтрин были четкие цели, тогда как сама Иззи не имела целей вовсе. Она как будто плыла по течению и пыталась угадать, куда ее занесет. Ей хотелось найти себя, как-то определиться, но по какой-то странной причине она все так же барахталась в озере неизвестности, как и год назад.

— Мне не нравится работа юриста, мам. Не нравится, и все тут. Неужели это плохое объяснение? — упрямо сказала Иззи. — Ведь не у всех мозг устроен так, как у тебя. Ты жесткая, пробивная. Да, у меня тоже есть талант организатора, но я не смогу стать бизнесвумен, как бы ни старалась. Я хочу чего-то... совсем другого.

— Надеюсь, ты не живешь в иллюзиях, как твой отец, — промолвила Кэтрин. В ее взгляде читалось разочарование. — Да, помогать бедным — занятие благородное и похвальное, но денег оно не приносит.

Иззи вздохнула, подумав об отце. Будучи социальным работником, Дженнифер разделяла взгляды Джеффа, и это очень их сближало. Изабелла уважала их отношение к целям, которые они оба преследовали. Джефф и Дженнифер жили вместе больше года, и у них все складывалось хорошо. Настолько хорошо, насколько никогда не было у Джеффа с Кэтрин.

— Я могу стать учителем английского, — предположила Изабелла. — А еще мне нравится идея уехать в Индию и преподавать там. — Она почти виновато посмотрела на мать, зная, что одобрения не дождется. А хуже всего было то, что она сама не была уверена в том, что это правильное решение.

Энди знал, чего хочет от жизни. Шон тоже выбрал свою дорогу. Билли воплощал мечту своего детства. А Иззи... В детстве она мечтала стать хорошей хозяйкой и заботливой матерью, такой, какой никогда не была ее собственная мать. Но это не было карьерой. Больше того, не каждая женщина была достаточно удачлива, чтобы обрести в браке и материнстве счастье. Это была своего рода рулетка, и везло лишь баловням судьбы. Взять, к примеру, Конни и Мэрилин. Обе стали прекрасными матерями, но они успевали работать и добиваться успеха в том, чем занимались. Материнство было скорее призванием, нежели просто работой над собой. К тому же Изабелла до сих пор не встретила никого, с кем ей хотелось бы построить семью. Да, она сходила на несколько свиданий, но потом ни разу не встречалась с теми, с кем опрометчиво согласилась провести вечер. Ей не нравился никто из тех парней, что встречались на ее пути. Любовь и понимание, подобные тем, что были у Билли и Гэбби, казались редкой удачей. А пока Изабелла хотела лишь определиться в намерениях, спокойно закончить колледж и выбрать работу, в которой сможет раскрыть свои таланты.

— Время покажет, что тебе ближе, — внезапно произнесла Кэтрин. — Просто подожди, если не уверена. — Она поцеловала дочь в щеку и распрощалась. Вечером она улетала в Англию, и Изабелла понятия не имела, как скоро они смогут увидеться. Ничего не изменилось. Константой был отец. Константой была школьная дружба. Кэтрин всегда оставалась переменной величиной.

Английский язык оказался правильным выбором. Изабелла получала удовольствие от занятий, к которым теперь добавились философия и французская литература. Конни одобрила решение Иззи стать учителем, поскольку и сама до брака с Майком преподавала.

В январе следующего года Билли подал заявку на вступление в Национальную футбольную лигу. Теперь он был совершеннолетним и мог осуществить свою мечту. Уже с апреля Билли приглашали стать запасным в команде Детройта. Конечно, это была далеко не лучшая команда лиги, но все равно приглашение было первым шагом на пути к вершине. Билли говорил друзьям, что впервые чувствует себя счастливым за два года, прошедших со смерти Габриэлы.

Билли нанял агента и менеджера. После этого он настолько воспрянул духом, что даже начал ходить на свидания, выбирая исключительно молодых актрис и моделей, девушек своего возраста или моложе. Ни одна из них не могла сравниться для него с Гэбби, но это хоть немного отвлекало, к тому же он больше не выглядел белой вороной в глазах прессы. Статьи о его похождениях немного беспокоили мать, но даже она понимала, что это лучше вечного обета безбрачия в попытке сохранить верность погибшей возлюбленной.

Когда Иззи заканчивала третий курс, ее отец и Дженнифер решили пожениться. Рожать Джен не собиралась, поэтому они хотели усыновить ребенка, что было вполне в духе этой пары. Изабелла, не пришедшая в восторг от подобной затеи, не стала высказывать своих соображений. Дженнифер и Джефф всегда помогали тем, кому не повезло в жизни. Пожалуй, в этом Изабелла всецело походила на отца.

Когда Иззи исполнилось двадцать один, Кэтрин предложила сделать ей приглашение и оплатить путешествие по Европе. В Копенгагене Изабелла пересеклась с Энди и Шоном, проехала с ними по Швеции и Норвегии, затем отправилась в Берлин. До Парижа она добиралась одна, а затем оказалась в конечной точке путешествия — в Лондоне, где провела несколько дней с матерью и Чарлзом. Путешествие было познавательным и интересным, поэтому Изабелла вернулась домой с новыми силами и задумками на будущее.

Перед началом нового семестра она пообедала в Бостоне с Энди. Он встречался с девушкой, причем это были серьезные отношения. Энди отлично учился, увлекался ортопедией и собирался оставаться в Гарварде, пока не получит докторскую степень. Он казался очень взрослым внешне, да и рассуждал совершенно по-взрослому.

— А чем будешь заниматься ты? — спросил он.

Этот вопрос он задавал Изабелле и в Европе, но тогда она просто поменяла тему.

— Буду преподавать. Или вступлю в Корпус мира. Не знаю, — вздохнула Иззи. — Думаю, решу в этом семестре. — Мать пригласила ее пожить в Лондоне, и в целом это было очень хорошее предложение, но рядом с целеустремленной Кэтрин Изабелла так и не смогла бы найти себя. Ей хотелось делать что-то полезное и правильное, но решение никак не приходило в голову. — Я словно застряла на полпути, понимаешь? Чувствую себя не более взрослой, чем в тот день, когда наливала тебе, Шону и Билли чай из игрушечного чайника.

Энди улыбнулся.

Изабелла помнила тот день, когда все они познакомились. Энди и тогда казался очень собранным и серьезным, в той кофточке на пуговках и штанишках цвета хаки. Он и тогда хотел быть доктором, и за долгие годы ничего не изменилось. Билли и в пять лет мечтал о футбольной карьере, а Гэбби играла на публику, словно профессиональная актриса. Шон до сих пор интересовался полицейскими сводками, только теперь они должны были стать частью его жизни, а не какого-то телесериала.

— Может, откроешь чайную с игрушечными чайниками? Будешь кормить посетителей пластиковыми пончиками, — поддел Энди, и внезапно Изабелла словно прозрела. Конечно, это было совсем не то, что она планировала, но все-таки гораздо ближе к ее натуре.

— Ну, пластиковые пончики все равно лучше моей настоящей стряпни, — задумчиво сказала Иззи. — Они просто идеальные.

— Как и ты, — сказал Энди и коснулся ее щеки.

Они никогда не обсуждали ночь, которую провели вместе, но каждый помнил о ней. Иззи радовалась, что Энди наконец нашел себе девушку. Ее звали Нэнси, и они познакомились с Энди в лаборатории. Он говорил, что без ума от Нэнси, что у них общие цели и желания. У них могло все сложиться неплохо.

Могло сложиться... Изабелла больше не строила долгосрочных планов. Потеря Гэбби словно подорвала веру в стабильное будущее, уверенность в завтрашнем дне, и теперь Иззи всегда мысленно плевала через плечо, если говорила о хороших перспективах.

Сама она в начале года все же решилась на роман. Отношения продлились всего три месяца, после чего парень ей ужасно наскучил. Иззи ушла, а тот еще месяц бомбардировал ее любовными эсэмэсками. Любовь... Изабелла по-прежнему не знала, что это такое. Разумеется, видела, как любили друг друга Гэбби и Билли, но сама никогда не испытывала ничего подобного.

Она вообще чувствовала себя кораблем без рулевого, обреченным безвольно мотаться по волнам, не в силах причалить ни к одному берегу, будь то любовь или карьера.

Они как-то разговорились об этом с Шоном незадолго до его отъезда в колледж.

— Ты разберешься, что к чему, — пообещал он уверенно. — Определишься, просто немного позже.

— Ты говоришь почти так же, как моя мать, — усмехнулась Изабелла. Да, теперь она уже видела свой путь, но пока еще размыто и нечетко, словно сквозь наброшенную на глаза пелену. — А ты? Уже все решил? У вас многие выпускники идут в правительство. К тому же ты отлично говоришь по-испански, это залог международной карьеры.

— Ну... я еще решаю, — уклончиво ответил Шон.

Иззи прищурилась. Она слишком хорошо знала своего друга, чтобы понять: он что-то скрывает.

— Так-так, кажется, у тебя есть четкий план, да? Не поделишься со мной?

Шон рассмеялся, позабавленный тем, что его столь быстро раскусили.

— Я пока не знаю. То есть знаю, но не уверен до конца. Ничего нового, я не сверну со своего пути.

— Так кем ты будешь? Полицейским? Пожарным? Шерифом? — Она напомнила ему о детских мечтах.

Оба расхохотались.

— Нечто вроде этого. — Шон даже родителям пока ничего не говорил, поэтому признаваться Изабелле не хотел.

Однако она вцепилась в него мертвой хваткой:

— Выкладывай!

— Ладно, ладно. Только прошу, никому пока не рассказывай. ЦРУ. Или Департамент юстиции. И конечно, академия ФБР. Я хочу подать прошение. Быть может, меня примут на практику для начала. Хочу стать сотрудником отдела по борьбе с наркотиками.

— Что-то слишком много разных вариантов, — буркнула Изабелла. Она считала, что работа на правительственные органы в таких организациях слишком опасна.

— Да, много, согласен. Но для меня важна не столько структура, сколько конкретный отдел. Ты же помнишь, я всегда хотел ловить преступников. Таких, как тот, что убил моего брата. Полицейские выслеживают конкретных людей, но только серьезные службы отслеживают всю преступную цепочку. Я хочу выслеживать членов наркокартелей и террористических группировок. Я хочу избавить мир от тех, кто продает наркоту в средних школах, буду ловить плохих парней.

— Но это очень, очень опасно, Шон. Такая работа убивает. А я не желаю терять еще одного друга!

— Не потеряешь. И потом, я еще ничего не решил, и меня еще никуда не приняли. Пока это только планы и мечты.

— Забавно то, что все вы следуете за своими мечтами: ты, Энди, Билли. Вы словно с самого детства знали, куда идете. А я и прежде не знала, чего хочу. Не знаю и теперь.

— Ты просто долго созреваешь. К концу этого курса ты точно будешь знать, что делать. Ты умная и способная, — уверенно сказал Шон. — Просто ты боишься ошибиться. Боишься больше, чем каждый из нас.

— И вовсе я не умная, — буркнула Иззи. — У меня в голове пустота и полное отсутствие идей.

— Не криви душой, — мягко возразил Шон. — Ты всегда была умницей. Просто тебе нужно время.

Он подвез Изабеллу до дома и поцеловал в висок на прощание. Разговор с ним привел ее в смятение. Как ей недоставало сейчас Гэбби, чтобы пообщаться с ней, рассказать о наболевшем, даже немного поплакать...

Увы, Габриэла давно ушла, оставив за собой пустоту.

Джефф и Дженнифер поженились после Рождества. На скромной церемонии, которую провел судья округа, присутствовали только самые близкие люди и друзья. Затем все отправились в ближайший ресторанчик пообедать и пообщаться.

Джуди по-прежнему казалась словно окаменевшей, хотя и старалась улыбаться. Мишель снова сильно похудела. Теперь она и сама боролась с собой, стараясь правильно питаться, но это было настоящей пыткой. По окончании школы Мишель поступила в Стенфорд, где неплохо училась. Брайан заканчивал Этвуд. Билли, Энди и Шон вернулись домой на каникулы.

На Билли были удивительной красоты ботинки из кожи аллигатора, привлекавшие всеобщее внимание. В сочетании с рыже-зеленоватой кожаной курткой ботинки создавали образ настоящего мачо. Билли выглядел именно тем, кем и являлся, — хорошо оплачиваемым футболистом национальной лиги.

Иззи постоянно дразнила его на этот счет.

— Я такой, какой есть, — вяло защищался он смеясь.

Судя по таблоидам, последней подружкой Билли была стриптизерша из Вегаса. Нет, конечно, она и в подметки не годилась Гэбби, но Билли был свободен как птица и мог выбирать.

Энди продолжил учиться на медицинском факультете в Гарварде, и Иззи невероятно гордилась его успехами. Что касается Шона, то он проходил собеседование и тестирование в ФБР, но от рассказов воздерживался, а на прямые вопросы просто отмалчивался.

Сама Изабелла подыскивала работу. Конечно, это вряд ли будет работа ее мечты, но хотя бы достаточно интересное занятие на ближайшую пару лет. Только время могло подсказать Иззи правильный путь. Как жаль, что она не способна столь уверенно следовать намеченным путем, как это умела делать Гэбби.

В мае Джефф и Дженнифер удочерили двухлетнюю китайскую девочку. Это была чудесная малышка, до того милая, что Изабелла не могла на нее наглядеться. Девочку звали Пин. Джефф переделал свой кабинет под детскую, и Изабелла с энтузиазмом клеила обои в выходные.

А в июне произошло громкое событие для каждого из них. Энди окончил Гарвард. Шон благополучно сдал выпускные экзамены в Вашингтоне и был особо отмечен куратором. Иззи окончила Южнокалифорнийский университет и получила диплом с углубленным знанием английского. И всего за неделю до окончания учебы ее пригласили стать учителем младших классов в Этвуде. Ее взяли работать в ту самую школу, где когда-то показались первые ростки их детской дружбы. Отец гордился Изабеллой и даже заявил, что Кэтрин тоже должна ею гордиться, но уж Иззи-то знала наверняка, что мать не одобрит ее выбор. И все равно она была рада, потому что наконец знала, куда двигается и какие цели преследует. Она хотела учить детей и заботиться о них. А в летние каникулы можно ездить в Европу и встречаться с друзьями.

Церемония награждения выпускников в Южнокалифорнийском университете была очень торжественной. Шон приехал, чтобы порадоваться за подругу. Энди пере-

езжал на новую квартиру и как раз подписывал документы, поэтому приехать не смог. Билли появился ненадолго,
и его визит наделал много шума — люди узнавали его и
просили автографы. Приехал отец Изабеллы с Дженнифер
и малюткой Пин. Кэтрин тоже смогла найти окно в своем
плотном графике. Это был один из тех моментов, когда
Иззи чувствовала тяжкую, ни с чем не сравнимую тоску по
Гэбби. Невозможно было поверить, что подруги нет рядом
почти три с половиной года. Время летело стремительно.

После церемонии Иззи, ее отец, Дженнифер и Пин
перекусили в отеле «Бель Эйр». Стоял чудесный теплый
день, и у всех было такое же чудесное настроение. Они
болтали и смеялись, вспоминая, как конфликтовали поначалу, тискали хихикающую девочку. Чуть позже присоединились Кэтрин, Билли и Шон. Все больше звучало
рассказов о первой встрече в Этвуде.

— С тех пор мы неразлучны, — сказал Шон, с ласко-
вой улыбкой глядя Изабелле в глаза.

Она поделилась, что устроилась работать в Этвуд. Отец
и друзья смотрели на нее с гордостью, и лишь по лицу
Кэтрин прошла легкая тень разочарования.

— Мне кажется, тебе понравится, — заявил Шон. —
Ты хорошо ладишь с детьми. — Он частенько наблюдал,
как отлично справляется Изабелла с сестрами Билли. Теперь близняшкам было по четыре, и им тоже предстояло
пойти в Этвуд на будущий год.

— Ну, это временное прибежище, — пояснила Иззи. —
Поработаю пару лет, а там поглядим... А что насчет тебя?
Какие планы? — внезапно спросила она Шона в лоб,
пользуясь тем, что остальные их не слышат. — Ты так и не
рассказал, как прошло тестирование в ФБР.

Он колебался долго, но все же сдался.

— Я прошел. Это был тот редкий случай, когда они были
готовы взять человека без опыта. Думаю, это перст судьбы.

— Серьезно? — потрясенно воскликнула Изабелла. — Почему же ты молчал?!

— Ты всегда переживала за меня. А ведь это то, чем я с детства мечтал заниматься.

Изабелла кивнула. Глупо было оспаривать очевидное.

— Надеюсь только, что тебя не отправят на самую опасную работу, — взволнованно сказала она. — Это рискованная работа, даже если ты будешь сидеть экспертом в лаборатории. — Она вздохнула. — Когда приступаешь?

Она надеялась, что Шон немного побудет дома.

— В августе еду в Квонтико, штат Виргиния. Пробуду там до января на практике.

Кэтрин встала, собираясь уходить. Ей надо было успеть на самолет до Нью-Йорка. Остальные улетали вечером. Изабелла уже упаковала свои вещи и отправила в Сан-Франциско, поэтому собиралась ехать налегке. Эту ночь она планировала провести в отеле рядом с Джеффом, Дженнифер и Пин. Шон улетал тем же рейсом. Билли временно переезжал в Майами, но уже в июле планировал приехать в Сан-Франциско, чтобы повидать своих родителей и родителей Гэбби.

Изабелле не терпелось приступить к работе в Этвуде. Все друзья, включая Мишель и Брайана, поддерживали ее стремление преподавать.

В самолете Иззи и Шон тихо проболтали всю ночь. Они говорили о Билли и о той жизни, что он вел. Хотелось верить, что трудности закалили этого настоящего борца и он сможет противостоять всем соблазнам, которые возникают вокруг него в силу профессии. Жаль, что друг перебирал женщин, словно это была какая-то игра. Сложись жизнь иначе, женись он на Гэбби, кто знает, каким бы стал Билли О'Хара? Но сейчас он был именно тем, кем его желала видеть пресса: талантливым футболистом, игравшим не только на поле, но и в жизни.

И все же... какие бы удивительные ботинки ни носил Билли, какие бы дорогие часы с бриллиантами ни украшали его запястье, какая бы роскошная девица ни висела на его локте — в душе это был все тот же парнишка, однажды переступивший порог класса в Этвуде. Парнишка, который не мог оторвать изумленного взгляда от маленькой девочки, бесцеремонно отнявшей у него игрушечные кубики.

Иззи и Шон помолчали немного, улыбаясь своим мыслям.

«Некоторые вещи просто не меняются», — подумала Изабелла.

Глава 17

В первую среду после Дня труда Изабелла распахнула знакомую дверь. Она открывала ее и заходила внутрь бесчисленное множество раз в течение тринадцати лет, однако впервые воспользовалась личным ключом.

Она вошла в кабинет и зажгла свет. На столах у будущих учеников стояли пластиковые бейджики для фамилий, готовые обзавестись новыми владельцами. Все замерло в их ожидании. В игровой части класса были расставлены игрушки, высилась пирамида кубиков, по-прежнему ярко сияла лаковая детская кухня с маленькой посудкой, розовой плитой и холодильником.

Сейчас Изабелла рассматривала игрушки и удивлялась тому, насколько они крохотные и забавные. Она поискала глазами пластиковые пончики, но вместо них на столике высился игрушечный торт со свечками и пластмассовыми наплывами глазури.

В дальнем уголке стояла ширма, на вешалках висели костюмы — Принцессы, Волшебницы, Железного Дровосека, Трусливого Льва. Тут были формы пожарных и полицейских со значками, но без оружия — правила оставались неизменными.

Все оставалось неизменным.

Иззи закрыла глаза и с легкостью представила всю «Большую пятерку», сидящую на корточках возле игрушечных кирпичиков. Как же хотелось отмотать время назад и начать все сначала. Именно тут завязалась их тесная дружба. Гэбби отнимает кирпичики у изумленного Билли, сама она готовит игрушечный завтрак мальчишкам, Энди присоединяется к ним, одетый в белоснежную рубашечку и наглаженные брючки. Даже тогда он выглядел, словно юный доктор. Изабелла почти слышала их голоса в тишине классной комнаты.

Скоро сюда должны были войти новенькие испуганные, любопытные малыши, — такие же, какими когда-то переступили порог класса друзья Иззи. Теперь у нее в волосах не было ленточек, а на груди красовался бейджик с надписью «Мисс Иззи». И как она так быстро заменила собой мисс Пэм, работавшую, казалось, еще вчера? Вчерашние детки превратились во взрослых людей, способных делать выбор и принимать решения. А некоторые и вовсе ушли из жизни.

Она старалась не думать о дорогой Гэбби в этот солнечный день, о том, какие удивительные розовые туфельки подружка носила в пять лет и какой зонтик ей купили в шесть. Следовало жить сегодняшним днем. Иззи ждало удивительное приключение — первый рабочий день. Она уже прошла предварительный инструктаж и волновалась. Сегодня детям должны были предложить немного музыки или танцев, потом лепку из глины, позволявшую выразить свои эмоции, но меж тем успокаивавшую. Затем чтение сказки, обед и лишь после сна — погружение в мир цифр, букв и цветов. Все было как прежде. И все-таки казалось совершенно новым и незнакомым.

Венди пришла за несколько минут до прибытия учеников, надела свой бейдж и поставила на столик вазочку с бирками, на которых были написаны имена. Затем она перебрала их все и сверила со списком. Венди уже знала имена наизусть, но в списке были фотографии юных учеников. Она хотела побыстрее запомнить, кто есть кто.

— Смотрю, все готово, — с улыбкой сказала Венди. Она выставила еще стаканы к кувшину с соком и поправила салфетки возле плетенки с пирожными и конфетами.

Иззи кивнула. Внезапно ею овладело страшное волнение, и она принялась одергивать блузку, как будто сегодня впервые переступила порог школы.

— Да, все готово, — подтвердила она и направилась к двери.

За дверью уже шумели ребятишки. Переговариваясь и пихаясь на пороге, они начали вливаться в классную комнату. Изабелла вспомнила, как много лет назад вместе с ней и ее друзьями прибыли родители. Мамочки ютились на крохотных детских стульчиках и креслах. Ее мать, естественно, не осталась, да это было и неудивительно. Кто именно решил посидеть со своими малышами, Иззи не помнила. Зато она отчетливо помнила, что на ней были новая красная маечка и красные кроссовки.

Теперь она с улыбкой смотрела на детвору и гадала, кто из них станет настоящими друзьями. Пронесет ли кто-либо школьную дружбу через годы? Или этот редкий дар дается немногим? Она раздавала бирки с именами и с умилением заглядывала в наивные лица. Как же ей хотелось объяснить, насколько важный у каждого из этих малышей сегодня день.

Когда детишки разбрелись по классу, Изабелла стала прохаживаться, общаясь то с одним, то с другим малышом, стараясь узнать немного об их пристрастиях и надеждах. Кто-то строил замок, кто-то занялся кухней, а некоторые уже лепили причудливые штуки из глины под руководством мисс Венди. Около десятка мамочек забились в дальний угол класса и сидели на неудобных крохотных стульчиках. Наверное, это была своеобразная ежегодная традиция.

Одна из мам была беременна. Ей уступили кресло, но и в нем она явно чувствовала себя некомфортно. Стоило взглянуть на нее, и Изабеллу немедленно пронзило воспоминание: Мэрилин, носившая в животе Брайана, точно так же некомфортно сидела в кресле годы назад. А теперь он уже заканчивал школу... Бесконечное повторение, множество преемственных звеньев, вечный круг бытия...

Венди подала Изабелле знак, и та вышла в центр класса, чтобы представиться.

— Всем удачного дня, меня зовут мисс Изабелла. Но все вы можете звать меня просто мисс Иззи. Именно так называют меня друзья с того самого дня, как я пришла в первый класс школы Этвуда. Это хорошая школа, — с улыбкой сказала она.

Краешком глаза она заметила, как в игровом уголке маленькая девочка отняла кирпичики у смуглого мальчика, и ее посетило ощущение дежа-вю. Как если бы Гэбби передавала ей привет.

Изабелла рассказывала, какое это удивительное занятие — лепка. Можно создавать животных из глины, и в итоге получится целый зоопарк. Она предложила детишкам сесть на мягкие подушечки кружком прямо на полу и призвала на помощь Венди. Было невероятно приятно сознавать, что десятки глаз смотрят на нее с интересом и ожиданием. Венди попросила детишек представиться по очереди: читать они пока не умели, поэтому бирочки носили больше для учителей, чем друг для друга.

Они вылепили слона, носорога, жирафа, четырех котят, нескольких лошадей и целое семейство свинок, поскольку делать последних было проще всего. Когда все животные заняли место на большом подносе, малышам и мамам предложили сок и пирожные.

После того как детишки перекусили, Изабелла принялась читать им книжку. Она так вживалась в роли героев, что детишки слушали, затаив дыхание. После сказки весь класс отправился поиграть на площадке возле школы. Иззи заметила, что горку подновили, а качели и вовсе поставили новые. Каждый пенек пирамиды был выкрашен в свой цвет для создания радужного, пестрого настроения. После прогулки была еще одна сказка и первое занятие с букварем. Малыши узнали, с какой буквы начинаются их имена.

День вышел утомительным, но очень интересным. Когда мамы разобрали сыновей и дочек по домам, Изабелла сняла передник и бейдж, расставила по местам игрушки и обернулась к Венди. Та обладала внешностью идеальной воспитательницы: средних лет, улыбчивая, с добрым взглядом и ямочками на щеках. У нее были пухлые руки и светлые кудри. Ростом она была ниже Изабеллы, но голосом обладала более густым и бархатистым.

— Как тебе первый день? — спросила она, расставляя по полкам пожарные и полицейские машины.

— Было здорово, — призналась Иззи.

Она знала, что теперешняя работа была бы отнесена ее матерью к разряду несерьезных. Возможно, Кэтрин и вовсе считала преподавание пустой тратой времени. Но Изабелле нравилось общаться с детишками, а привычное окружение давало ощущение надежности и уюта. Это был безопасный мир, в котором можно укрыться от невзгод взрослой жизни, в том числе потери близкого человека.

— Мы поладим, — улыбнулась Венди. — Завтра у нас музыка и арифметика. Ты заметила, как быстро ребятки схватывают новую информацию? Держу пари, уже завтра они смогут написать все буквы, которым мы их обучили.

Иззи согласно кивнула. Среди малышей была китаянка, которой с трудом давался английский язык. Иззи пообещала себе уделить ей особое внимание. Чем-то малышка напомнила ей Пин... Интересно, будет ли Пин учиться в Этвуде? А близняшки тети Мэрилин? Изабелла была бы счастлива стать их учительницей.

Полчаса спустя, прибравшись и подготовив материалы к следующему дню, Венди и Изабелла погасили в классе свет и заперли дверь. Часы показывали только два тридцать. Впереди была куча свободного времени.

Иззи решила заехать к Конни, которой без Шона было одиноко и требовалась поддержка. Рассказ о первом учебном дне невероятно ее воодушевил. Конни похвалила Изабеллу за правильный выбор работы.

— И главное, рядом с домом, — добавила она.

Иззи кивнула. Она сняла квартиру в пяти минутах ходьбы от Этвуда. Это было ее первое личное жилье.

— Я очень рада, что занимаюсь с детьми. Они такие милые, любознательные, — сказала она.

Конни поделилась, что собирается вернуться к работе, причем на полную ставку. Будет помогать Майку в офисе. Ее муж не возражал, помощников у него не было, а дел хватало. Конни надоело сидеть дома и оплакивать свою потерю. Она достаточно оправилась, чтобы вернуться к полноценной жизни. Шон уже несколько недель проходил тренинги на морской базе ФБР в Квонтико, а затем собирался переехать в Вашингтон.

Да, Шон претворял в жизнь свою мечту.

Изабелла призналась, что переживает за друга. Конни согласилась, но напомнила, что Шон всегда желал служить закону и стоять на защите прав граждан. Впрочем, она тоже волновалась: работу сын выбрал опасную, а ей уже довелось потерять одного ребенка. Конечно, она не позволяла себе нападок на Шона и никогда не запрещала ему идти к своей мечте. Она была хорошей матерью, способной поставить интересы ребенка выше собственных.

Изабелла подумала о том, что ее матери есть чему поучиться у Конни. И все-таки, даже несмотря на неодобрение Кэтрин, она была рада, что пошла своим собственным путем.

Изабелла довольно часто заезжала после работы к Конни, перехватывая ее в обеденный перерыв. Мэрилин она тоже навещала. Та была целиком погружена в заботы о троих детях и муже и полностью довольна жизнью. К Джуди Иззи заезжала всего пару раз в месяц. У матери Гэбби была поддержка в лице Мишель, приезжавшей домой каждые выходные. Хелен так и вовсе была вечно занята в клинике.

Пожалуй, из всех матерей «Большой пятерки» только Конни была покинутой детьми. Изабеллу странным образом тянуло к ней, как не тянуло к собственной матери. Она отправляла отчеты Шону, сообщая, что присматривает за его родителями, и докладывая об их делах. Шон звонил, но нечасто, поскольку ему приходилось много учиться и работать.

Энди звонил и того реже, всякий раз принимаясь извиняться за долгое молчание. Было понятно, что он погрузился с головой в студенческую жизнь.

Билли звонил, когда бывал в дороге. Ему нравилось в Майами, но приходилось постоянно переезжать и встречаться с массой людей. Изабелла редко слышала его голос, зато частенько видела на обложках журналов и в газетных статьях. Билли успел появиться даже в «Пипл». Он очень возмужал, лицо стало суровым и еще более привлекательным. Женщин влекло к нему как магнитом. Журналисты захлебывались сплетнями о его похождениях. Карьера неумолимо шла в гору.

Порой, правда, проскальзывали и менее обнадеживающие нотки. Ходили слухи о каких-то шумных вечеринках, где Билли напивался до беспамятства, был замечен под кайфом или ввязывался в драки. Но на каждом снимке с его участием рядом была очередная красивая цыпочка.

Друзья встретились после разлуки только на Рождество. Изабелла помогала Пин украшать елку, вешая игрушки на колючие ветки. Потом вместе с Пин и Дженнифер они отправились в театр посмотреть «Щелкунчика». Энди и Шон должны были приехать на праздники. Насчет Билли Мэрилин была не уверена: у него шла серия игр за Суперкубок. Мэрилин, Джек и Брайан собирались смотреть главный матч, если команда Билли возьмет верх.

Праздник каждый встретил со своими, а на следующий день Иззи и Энди направились к Шону домой. Конни и Майк ушли в ресторан поужинать, оставив старых друзей пообщаться.

Изабелла рассказала ребятам, как здорово работать учителем в Этвуде. Энди поделился несколькими забавными врачебными историями, в которых участвовал сам вместе с однокурсниками. Было ясно, что учеба на медицинском ему по душе. Потом Иззи и Энди долго уговаривали Шона рассказать хоть что-нибудь о ФБР. Он сдержанно выложил какую-то довольно тривиальную историю, стараясь опускать детали и имена, но при этом так улыбался, что сразу становилось ясно: Шон очень доволен своей работой. Он почти закончил серию тренингов и возвращался в Вашингтон, где его ждала офисная работа. Изабелла, услышав это, вздохнула с облегчением.

Обсудив свои личные дела, они переключились на отсутствующего Билли и его любовные похождения, о которых читали в прессе. Недавно Билли засветился на вечеринке, где кого-то подстрелили. Якобы он занимался сексом в хозяйской спальне с какой-то известной моделью и был застукан копами на этом занятии. Шон грустно покачал головой, считая, что Билли очень рискует. Конечно, имидж звезды накладывал обязательства и диктовал определенные правила, но во всем следовало знать меру.

Иззи, Шон и Энди перекусили и прибрались на кухне, когда позвонил отец Шона. Он велел — скорее приказал — включить телевизор и повесил трубку.

В доме сразу возникла напряженная атмосфера. Шон торопливо прошел в гостиную, схватил пульт и включил телевизор. Изабелла и Энди, молча последовавшие за ним, встали рядом. Никто не знал, чего ожидать. Как только включился нужный канал, на экране появилось лицо Билли. Сразу за этим замелькали кадры: «скорая», завывая сиреной и моргая проблесковыми маячками, уносится прочь от жилого дома в Майами.

— Какого черта... — начал Шон, прибавляя звук.

На экране мелькали растерянные лица мужчин, каких-то размалеванных девиц. Затем голос за кадром произнес, что этим вечером известный квотербек Билли Нортон погиб от передозировки наркотиков в своем доме в Майами.

Все трое — Изабелла, Шон, Энди — стояли, онемев от потрясения.

— Боже мой, нет... — прошептала наконец Иззи и рухнула на стул. — Опять... опять это... только не Билли...

В повисшей тишине распахнулась дверь, — вернулись Конни и Майк. Все пятеро смотрели друг на друга, бледные, растерянные. Они думали о Мэрилин. Смотрела ли она новости?

Оказалось, о смерти Билли говорили уже по всем каналам. Если до этого момента Мэрилин и не знала о случившемся, то должна была узнать с минуты на минуту. Возможно, к дому уже подтягивались вездесущие папарацци, настраивавшие прожектора и микрофоны. Смерть Билли была грандиозным событием для мира спорта, и пресса наверняка готовилась раздуть из нее настоящую сенсацию.

Иззи душили рыдания. Все повторилось. Прошло четыре года со смерти Гэбби, и все повторилось. Она в отчаянии обводила взглядом близких. По лицу Шона было видно, что он в бешенстве. Если для Изабеллы потеря

Билли была сродни потере Гэбби, то для Шона смерть
Билли была новой смертью брата. Очередная потеря близкого человека, и вновь виной всему была пагубная
страсть.

— Это просто безумие! — Шон заметался по гостиной,
сжимая в бессильном гневе кулаки. Он вспоминал, сколько раз Билли напивался до беспамятства, как пытался всу-
чить таблетку экстази после тестов на наркотики.

Бросившись вон из комнаты, он взлетел по лестнице
на второй этаж и заперся у себя. Оставшиеся проводили
его беспомощным взглядом.

— Я, пожалуй, позвоню Мэрилин, — решилась Конни.

У Мэрилин был очень странный тон — спокойный,
ровный, почти ледяной. Кажется, она была в шоке.

— Я знала, что это когда-нибудь случится, — почти
буднично произнесла она. — Он не выдержал того, что на
него свалилось. Потеря любимой, слава, ответственность.
Не смог противиться соблазнам. Просто не успел научиться...

Это была чистая правда. Парень, едва достигший
двадцати одного, зарабатывал миллионы. За ним носились поклонницы, его обожала публика. Билли казался
баловнем судьбы, и лишь близкие знали, какую тяжелую
потерю он пережил, прежде чем на него свалилась слава.
Гэбби была той почвой, в которую он с детства врос кор-
нями, и, лишившись этой почвы, он стал податливым,
слабым.

Конни спросила, хочет ли Мэрилин, чтобы она приехала. Та сдержанно согласилась. Энди пообещал отвезти
Изабеллу домой. Конни крикнула Шону, что они уезжают,
но ответа не дождалась. Он предпочел горевать наедине с
самим собой.

У дома Мэрилин уже дежурили папарацци. Они действительно настраивали прожектора, выбирая лучшие ра-
курсы, топтались на лужайке, оставляя мусор. Кто-то зво-

нил в дверь, надеясь, что ему откроют и дадут пару комментариев для канала.

Брайан узнал новости, будучи в гостях у соседей. Он всхлипывал на плече у друга. Мэрилин позвонила ему и велела не возвращаться в дом, который напоминал разворошенный пчелиный улей.

Майк прошел к входной двери и оттеснил плечом репортера, надрывно вопившего под дверью.

— Не заткнешься, я тебя засужу, — пообещал он.

Репортер попятился от него.

В этот момент дверь распахнулась, впуская Конни и Майка внутрь, и тотчас захлопнулась перед носом у галдящих папарацци.

Шторы всюду были задернуты, горели только ночники. Дом был в осаде. Джек и Мэрилин выглядели ошеломленными.

— Мне так жаль! — Конни обняла подругу.

Третья потеря. Это была уже какая-то странно знакомая обстановка.

Мужчины тоже обнялись, молча утирая слезы. Да, Билли не был Джеку родным сыном, но он любил его, словно родного, потому что обладал большим любящим сердцем. Семь лет он следил за его карьерой, радовался успехам, переживал с ним неудачи, стремился завоевать его доверие.

Майк и Конни просидели с несчастными родителями Билли до двух ночи, а когда вернулись домой, застали Шона в гостиной перед телевизором. Сын щелкал пультом и ловил все новые и новые нарезки, комментирующие жизнь Билли Нортона. Обрывки интервью, лучшие моменты игр, случайные кадры...

— Как они? — глухо спросил Шон родителей. В его тоне звучало беспокойство, но, похоже, он смог взять себя в руки.

— Почти так же, как мы, когда погиб Кевин, — безрадостно ответил Майк. — Только там повсюду камеры.

Думаю, организовать похороны в такой атмосфере будет непросто. Столько людей сует свой нос не в свое дело.

— Необходимо полицейское заграждение. Надо, чтобы оцепили дом и сопровождали машину на пути в похоронное бюро. — Шон помолчал и добавил: — Я займусь этим.

— Ты знаешь, кому звонить? — удивленно спросил его отец, словно позабыв, где учится и работает Шон.

— Пока нет, но через пару минут буду знать.

— Тогда сделай что можешь. Не представляю, каково это — оплакивать ребенка, когда в окно пытается залезть репортер с микрофоном. Брайану придется ночевать у соседей, чтобы его не порвали на части прямо у двери.

Шон понимающе кивнул и вытащил из кармана телефон. Позвонив в справочную ФБР, назвал свой номер. Через двадцать минут он уже вызывал полицейский патруль и отряд особого назначения к дому Нортонов. Это было то немногое, что он мог для них сделать.

Он пока даже не чувствовал боли от потери друга. Им владела ярость. Он ненавидел всех тех, кто помог Билли сойти в могилу. Дилеры, поставщики, наркокартели... Но он знал, с чего начинать. Связи известного футболиста при желании не так уж сложно отследить.

Шон знал, что найдет виновных. Пусть не сразу. Пусть на это потребуется время. Но он найдет их. И покарает.

Глава 18

Похороны Билли превратились в медиафарс. Пришлось просить мэра выслать заградительный отряд, чтобы выставить оцепление у церкви. Собрались толпы людей. Это был настоящий ад.

Кошмар начался еще в аэропорту, когда к гробу с телом Билли, который грузили в катафалк, попытались прорваться репортеры. Мэрилин, Джек и Ларри не могли попасть из дома к церкви, чтобы проститься с Билли. Пришлось организовать целый кортеж машин, чтобы сбить с толку прессу. Родители прибыли в церковь среди ночи на неприметном старом автомобиле, пока журналисты, сбитые со следа, носились за полицейским эскортом.

К счастью, к ночи у церкви остались только репортеры и самые стойкие фанаты.

Вся эта суета отнимала достаточно много сил, но немного приглушала боль, отвлекая на внешние раздражители. Мэрилин отослала Брайана к О'Хара, где его поддерживал, как мог, Шон. Он еще помнил, каково это — потерять старшего брата, которого считаешь очень близким человеком. Когда-то из жизни при чудовищных, нелепых обстоятельствах ушел Кевин. Теперь почти точно так же погиб Билли.

Мэр обеспечил заградительный отряд для похорон, но только оружие в кобурах могло удержать взволнованную толпу на достаточном расстоянии от траурной процессии. Зеваки и пресса осаждали церковь. Самые нахальные репортеры умудрились забраться на забор возле кладбища, чтобы сделать более удачные снимки.

Поминки проходили в ресторане Джека, закрытом для посетителей. Снаружи дежурил полицейский отряд.

— Ужасно, — прошептал Энди на ухо Изабелле.

Джек и Мэрилин были буквально раздавлены потерей, а отвратительная атмосфера паршивого шоу на публику только усиливала впечатление.

Ларри с друзьями тоже был на похоронах, но в какой-то момент исчез в толпе.

Шон повсюду сопровождал Брайана, вместе с ними была полная сочувствия Мишель.

День выдался кошмарным.

Утром Мэрилин с родными приехала к Конни.

— У вашего дома снова дежурят журналисты? — спросила Конни мрачно.

— Это невыносимо, — простонала ее несчастная подруга. — Так жить нельзя. Мы еле улизнули.

— Постепенно все уляжется, — тихо сказал Шон. Он всем сердцем переживал за родителей Билли и всячески пытался их поддержать. Внутри его кипел гнев. Он тщетно скрывал его, хотя горечь пропитывала каждое сказанное слово. — Вам лучше остаться здесь. Поживете недельку-другую.

Конни кивнула.

Мэрилин сразу же приняла приглашение.

Они с Джеком заняли гостевую комнату, а Брайан поселился у Шона. Близняшкам выделили спальные места в гостиной.

Действительно, неделю спустя пресса перестала осаждать пустующий дом, не имея материала для публикаций.

Шон готовился вернуться в академию ФБР. Энди отбыл в Кембридж.

Изабелла приехала в гости к О'Хара на ужин и пообщаться с Шоном, прежде чем он отбудет восвояси. Ей совсем не нравился его постоянно нахмуренный лоб и мрачное упрямство во взгляде. Да, смерть Билли сильно их всех подкосила, но гнев в отличие от светлой тоски разрушал сознание. А злость Шона росла день ото дня.

— Перестань сходить с ума, — мягко проговорила Изабелла.

— Я не схожу с ума. Я просто ненавижу их всех. Ты не знаешь, что это за люди, Иззи! Им все равно, кто будет следующей жертвой — взрослый футболист или незрелый ребенок. Главное — получить выручку с дозы, —

кипятился Шон. — Они заслуживают смерти! Почему именно Билли должен был расплатиться жизнью за этот яд? Он был хорошим парнем! — Его глаза налились слезами.

Изабелла сжала его ладони в своих, стараясь утешить, но только распалила гнев. Шон вырвал руки и скрипнул зубами.

— Ты не сможешь убить их всех, — покачала она головой. — И я уверена, Билли не пожелал бы тебе так казниться.

— Он просто был слаб — из тех, кто быстро попадает в зависимость, — сказал Шон.

Он сам не верил в свои слова, ибо знал, что Билли и не пытался сопротивляться, что охотно шел опасной дорогой, какой когда-то шел Кевин. Однако Шон не мог винить друга, и оставалось лишь нападать на тех, в ком, по его мнению, таился корень зла.

— Наркокартелям не должно быть места на земле!

— И что ты можешь сделать? — почти испуганно спросила Изабелла.

— Я вернусь в академию. — По его выдвинутому вперед подбородку было ясно, что это только начало. Шон желал развязать войну и мысленно представлял, как враги погибают один за другим в страшных мучениях. — А ты учи малышей. Учи их хорошему, Иззи.

— А когда ты закончишь академию... что тогда?

— Посмотрим, — уклончиво ответил Шон.

— Когда это будет?

— В конце января.

Иззи вздохнула, зная, что за это время гнев Шона не успеет остыть. Он полагал свою миссию священной и рвался устроить крестовый поход. Изабелла опасалась, как бы его священная война не стоила ему жизни.

«Большой пятерки» больше не существовало. Теперь их осталось всего трое — только трое испуганных, растерянных молодых людей, пытающихся обрести почву под ногами. Изабелла, Шон и Энди. Она все еще оплакивала Гэбби, а смерть забрала уже и Билли. Череда потерь сделала тех, кто остался в живых, более осторожными, лишила уверенности в будущем, научила вечно ждать опасности.

Поскольку Мэрилин с семьей вернулись домой, Изабелла осталась ночевать в комнате Шона. Она спала на второй кровати, и ей снились тяжелые сны. Шон уехал рано утром, когда все еще спали. Он попрощался с близкими накануне, поэтому не стал никого будить. Изабелла пропустила его отъезд и не знала, что перед отъездом он осторожно поцеловал ее в щеку.

Добравшись до Квонтико, Шон отправил подруге сообщение, а потом несколько недель от него не было никаких вестей.

Джек, Мэрилин, Брайан и близняшки постепенно возвращались к обыденной жизни. Иногда их тревожили репортеры, но они старались держаться. Вскрытие показало, что в крови Билли была смертельная доза экстази пополам с кокаином. Дальнейшее расследование предполагало многочисленные тесты для всей футбольной команды, в которой играл Билли.

Иззи вернулась в Этвуд. Она возилась с малышами, смеялась и играла вместе с ними, но внутри у нее застыла гулкая пустота. Порой она ловила полный сочувствия взгляд Венди и отводила глаза.

Шон не проявлялся почти два месяца. Он лишь сообщил, что у него новые тренинги, а потом прислал эсэмэску, что приступил к бумажной работе в офисе ФБР. Это немного успокоило Иззи. А в марте Шон внезапно приехал домой, никого не предупреждая о своем визите, позвонил Изабелле на мобильный и позвал поужинать вдвоем. Они поехали в скромное кафе на окраине, где заказали гамбургеры и жареную картошку.

Пока ждали заказ, оба молчали. А затем Шон взял руку Изабеллы в свои ладони и негромко спросил:

— Как ты?

Он заметил, что она похудела и осунулась. У нее был грустный взгляд, очень похожий на его собственный, когда он смотрел в зеркало. Все-таки испытывать гнев и бешенство проще, чем тосковать, однако чувства не выбирают.

— Не очень, — призналась Иззи. — Как, впрочем, и ты.

Гэбби не было уже четыре года. Билли погиб три месяца назад, и его смерть снова возродила воспоминания о прежней потере. Да и Кевина застрелили всего за год до того, как пьяный юнец сбил на машине Гэбби.

Изабелла однажды подумала, что потеряла больше друзей, чем ее отец за всю его жизнь.

Они с Шоном помолчали.

— Как дела в Вашингтоне? — попыталась возродить разговор Иззи.

Шон явно собирался поделиться чем-то важным, поэтому ответил далеко не сразу.

Принесли гамбургеры, однако ни Шон, ни Изабелла не могли заставить себя к ним притронуться.

— Я уезжаю, — наконец решился сказать Шон.

— У тебя... задание? — Изабелла нервно сглотнула. Она хотела знать правду.

— Возможно, — уклончиво ответил он. — Мне нельзя об этом говорить, но я хотел поделиться с тобой.

— Насколько я понимаю, ты вызвался доброволь-цем, — с горечью сказала Изабелла.

Шон кивнул, и в ту же секунду она поняла, что ненавидит его за это. Она не могла, просто не могла потерять еще одного друга!

— И это... надолго? — Она внезапно вспомнила, как Шон собирался ехать в Африку, чтобы уничтожить наркокартели.

— На год. Может, меньше. А может, больше. Зависит от множества факторов. Если все будет хорошо, то я продержусь долго. Если меня быстро раскроют, бюро выведет меня из игры.

Изабеллу охватил ужас, от которого волосы зашевелились на затылке.

— А если ты никогда не вернешься? — Слезы закипали в ее глазах.

— Тогда можем заранее проститься. Я рад, что мы дружили все эти годы.

Она машинально кивнула. Но на самом деле ее ненависть к Шону росла с каждой секундой. Как он мог говорить о происходящем так спокойно? Ведь его могли убить! Он вызвался сам, он мечтал о подобной возможности много лет, он добился своего... Но он мог погибнуть при исполнении, а она даже не знала, куда он едет. Южная Америка? Колумбия или Мексика?

— Это не вернет Билли и Кевина, — безжизненным тоном произнесла Изабелла. Она знала, что напрасно сотрясает воздух: Шон был упрям, как стадо баранов.

— Нет. Но при удачном течении дел я спасу многих других. Кто-то же должен бороться с преступностью. — Шон выглядел очень взрослым, когда говорил это.

— Но почему именно ты?! — воскликнула Изабелла, впившись в его лицо взглядом, и Шон сильнее сжал ее ладони.

— А кто, если не я? Это мой путь. Я сам его выбрал, — просто ответил он.

— Как бы я хотела, чтобы ты остался!

Он кивнул, все понимая. Но он был тем, кем был. И у него не было иного жизненного пути.

Изабелла опустила взгляд.

— Ты будешь звонить?

— Нет. Это невозможно. Я же буду работать под прикрытием. Когда миссия будет завершена, сразу приеду домой.

— А как же твоя мама? Конни уже потеряла одного сына и не переживет еще одну потерю!

— Я ей все объяснил. Она понимает. Отец тоже на моей стороне.

— Но это неправильно. Ты поступаешь по отношению к ним жестоко.

— Они знали, какой путь я выбрал, — просто ответил Шон. — Когда я пошел в академию, им пришлось смириться. Они не хотят отпускать меня, но знают, что для меня это единственный путь.

Они так и не доели гамбургеры и вышли из кафе в молчании.

— Когда ты уезжаешь? — спросила Иззи уже в машине.

— Завтра. Береги себя, детка. Я хочу вернуться и застать тебя живой и здоровой. Хватит с нас бед и несчастий. Пусть смерть Билли будет последней нашей потерей.

— Скажи лучше это самому себе! — Иззи зажмурилась. — Я... я буду навещать Конни.

Он кивнул и поцеловал ее в лоб.

Изабелла вышла из машины и побрела прочь, не оборачиваясь, не в состоянии посмотреть на Шона. Ей казалось, что они видятся в последний раз, но никакая сила не смогла бы заставить ее повернуть голову. Она хотела запомнить Шона другим — смеющимся, веселым. То выражение, которое жило на его лице последние месяцы, не нравилось ей.

Изабелла шла прочь, едва переступая ногами по дорожке. Она слышала, как отъехала машина Шона. Из ее глаз текли слезы. Она оплакивала очередную потерю.

Глава 19

Несколько следующих месяцев показались Изабелле очень томительными. Она понимала, что Шон не может с ней связаться, но не знать даже, куда его забросили, было очень неприятно. Конни тоже не получала никаких сведений о сыне. Изабелла приезжала к родителям Шона по выходным, так как в будни его мать много работала, стараясь развеять одиночество. Иззи казалось, что Конни выглядит постаревшей и усталой.

Мэрилин по-прежнему очень страдала, да и Джуди, похоже, так и не оправилась после смерти дочери. Они словно принадлежали к закрытому клубу, в который никто не пожелал бы получить членский билет. Это был клуб матерей, переживших смерть ребенка, женщин, в чьих глазах навсегда поселилось отражение пережитой потери.

Изабелла переписывалась с Энди по электронной почте. Он часто спрашивал, нет ли новостей о Шоне. Иззи делала вид, что она не в курсе его дел. Тогда Энди принимался строить предположения насчет секретной миссии бюро, наивно полагая, что Изабелла знает не больше, чем он сам. Энди много учился и хвалился тем, что у него с Нэнси отлично складываются отношения. Изабелла была искренне рада за друга. Теперь он казался ей далеким, словно принадлежал к совершенно другому миру.

В один из выходных учителя из средней школы позвали Изабеллу на барбекю. Поначалу она хотела отказаться, но Венди почти силком потащила ее с собой. Уже много месяцев — с самой смерти Билли — Иззи ни с кем не встречалась и даже не пыталась познакомиться. Венди переживала за нее и всячески пыталась расшевелить.

На вечеринку собралось около полусотни человек. В основном это были семейные пары, некоторые привели с собой детей. Изабелла общалась с преподавателем по искусству, который представил ее своему брату — писателю, недавно переехавшему в Сан-Франциско из Орегона. Ему было чуть больше тридцати, и он некоторое время назад развелся. Они немного поболтали о том о сем, затем обменялись электронными адресами. Изабелла и сама не знала, зачем дала ему свой мейл. Возможно, ее подкупила его ненавязчивость и интеллигентность. Он не был особо привлекательным, но общаться с ним было довольно приятно.

Буквально на следующий день она получила от него письмо с приглашением в выходные поужинать. Изабелла все еще не желала ни с кем сближаться, но с последнего свидания прошло много месяцев, и из раковины следовало выбираться. Оба ее друга были далеко, с Шоном даже поговорить было невозможно, поэтому Изабелла согласилась. «Даже если никакого романа не сложится, — думала она, — будет хотя бы с кем поболтать».

Его звали Джон Эпплгарт. Для начала он повел ее в музей на выставку неоклассической архитектуры, которую она хотела посетить, а после они поужинали в марокканском ресторанчике. Вечер прошел в приятной атмосфере, перед расставанием Джон попросил Изабеллу о новой встрече.

О том, что получил грант на книгу, которую писал, Джон рассказал Иззи за ужином. Не сказать, чтобы это как-то ее потрясло, но послушать было любопытно. Они встретились еще несколько раз, а затем Джон сделал попытку сблизиться. Изабелла не особо хотела заниматься с ним сексом, однако противиться не стала. Да, он был опытнее и внимательнее Энди и двух других парней, что были после него, но особого желания в ней не разжег. Она понимала, что не сможет влюбиться в Джона, однако приятно было сознавать, что не все органы ее чувств впали в спячку. А ведь она уже много месяцев ничего не чувствовала и жила, словно робот. Можно сказать, что Джон если не вдохнул в нее жизнь, то хотя бы пробудил. Пока этого было достаточно.

А потом в город приехала Кэтрин и позвала Изабеллу на ленч. Ей не понравилось, как выглядит ее дочь. Она знала о трагедии, постигшей Билли, и очень сочувствовала Изабелле. Однако, как истинный прагматик, Кэтрин понимала, что нельзя жить одними воспоминаниями.

— А как там двое других ребят? Ты их видишь? Вы общаетесь? — спросила она с неожиданной настойчивостью. Ей не нравилась странная рассеянность, почти отстраненность Изабеллы.

— Энди учится на медика, работает до потери пульса. А Шон... Скажем, он почти пропал из виду.

Кэтрин нахмурилась.

— Что это значит? — спросила она, вглядываясь с беспокойством в лицо дочери.

— Он работает в ФБР. — Это было все, что Изабелла могла рассказать.

Кэтрин почувствовала, что ей хочется встряхнуть дочь. Иззи словно тонула, и ни одна рука не протянулась к ней, чтобы вытащить из болота. Впервые она испытала острое чувство нежности к своей — уже взрослой — дочери.

— Неужели в твоей жизни нет никого, кто был бы тебе дорог? — спросила она почти резко.

Изабелла думала довольно долго, а затем покачала головой:

— Нет. Вообще-то я встречаюсь с одним человеком, но не могу сказать, что он так уж мне нужен. Пожалуй, мы из разного теста. Он хороший, внимательный... Но я почти ничего к нему не чувствую.

Кэтрин помолчала, размышляя. Затем она приняла решение.

— Я хочу, чтобы ты внимательно меня выслушала. Тебе двадцать три года. Это лучшие годы жизни. Поверь мне, я знаю! Ты юна и красива. Ты можешь делать все, что захочешь, перед тобой сотни дорог, а ты выбрала одну, далеко не лучшую. Ты выбрала одиночество и тоску. Да, у тебя работа, которая тебя устраивает. У тебя тихая, мирная жизнь, лишенная сильных эмоций. Я знаю, почему ты избегаешь их — эмоций! Большая часть чувств, которые ты испытала в жизни, были ужасными — потери, боль... Но нельзя запираться от жизни вечно. Ты потеряла двух друзей. Двое оставшихся покинули тебя. Ты заперла себя в провинциальном городишке, встречаешься с парнем, который тебе не нужен. Посмотри на себя!

Изабелла поникла головой.

— Да хватит киснуть! — в отчаянии воскликнула Кэтрин. — Ты сама позволяешь жизни проходить стороной. У тебя не будет другого шанса. Ты берешь пример с отца, но ты уверена, что это лучший из путей? Джефф добровольно пожертвовал своей жизнью, чтобы помогать другим. Но при этом он настолько забыл самого себя и свои желания, что много лет даже не замечал, какая пропасть лежит между ним и его женой, то есть мной. И ты выбрала такого же неподходящего человека. А твоя работа? Разве это самое важное в жизни, детка? Изабелла, в твоей душе живет страсть, а ты добровольно погребла ее под слоем пыли и тоски. Проснись! Знаешь, почему я так резко все бросила? Потому что я всегда жила не своей жизнью и пыталась быть не тем, кем была на самом деле. Жизнь проходила мимо, а я только провожала ее взглядом, полным разочарований. И ты идешь тем же путем. У тебя перед глазами мой пример, неужели ты не видишь сходства? Да, я была не лучшей матерью и женой, но потом я научилась выбирать то, что делает меня счастливой. Не важно, что ты выберешь. Главное, чтобы выбор был честным. Можешь делать все, что тебе нравится, потому что у тебя еще есть время и силы. И в том, чтобы перешагнуть постигшее тебя горе, обрести способность снова радоваться жизни, стремиться и добиваться, — во всем этом нет ничего постыдного. Поверь, никто не придет и не сделает тебя счастливой. Только ты одна можешь это сделать.

Этот разговор стал чем-то вроде будильника судьбы. Изабелла чувствовала, что ее мать права. Да, Кэтрин не смогла осчастливить свою дочь, но сама научилась быть счастливой, а это было редкое качество.

Иззи мысленно сравнивала себя с матерью. Кэтрин получала то, чего хотела. Она выбирала цели и шла к ним, она получала от жизни удовольствие. Словно в противовес ей Изабелла представляла собой типичный пример человека, который никогда и не начинал жить для себя. Да, она с отличными отметками окончила школу и колледж, да, она преподавала и получала за это деньги... Достижения? Можно ли назвать достижениями то, что не делает счастливой? Когда умерла Гэбби, Изабелла словно перестала пытаться выбраться из трясины, которая тянула ее на дно. Словно жизнь могла в любой момент оборваться по глупому решению судьбы. Словно ежесекундно Изабелла рисковала быть сбитой пьяным водителем, что, разумеется, превращало в бессмысленность все попытки изменить жизнь. Как будто она каждый день ждала, что на школьной парковке ее раздавит автобус или в съемной квартире рухнет потолок... Она существовала, словно амеба, руководствуясь лишь простейшими функциями.

Кэтрин была права, о как она была права! Они были такими разными и так редко виделись, но почему-то мать сразу поняла, что творится с дочерью. Она знала, о чем думает Изабелла: если жизнь так легко оборвать, стоит ли ценить ее дорого и вкладывать в нее много энергии?

— Что будешь делать летом? — спросила Кэтрин.

— Да ничего. Собиралась пойти на курсы повышения квалификации, но так и не записалась, — призналась Изабелла.

Она так и не решилась, не смогла себя заставить. Ею владело всепоглощающее равнодушие.

А еще она волновалась за Шона. Она боялась потерять еще одного друга. А именно в случае Шона вероятность сильно возрастала. Иззи была готова к печальным новостям со дня его отъезда.

— Я хочу, чтобы ты развеялась. Совершенно не важно, как именно. Поезжай во Вьетнам, Мехико, Индонезию. На Галапагосские острова, наконец. Запишись на уроки живописи. Встречайся с людьми, выходи на улицу. Избавься от парня, которого не любишь, и найди себе другого. Ты погибаешь, Изабелла! А я хочу, чтобы ты очнулась. Я оплачу любые курсы, любое путешествие, только выбирай! Но ты должна встряхнуться.

Иззи была тронута этой речью.

— А ты счастлива в той жизни, которую ведешь? — спросила она. Пожалуй, этот вопрос она пронесла сквозь годы, но задала только теперь.

— О да. — Кэтрин кивнула, откинувшись на спинку стула. Было понятно, что она отвечает искренне. — Я много работаю, Иззи. Можно сказать, пашу, как лошадь. Но я люблю свою работу. И я люблю Чарлза. Он странный, эксцентричный, почти ненормальный, но именно это мне в нем нравится. И это взаимно, поверь. Я хочу, чтобы однажды ты тоже нашла такого человека, с которым жизнь обретет смысл. Ты много страдала и многих потеряла. Для двадцати трех этого достаточно. Пора что-то менять. Брось пару камешков и на другую чашу весов.

— Но я не знаю, чего я на самом деле хочу. Не знаю, куда идти...

— Так выясни. У тебя уйма времени. А у меня уйма денег, чтобы ты могла думать в комфорте и роскоши. — Кэтрин улыбнулась дочери, и внезапно между ними протянулась тонкая ниточка близости. — Я даю тебе неделю на раздумья. А потом ты скажешь, куда направишься.

После этого разговора Изабелла много размышляла о своей жизни. Она вспоминала, с какой искренностью они с Кэтрин обнялись после ленча. Затем Иззи зашла в книжный и накупила кучу альбомов и путеводителей по миру.

Дома она залезла в Интернет и принялась изучать информацию по странам. Но как бы ни влекли ее водопады и озера, горнолыжные курорты и сафари, мысли неизменно возвращались к Аргентине или Бразилии. Пожалуй, для женщин, путешествующих в одиночку, эти страны нельзя было назвать безопасными. Однако везде в мире можно найти уголки цивилизации и хороший сервис. Изабелла решила научиться танцевать танго, а когда представила себя танцующей, то расхохоталась.

Хохот... такой непривычный звук. Она не смеялась много месяцев, ограничиваясь короткими смешками. Пожалуй, Изабелла впервые за долгое время чувствовала себя по-настоящему взволнованной будущими переменами. Она позвонила матери уже утром и рассказала о своих планах. Кэтрин порадовалась, хотя и предупредила, что Южная Америка — не самое комфортное для туризма место. Она посоветовала дочери нанять частного водителя, и та пообещала подумать.

— Я с радостью заплачу за все, — добавила Кэтрин. Она помолчала. — Может, после твоего путешествия пересечемся на юге Франции? У меня дом в Сен-Тропез.

Изабелла согласилась.

На следующий день она уже бронировала билет до Буэнос-Айреса. Перелет длинный, но он того стоит, подумала Иззи. Она выкупила номер в хорошем отеле и попросила менеджера забронировать ей машину с водителем. Иззи собиралась провести там неделю, но при желании могла остаться дольше. Затем вылет в Париж, далее — в Ниццу, где на арендованной машине предстояло добраться до Сен-Тропез. Неделя на побережье, возвращение в Париж...

Путешествие должно было начаться четвертого июля, а закончиться в августе.

Изабелла позвонила отцу и рассказала, как обстоят дела. Джефф пришел в восторг. Он был необычайно благо-

дарен Кэтрин за то, что хотя бы раз она вмешалась в жизнь
дочери, причем таким чудесным образом и в самый важный и подходящий момент, когда он, как ни старался, ничем помочь не мог. Он тоже видел, что дочь оказалась в ту-
пиковой ситуации, видел, как она теряет искру, как жизнь
течет мимо, но ничем, абсолютно ничем не мог ей помочь.

Иззи обещала заехать перед отлетом.

А затем она позвонила Джону. Он приглашал ее поужинать, и она решила все-таки встретиться с ним. Она хотела
сказать ему, что уезжает и они больше не будут встречаться.

Джон отвез ее в суши-ресторан в Японском квартале.
Она с наслаждением ела гречневую лапшу с овощами и
морепродуктами, а он рассказывал ей о том, как продвига-
ется работа над книгой. В какой-то момент Иззи зажмурилась от удовольствия, положив в рот креветку, и осознала
внезапно, что совсем не слушает своего визави. Она внимательно посмотрела на него. Джон вечно казался каким-
то усталым, и вообще он был очень скучным, как человек,
который отказался от мысли изменить свою жизнь. Но его
можно было понять, он на десять лет ее старше. Зато Изабелла не собиралась вечно прозябать и влачить жалкое существование, — спасибо дружескому тычку матери.

Джон позвал Изабеллу четвертого июля на пикник, но
она сказала, что уедет в Аргентину, где будет учиться танцевать танго. Она понимала, как это звучит, поэтому сама
расхохоталась над своими словами. Внезапно ей ужасно
захотелось вляпаться в какую-нибудь историю, натворить
дел и вообще устроить в своей жизни переполох.

— Аргентина? — не поверил Джон. — И когда ты это
решила?

Изабелла не делилась с ним подобными планами.

— Пару дней назад. Я ужинала с матерью, и она предложила мне выбрать путешествие по душе. Нечто вроде по-
дарка к окончанию учебного года. А потом поеду к ней во

Францию, отдохнем вместе на побережье. — Изабелла чувствовала, что ее слова похожи на слова малолетней девчонки, которую решили побаловать щедрые родители. Но какая разница, как это выглядит со стороны? Разве важно, что подумает Джон? В конце концов она собиралась тратить не его деньги. Пусть живет в стесненных условиях, к которым привык, работая над книгой. Джону нравилось притворяться талантом в нужде, и он не хотел найти серьезную работу, приносящую деньги. Его устраивали и тихая жизнь, и скромные запросы, и невысокие цели. Это был его выбор, и он имел на него полное право. Но Изабелла не хотела быть рядом с ним. — Мы не подходим друг другу.

Джон взглянул разочарованно, но спорить не стал.

После этого они обменялись всего парой дежурных фраз, и к концу ужина Джон понял, что их с Изабеллой связывает не так уж много. И в самом деле, женщина, способная внезапно рвануть в Аргентину в попытке воплотить какую-то странную идею, явно ему не подходила. Он не хотел танцевать танго. Он хотел устраивать скромные семейные пикники.

Джон подвез Изабеллу до дома. Она искренне и с легким сердцем поблагодарила его за все. Оба знали, что больше не увидятся. Он пожелал ей хорошего отпуска, а она ему — написать отличную книгу. Помахав Джону рукой, Иззи зашагала к дому, закрыла за собой дверь и исчезла из его жизни.

Перед отъездом она навестила Конни, а затем Мэрилин с Джеком и детьми. Брайан как раз окончил школу и собирался осенью в Беркли. Четвертого июля Мэрилин устраивала для выпускников традиционное барбекю, и Изабелла расстроилась, что пропустит торжество. Она позвонила Джуди и написала письмо Энди, который остался на лето в Бостоне. Затем поужинала с отцом, Дженнифер и малюткой Пин, собрала чемодан и четвертого июля уже поднималась на борт самолета до Буэнос-Айреса.

Она снова двигалась, снова к чему-то стремилась, нашла новое и интересное занятие, и все благодаря матери. Возможно, Кэтрин по-своему спасла ей жизнь, которая утекала у нее между пальцами.

Буэнос-Айрес оказался красивее, чем она могла ожидать. Город напоминал Париж, только его переполняла южная кровь, кипевшая и бурлившая, увлекая в свой водоворот. Отель, машина с водителем — Изабелле нравилось все. Она познакомилась с водителем, и тот подсказал, куда лучше пойти учиться танцевать. Он составил ей компанию, чтобы обеспечить защиту. Изабелла танцевала с незнакомцами, покупала яркую одежду и гуляла по великолепным городским садам. Ее новый знакомый отвез ее в деревушку под названием Вилла-Мария, где Изабелла покаталась на лошади и искупалась в бассейне. Гуляя по одному из парков, она задалась вопросом: возможно ли, что Шон где-то рядом? Но затем старательно прогнала эту мысль из головы. Она нюхала розы в розарии, смотрела на воду озера, размышляя о мире и о себе, отправляла открытки с видами всем друзьям и знакомым.

А затем она полетела в Париж, провела ночь в крохотном отеле на берегу реки, наутро вылетела в Ниццу, а из аэропорта на машине отправилась в Сен-Тропез. Ее мать и Чарлз были невероятно рады ее видеть. Они ходили втроем по ресторанам и вечеринкам, танцевали на открытых площадках. Никогда в жизни Изабелла не чувствовала себя такой счастливой рядом с матерью.

Уже перед возвращением домой она внезапно решила слетать на пару дней в Венецию. Город ее пленил, хотя был сырым и не очень ухоженным. Конечно, Венецию следовало посещать вдвоем с любимым человеком, но Изабелле было наплевать. Из Италии она снова заехала в Париж, погуляла по его улочкам и вылетела в Сан-Франциско.

Она чувствовала себя полной жизненных сил. Кэтрин сделала ей лучший подарок, который с лихвой искупил все ее промахи.

В сентябре Изабелла вновь приступила к работе. Она рассказывала детишкам о других странах, о потрясающей Аргентине, где танцевать умеет каждый житель страны, о Париже и странном сооружении под названием Эйфелева башня, о Венеции, где стены домов уходили под воду, а между ними двигались узкие гондолы.

— А мы ездили в Нью-Джерси к бабушке! — воскликнула малышка по имени Хизер.

— Тебе понравилась поездка? — спросила Изабелла с улыбкой.

Венди, бросив на нее мимолетный взгляд, тоже улыбнулась. Она видела, что напарница вернулась из путешествия другим человеком.

— Да, конечно! У бабушки есть бассейн, и мы бегали вокруг него голышом и брызгались водой.

Детишки рассмеялись.

Это был особый день для Изабеллы, потому что Дана и Дафна, близняшки Мэрилин и Джека, впервые пришли в Этвуд. В этом была какая-то особая преемственность поколений, заставлявшая сердце биться чаще.

— Кажется, кто-то чудесно провел лето, — заметила Венди, предлагая детям печенье и сок. Она говорила с детишками, но имела в виду Изабеллу.

— Это точно, — согласилась та. — Лучшее лето в моей жизни. Четыре года, омраченных смертями и потерями, были вознаграждены сполна.

Изабелла надеялась, что теперь ее жизнь изменится к лучшему. И еще она очень хотела услышать хорошие новости от Шона. Теперь ей уже не казалось, что он непременно погибнет на задании. Возможно, он жив и здоров и очень скоро с триумфом вернется домой.

Изабелла хотела бы зимой отправиться в Японию. Благодаря Кэтрин она открыла для себя целый мир, полный удивительных мест и потрясающих традиций. И мечтала стать полноценной частью этого мира.

Глава 20

Заряда энергии, который получила Иззи от своего путешествия, хватило до самого Дня благодарения. Она стала иначе смотреть на многие вещи, без страха взирала в будущее и словно избавилась от кокона. Это было лучшее лето в ее жизни, и все благодаря Кэтрин.

Иззи продолжала думать о поездке в загадочную Японию или же в Индию. Поначалу она планировала уехать в Сочельник, но возможность украшать дом и встречать затем Рождество и Новый год с родными и близкими пересилила. Выбор пал на весенние каникулы, а то и вовсе на будущее лето.

Она обсуждала свой отпуск с Энди, и тот признался, что чертовски завидует ей. Посетить Аргентину — это же надо! Впрочем, слетать до Парижа или в Венецию он бы тоже не отказался.

— И кто твой щедрый спонсор? — допытывался он. — Новый любовник?

— Мама, — призналась Иззи. — Слушай, ты когда домой собираешься? — Она успела соскучиться по старому другу.

— О, на Рождество ничего не получится. У меня постоянная практика — то в клинике, то в лаборатории. Нэнси тоже останется на каникулы. Мы так много работаем, что почти не спим. — Он произнес это так, что становилось ясно: подобный ритм жизни ему по душе.

Стоило начаться зимним каникулам, и с самого утра зазвонил телефон. В трубке Изабелла услышала знакомый голос. У нее екнуло сердце. Она не знала, откуда звонит Шон, но по крайней мере он был жив. А ведь они не разговаривали с марта!

— Боже, где ты, как ты?

— Да все со мной в порядке, — смеясь, ответил он. — Посмотри в окно.

Она бросилась к окну и увидела Шона с телефоном в руке. Он стоял на дорожке и махал ей. Путаясь в обуви, Изабелла торопливо накинула пальто и, распахнув дверь, выскочила на улицу.

Шон очень похудел и зарос густой щетиной. Нет, скорее это была уже борода. Но он был рядом, живой, настоящий, и его блестящий взгляд и улыбка говорили о том, что он не сломлен и не раздавлен жизнью. Изабелла обняла его так крепко, что чуть не задушила.

— Где ты был все эти месяцы?

— В Колумбии, — ответил он небрежно, словно речь шла о Лос-Анджелесе.

— А я летом была в Аргентине, — выпалила Иззи и засмеялась от удовольствия, когда Шон вытаращил глаза. Он видел перемены: Иззи смотрела открыто, радостно, в ней не осталось следа той мучительной тоски, что жила в ней прежде. Шон задался вопросом: в чем причина? Серьезный роман с настоящим мужчиной? Однако последовав за Изабеллой в ее квартиру, он убедился, что живет она явно одна.

— И как тебя занесло в Аргентину? — спросил он настороженно.

— Захотела научиться танцевать танго. А затем я поехала в Сен-Тропез.

— Ты что, выиграла в лотерею? Что я пропустил?

— О, это щедрый дар моей матери. Я была в такой депрессии после смерти Билли, что она забеспокоилась. Кстати, я тогда встречалась с одним скучным парнем и вела довольно закрытую жизнь. А Кэтрин устроила для меня путешествие. Пункты назначения я выбирала сама, — с гордостью объяснила Изабелла. — А ты как? Рассказывай!

Она видела, что Шон выглядит довольно усталым, а под глазами лежат тени, однако радость от встречи была такой неуемной, что Шон казался ей самым красивым на свете.

— И что случилось с тем скучным парнем? — уточнил он.

— Я бросила его перед отъездом в Аргентину. Кстати, весной поеду в Японию. Не все тебе одному мотаться по свету.

Они присели за стол на крохотной кухне. Изабелла приготовила кофе.

— Ну, я все-таки не танго занимаюсь, — сдержанно заметил Шон. — А ты классно выглядишь, детка. — Он был рад, что она обрела себя. Даже вдали от Изабеллы он переживал за нее. Целых девять месяцев тишины в эфире дались ему нелегко. Он привык всегда быть на связи с лучшей подругой.

— Ты надолго приехал?

— На недельку-другую. В январе должен возвращаться к работе.

Изабелла кивнула, чувствуя разочарование. Впрочем, Шон сам выбрал такую жизнь. Всего неделя с семьей после почти года отсутствия...

— Новое задание?

Он кивнул. Работа в Колумбии дала отличные результаты. Шона оценили наверху, и теперь решено было забросить его в очередной опасный регион.

— Твоим родителям приходится непросто, — мрачно констатировала Изабелла.

— Я знаю. Но они смирились и меня поддерживают.

— Они не должны потерять еще одного сына, — серьезно сказала она.

Шон кивнул.

Он уже виделся с родными. Заметил, как сильно постарели его отец и мать. Сначала ушел из жизни Кевин, а теперь и младший сын покинул их, и эта потеря в любой момент могла стать окончательной.

— Я все знаю сам, — виновато сказал Шон. — Кстати, я хотел позвать тебя на ужин. Надеюсь, после этого ко мне не ворвется твой разгневанный бойфренд, чтобы набить морду? — У Изабеллы было такое счастливое лицо, что он не сомневался — с личной жизнью у нее все в порядке.

— Я ни с кем не встречаюсь, — просто ответила она. — И вечером свободна.

— Заеду в семь. — Шон встал, собираясь уходить. Несколько долгих секунд он смотрел на Изабеллу, а затем крепко ее обнял. — Я так скучал, детка. Я ненавидел все телефоны на свете за то, что нельзя набрать твой номер.

— Да... я тоже.

Такова была теперешняя жизнь Шона. Любые желания и стремления блекли по сравнению с чувством долга перед страной и перед покойным братом. Шон словно шел на священную войну, бессмысленную, беспощадную, положил на алтарь все самое дорогое ради призрачной возможности сделать мир лучше. Изабелла считала, что преследуемая Шоном цель не стоит того, однако это был не ее выбор.

И все же... и все же он вернулся живым, хотя она была уверена, что прощается с ним навсегда. Его отъезд был одной из причин, по которой она погрузилась в тяжелую депрессию, но Шону не стоило об этом знать.

Равно как и Изабелле не следовало знать о том, что какое-то время назад его едва не вывели из операции, потому что он чуть не погиб при захвате. Миссию пришлось здорово сократить по срокам, и все-таки ее можно было назвать успешной.

Когда Шон уехал, Изабелла еще немного посидела на кухне со второй чашкой кофе. Она ненавидела работу Шона. Если бы он был рядом, они могли бы столько всего сделать! Но Шон не мог себе позволить нормальную жизнь — с домом, близкими, друзьями и привязанностями. Оставалось принимать его таким, какой он есть, и радоваться всякий раз, когда он возвращается живым.

Она вспоминала его заросшее густой щетиной лицо. Шон выглядел теперь гораздо старше своих лет. Мало кто мог подумать, что они с Изабеллой заканчивали один класс. Опыт накинул ему лишнюю десятку, не меньше.

Они виделись настолько часто, насколько это было возможно. Как в старые добрые времена. Однако у него была еще куча других обязательств. Шон съездил в Беркли, чтобы сходить куда-нибудь с Брайаном. Несколько раз он водил Изабеллу поужинать в любимые кафешки, где ели пиццу и гамбургеры. Один раз они побывали в чудесном французском ресторанчике, где наслаждались изысканными блюдами. Шон вел себя так, словно деньги жгли ему карман, словно он преследовал цель побыстрее, как бы авансом, потратить все, что у него есть. Да, у него была особая надбавка за опасное задание, поэтому было что тратить. Особенно ему нравилось тратить деньги на Изабеллу.

Рождество Шон встретил с родителями и остался почти до Нового года. А затем настала пора уезжать. В доме у Изабеллы он сообщил об этом буднично, словно собирался съездить куда-то на уик-энд. Она знала, что будет именно так, но все равно страшно расстроилась и одновременно разозлилась.

— А твои родители? Как ты можешь?! — воскликнула она в отчаянии.

Он обнял ее, и какое-то время они молчали. Говорить было, по сути, не о чем. Оба знали, что будущий год Шон проведет в постоянном напряжении, подвергая свою жизнь опасности и пытаясь принести пользу своей стране. Он жил так, словно вокруг была война, и с этим ничего нельзя было поделать.

— Будь осторожен. Прошу тебя, — прошептала Изабелла. — И постарайся вернуться живым.

— Я выкручусь. Я же умный и хитрый, — ответил Шон с улыбкой.

— Ты слишком ответственный, — вздохнула она.

Шон быстро вышел, прежде чем сесть в машину, помахал рукой Изабелле, следившей за ним из окна, и уехал. Из аэропорта он прислал ей прощальное сообщение, как делал всегда, уезжая. Изабелла читала и плакала, ненавидя Шона за образ жизни, который он выбрал. Даже смерть при исполнении служебных обязанностей не страшила его, потому что он всегда был к ней готов. Однако это стало бы ударом для его родных и друзей. И Шон был готов даже на такие жертвы — так важно для него было то, чем он занимался.

После его отъезда Изабелла изо всех сил старалась не погрузиться в депрессию. Ей следовало смириться с жизненной стратегией, выбранной ее лучшим другом. У нее просто не было иного пути. Пора было понять, что отныне Шон — редкий подарок, возникающий в поле зрения раз в год, чтобы затем снова исчезнуть из обычного мира, который продолжит свое вращение без него.

Чтобы развеяться, Изабелла отправилась на новогоднюю вечеринку, которую устраивала одна ее знакомая, недавно перебравшаяся в Сан-Франциско. Обычно Изабелле не нравились шумные сборища, но в этот раз она не желала отсиживаться дома. Приближалась годовщина смерти Билли, Шон уехал неизвестно куда, Энди даже не удосужился повидаться с родными под Новый год. По сути, не с кем было даже пообщаться, поэтому она надела короткое белое платье и серебристые босоножки на высоком каблуке и отправилась на вечеринку.

Именно здесь Изабелла и познакомилась с ним. Она заметила его сразу, как только вошла. Это был самый красивый мужчина из тех, кого она когда-либо видела, и он улыбнулся ей, когда их взгляды встретились. Его звали Тони Харроу, он оказался продюсером из Лос-Анджелеса, приехавшим отснять в Сан-Франциско несколько сцен для нового фильма.

— А чем занимаетесь вы? — спросил он, протягивая Изабелле бокал с шампанским.

Большая часть гостей перебралась на террасу, где теперь шумно переговаривалась, курила и смеялась. Однако Тони не стремился присоединиться к остальным, заинтересовавшись Изабеллой.

— О, я учитель начальных классов, — ответила она улыбаясь. Наверняка ее работа покажется Тони скучной, однако интерес в его глазах не угас, а скорее возрос.

— Правда? Вас кто-то заставил? — пошутил он.

— Я не смогла определить, чем хочу заниматься. И я по-прежнему в поиске.

— Я тоже, — откликнулся Тони.

На нем были дорогой костюм и белая рубашка с расстегнутым воротником, а черные блестящие туфли, должно быть, стоили целое состояние. Хозяйка вечеринки намекнула Изабелле, что ее гость спродюсировал несколько весьма удачных картин.

Они поболтали еще немного.

— Вы наверняка ориентируетесь в этом городе, — сказал Тони. — Не поможете мне подобрать квартиру? Мне нужно что-то с мебелью и хорошим видом, желательно на год. — Он обвел рукой помещение. — Нечто вроде этой квартиры. Может, вы сумеете убедить вашу подругу съехать отсюда, чтобы я мог вероломно занять ее место? — Они вместе засмеялись. — А где живете вы?

— В крохотной коробочке возле школы.

— Как удобно. Наверное, в двух шагах, да?

Складывалось впечатление, что Тони восхищало все, что говорила Изабелла, и это казалось ей почти странным. Да, он был обаятельным, ненавязчивым и очень привлекательным. Изабелле прежде не приходилось общаться с людьми его круга, и она задалась вопросом, не маска ли все это. Впрочем, хозяйка квартиры работала в команде Тони уже два года и ни разу не говорила о том, что руководитель так хорош собой.

— Хотите пообедать за городом? Завтра я еду в Напа-Вэлли.

Это было так неожиданно, что Иззи ответила не сразу. Однако, расценив, что ничем не рискует, она кивнула.

К полуночи они все еще сидели рядом. Тони протянул ей очередной бокал с шампанским, наклонился вперед и осторожно ее поцеловал. Он едва коснулся своими губами губ Изабеллы, но это касание заставило все внутри ее встрепенуться.

Домой она приехала в час ночи. Это была странная вечеринка. За весь вечер Изабелла не перекинулась ни словом ни с кем, кроме Тони. Он поцеловал ее еще раз — на прощание, и это был очень манящий, очень яркий поцелуй, от которого она сильно завелась. Тони пообещал заехать за ней в десять утра и исчез.

Изабелла не могла понять, что с ней творится. Казалось, она попросту выдумала всю эту встречу, этот вечер и поцелуй. Однако ровно в десять утра Тони появился у ее двери, такой невероятно привлекательный в простых джинсах и свитере.

У Тони были темные волосы, но виски слегка тронула седина. Она предположила, что ему тридцать пять, однако оказалось, что тридцать девять. Он был на шестнадцать лет старше Изабеллы, и это напомнило ей о разнице в возрасте между ее отцом и Дженнифер. Возможно, было нечто правильное в отношениях с мужчиной старше, чем она.

Они проехали мимо двух виноделен в Напа-Вэлли, потом долго петляли по дороге между высокими толстоствольными деревьями, а потом стали подниматься в горы. Тони отвез ее в отель «Оберж дю солей», где они пообедали в ресторане на балконе с видом на долину и виноградники. Изабелла чувствовала себя так комфортно и хорошо в компании Тони, что это ее почти пугало. С ним было интересно разговаривать, он размышлял над вещами, которые никогда прежде не интересовали Изабеллу, и умел подать их в нужном свете.

Обратно они ехали в сумерках, солнце садилось за холмами, озаряя их красноватым светом. Тони рассказал о своем новом фильме, о том, что никогда не был женат, хотя у него пару раз были продолжительные отношения.

— А почему ты так и не женился, как думаешь? — спросила Изабелла. Она боялась, что вопрос заденет Тони, но ошиблась. Он казался очень открытым и легко говорил о чем угодно, включая самого себя. Свои промахи и жизненные ошибки он тоже не скрывал, потому что именно ошибки, полагал он, делают людей мудрее.

— Наверное, я боялся. Не могу сказать, чего конкретно, — всего понемногу. После колледжа я вел весьма разбитную жизнь, а когда надоело веселиться, взялся за дело. Понимаешь, я постоянно работал: заканчивал один фильм и принимался за другой. Мне все время было мало, я был одержим работой. Если фильм проваливался, я злился и брался за новый проект. Мне было некогда думать о семье. — Тони помолчал. — Я был сильно влюблен в колледже в девушку, с которой дружил с детства. Хотел сделать ей предложение, даже купил кольцо, а потом... Потом ее внезапно не стало. Она ехала за мной на машине, шел сильный дождь... Она скончалась, не приходя в себя. Я думал, что не переживу эту потерю, но постепенно научился жить. Сначала ударился в развлечения, а потом в работу. И с тех пор мне сложно строить отношения. Я боюсь, что снова потеряю дорогого мне человека, и всегда держу дистанцию, чтобы избежать сближения. А может, настоящая любовь приходит только в юности. — Он сказал это и улыбнулся.

Рассказывая свою трагическую историю, Тони даже не предполагал, как она отзовется в сердце новой знакомой. Иззи ненадолго затаила дыхание, стараясь унять личную боль.

— За последние пять лет я потеряла двух близких мне людей. Мы выросли вместе. Это не был мой парень, это были мои лучшая подруга и друг. Мне очень близки твои слова. Я тоже прошла через потери.

— Любить всегда тяжело. Если любишь, боль неизбежна. Люди умирают, люди уходят, люди меняются. — Тони смотрел вперед, на убегающую вдаль дорогу. — Но иногда все бывает хорошо. Я знаю людей, у которых все хорошо, и знаю, что у меня тоже может быть все хорошо. Просто я ни разу не дал себе шанса попытаться. А ты? Ты тоже заточила себя в раковину?

— О да. И самое удивительно, что выбраться наружу мне помог человек, с которым я никогда не была близка, — моя мать. Она говорила о том, что жизнь проходит мимо, что мои страхи крадут у меня время и возможности и что если я пропущу самое важное — это будет моя и только моя вина. И я поехала в Аргентину, а потом в Европу. Я словно пробудилась от спячки, и это пробуждение было прекрасно. В будущем году я поеду в Японию, потому что это страна-загадка. Я покинула безопасную раковину и снова рискую, но я живу, понимаешь? — Изабелла задохнулась от потока слов, льющихся из нее, и перевела дух. — Но любить кого-то снова... мне по-прежнему страшно. Возможно, какая-то моя часть умерла вместе с моими друзьями и никогда больше не возродится.

— Возможно, — откликнулся Тони. — Но ведь ты сама говоришь: пробуждение того стоило. Посмотри, как много я упустил. Со дня смерти моей любимой прошло много лет, десятки моих приятелей и подруг женились и выходили замуж, заводили детей, разводились, ссорились и мирились, а я всегда держался в стороне от сильных эмоций.

Я боялся рисковать. И боюсь сейчас, понимаешь? Наверное, с возрастом сознание становится менее гибким и меняться гораздо сложнее.

Иззи слышала горечь в его тоне. Что ж, по крайней мере Тони был честен с ней и с самим собой. Она понимала его, но не хотела становиться такой, как он. Ведь она не потеряла ребенка, как Конни, Мэрилин или Джуди, не оплакивала любимого человека, как Тони. Она потеряла близких людей — это правда, но разве после этого стоило запирать на замок все двери и жить в отшельничестве?

Тони явно была по душе выбранная им дорога, однако рядом с ним у Иззи появлялось ощущение, что он не живет полной жизнью, а как бы существует наполовину, словно призрачная тень того человека, которым он мог бы стать. Меняться в тридцать девять очень тяжело, но разве можно полностью похоронить возможность почувствовать нечто новое? Изабелла не хотела быть такой, как Тони. Она понимала, что их пути скоро разойдутся, однако пока ей нравилось его общество. Поэтому когда он предложил снова куда-нибудь сходить, она не стала отказываться.

— Ты любишь балет? — спросил он легко, словно они не говорили о серьезных вещах еще минуту назад.

— Я смотрела только «Щелкунчика» и «Лебединое озеро», — призналась Иззи. Оба спектакля оставили сильное впечатление. Раньше она сочла бы себя достаточно искушенным зрителем, но Тони, человек света, явно должен был побывать на огромном количестве спектаклей. Круг, в котором вращалась Изабелла, если это можно было назвать вращением, предпочитал маленькие ресторанчики и походы в кино. На балет ее никто еще не приглашал, кроме родителей Энди. В этом было что-то очень взрослое и искусительное.

— На следующей неделе премьера нового спектакля. Пойдешь со мной?

Изабелла улыбнулась. Она легко представила себя рядом с Тони в партере или в шикарной ложе. Пожалуй, танго в паре с ним тоже выглядело бы гармонично.

— Я не против.

— Потом будет прием и ужин. Это же премьера.

— Отлично.

— Но тебе придется надеть коктейльное платье. Это особый дресс-код. А мне придется надеть галстук. Впрочем, ты настолько хороша собой, — заметил Тони, глядя на нее, — что можешь прийти хоть в пижаме.

— Вот уж спасибо, — засмеялась Изабелла.

Он тоже засмеялся и поцеловал ее в щеку, едва коснувшись кожи губами.

— Соглашайся. Нам будет весело вдвоем.

Пожалуй, это было похоже на правду. Им могло быть очень хорошо вместе и действительно весело, однако от отношений с Тони не стоило ожидать глубины. Он избегал привязываться сердцем и не собирался делать исключение для Изабеллы. Он делился хорошим настроением, зарядом оптимизма, с легкостью расставался с деньгами, но никого не впустил бы в свое сердце. Пожалуй, зря Изабелла сравнила его с отцом. Джефф и Дженнифер относились друг к другу серьезно, они удочерили ребенка и делили все радости и тяготы жизни пополам. Пусть Джефф совершил ошибку и выбрал неподходящую женщину — ее мать, Кэтрин, он смог перешагнуть через эту потерю и начать все сначала, на этот раз правильно.

Тони даже мысли не допускал о серьезных отношениях и новом старте. Возможно, он и выбрал Изабеллу только потому, что она была достаточно юна, чтобы не зацикливаться на мысли, что между ними возможен настоящий роман. Наверняка ровесницы старались вцепиться в успешного, холеного Тони мертвой хваткой в надежде на брак и будущих детей, и он научился избегать их общества.

Он был честен с Изабеллой, и она пообещала, что постарается не пересекать запретную черту, не влезать в душу слишком глубоко, не разбивать сердце. Их дороги всего лишь пересеклись на время, как пересеклись дороги Изабеллы и прекрасной страны Аргентины. Просто им ненадолго оказалось по пути.

Когда Тони довез ее до дома и уехал, Изабелла почему-то очень отчетливо представила себе Гэбби, и ее сердце сжалось от внезапной боли. Если бы ее подруга, почти сестра, была жива, ей можно было бы позвонить и спросить, какие платья надевают на премьеру балета. Вместо этого Иззи позвонила мачехе.

— Платье для коктейлей? Ну, в моем понимании это должно быть нечто короткое, одновременно элегантное и сексуальное.

Дженнифер предложила вместе пройтись по магазинам, что они и сделали на следующий день. Пин оставили с Джеффом, поэтому получился настоящий девичий шопинг с посиделками в кафе и примеркой кучи ненужных вещей. Пожалуй, Дженнифер умела быть в одно и то же время и заботливой матерью, и подругой, и это было бесценно. Теперь, когда в жизни Иззи осталось так мало близких людей, в ее сердце нашлось место сразу для двух женщин — Кэтрин и Дженнифер.

Они нашли чудесное платье от Неймана Маркуса. Оно было коротким и на тонких бретельках, из черного струящегося материала, который то ниспадал совершенно свободно, то внезапно обрисовывал аппетитные формы тела в движении. В нем Изабелла чувствовала себя светской тусовщицей, а не школьным учителем.

— Роскошно выглядишь, — с чувством сказала Дженнифер.

— Полагаешь, я могу сразить его наповал? — спросила Изабелла, уже сидя в кафе за чашкой кофе.

— Смотря какой он. Кто твой избранник? Наверное, у вас все серьезно, если ты ради него купила платье.

— Все гораздо проще: я не хочу опозориться. У меня же совершенно нет платьев. — Изабелла, утомленная примерками и хождением на каблуках, чувствовала себя как Золушка после бала. Теперь на ней были джинсы, розовая рубашка и кроссовки. — А мой избранник... Он умен, красив, богат и интересен. В общем, куча достоинств в одном флаконе. Кстати, он продюсер. Приехал сюда снимать фильм.

Дженнифер смотрела заинтересованно.

— А сколько ему?

— Тридцать девять, — ответила Изабелла с неохотой.

— Не староват для тебя?

Дженнифер забеспокоилась. Конечно, между ней и Джеффом тоже большая разница в возрасте, но ведь они начали встречаться, когда оба были старше и опытнее.

— Возможно. Пока не знаю. Понимаешь, он не из тех, кто заводит серьезные отношения. У него была грустная история в прошлом, и с тех пор он живет в свое удовольствие. Он боится, что кто-нибудь разобьет ему сердце.

— Смотри, как бы не разбили сердце тебе, — проворчала Дженнифер. — Видишь ли, парни вообще обожают этакие «легкие отношения» без привязанностей. Это очень удобно и ни к чему не обязывает. И к таким очень тянутся женщины. У меня есть опыт общения с одним таким типом. Он был воплощением всех мужских достоинств. Мы встречались полгода, а потом все кончилось. Мне потребовалось три года, чтобы забыть его и начать двигаться дальше. Но на ошибках учатся. Хочется верить, что ты окажешься умнее меня.

— Не думаю, что смогу к нему привязаться. Это непросто. Люди так неожиданно умирают, что мне... — У Изабеллы перехватило горло, и Дженнифер схватила ее за руку.

— Перестань, милая! Тебе не повезло, но это не значит, что вся жизнь — череда потерь.

— Вроде бы нет... и все-таки для некоторых жизнь делает исключение. Для некоторых вроде меня.

— Как думаешь, почему все так сложилось? — тихо спросила Дженнифер. Она не переставала задаваться этим вопросом, как и Иззи, пытаясь решить странную загадку бытия.

Как социальный работник, она часто сталкивалась с человеческими трагедиями. Взрослые и дети умирали своей смертью или насильственной, медленно или внезапно, но смертей и потерь было много, очень много. И все же редко можно было найти столь тесную группу людей, в которой совсем юные создания погибали одно за другим, словно наследуя некую цепочку.

— Не знаю. Возможно, мы слишком глупы, чтобы цепляться за жизнь. Или слишком наивны и совершаем опрометчивые поступки. Мы смотрим одни и те же передачи по телевизору, что и остальные люди, ходим теми же дорогами, ведем тот же образ жизни. Не знаю, что отличает нас от других.

— Должно быть нечто общее, что объединяет эти смерти!

— Риск? Мы наивно полагаем, что впереди вся жизнь, и ведем себя необдуманно. Кевин жил на грани, равно как и Билли. А Гэбби... Казалось бы, ее смерть — случайность. Подумаешь: вышла на улицу и подняла руку, чтобы остановить такси. А ведь человек, сбивший ее, был пьян. Он тоже жил на грани, рисковал, и вот результат.

Изабелла слышала, что тот парень вышел из тюрьмы, отсидев три с половиной года. Она не желала даже думать о том, что с ним стало и как он пережил эти годы. Слишком много горя и боли...

Дженнифер кивала с пониманием. В силу профессии она часто работала с трудными подростками. Несчастные случаи и самоубийства — вот основные причины подростковой смертности. Переживая за каждого своего подопечного, Дженнифер внимательно следила и за падчерицей. Она была рада, что Изабелла встрепенулась и вышла из депрессии, а новый роман приветствовала обеими руками, даже если он вел в никуда. Любое действие лучше полного бездействия.

— А как поживают Шон и Энди? — сменила Дженнифер тему. — Ты так мало говоришь о них в последнее время. Вы перестали общаться?

— Просто говорить, по сути, не о чем. — Иззи пожала плечами. — Энди завис в медицине и совершенно счастлив. Он даже на праздники приехать не смог и все равно не жалеет об этом. А Шон... Шон сошел с ума. Он думает, что переловит всех наркодилеров в мире и избавит планету от боли и зла. Больше полугода он торчал в Южной Америке, работал под прикрытием. Ему были запрещены звонки и встречи. Родители Шона тяжело переживают происходящее. Представляешь, приехал на неделю — и снова на задание! И еще год от него не будет ни весточки. — Изабелла мрачно помолчала. — Если, конечно, его не убьют при исполнении, — почти зло сказала она. — Думаю, все дело именно в риске. Мы так живем. Я имею в виду мое поколение. Мы слишком рискуем, по делу или там, где это не требуется. Думаем, что мы бессмертны.

— В молодости так думают все, Иззи, не только твое поколение. Разница лишь в том, что испытывать жизнь на прочность при этом начинают не многие. — Она заметила боль в глазах падчерицы и внезапно испугалась за нее, как год назад Кэтрин испугалась за дочь. В этих глазах не было страсти и желания жить. Яркие эмоции были лишь тонкой накидкой поверх бездонного озера боли. Никакой продюсер не мог увлечь Изабеллу всерьез. Вокруг ее сердца была построена настоящая бетонная стена, разрушить которую по силам только близ-

ким людям. Пожалуй, этот немолодой продюсер имел
гораздо больше шансов обжечься, чем более юная Изабелла.

Они расстались очень мило, пообещав созвониться
после премьеры и ужина. Изабелла отправилась домой с
пакетом, где лежали завернутое платье и коробка с новыми туфлями. Она предвкушала свой первый серьезный
выход в свет.

Что ж, ей удалось сразить Тони наповал. Его глаза за-
горелись, едва он увидел, как роскошно выглядит его
спутница. Дело было не столько в платье, сколько в лице
Изабеллы, в ее сияющей улыбке и легкой походке.

Они прекрасно провели вечер. Спектакль превзошел
ожидания Изабеллы, ужин был легким и изысканным.
Она чувствовала себя настоящей принцессой на балу, все
взгляды были устремлены только на нее.

Тони проводил ее до дома и поцеловал у двери. Он не
попросил разрешения войти, а она не сделала попытки
пригласить. Иззи не была готова, как бы хорош ни был
Тони, а он с высоты своего опыта почувствовал это и не
стал напрашиваться.

Уходя, он признался, что вечер был волшебным и для
него, и по его лицу было понятно, что это правда.

— Кстати, на будущей неделе я улетаю в Лос-Анджелес.
Вернусь в пятницу. Поужинаем вместе?

Изабелла кивнула:

— С радостью.

— Я придумаю что-нибудь интересное, — пообещал он.

И она была уверена, что Тони сдержит слово.

Он сбежал вниз по ступенькам, обернулся и помахал
рукой. Иззи улыбнулась и закрыла дверь. Она снова чувствовала себя Золушкой. Только Золушкой до того момента, как та потеряла хрустальную туфельку.

Глава 21

Сразу же после балета и ужина Изабелла, как и обещала, позвонила Дженнифер.

— Все прошло чудесно, — поделилась она, и в ее тоне слышалось явное облегчение. Она еще раз поблагодарила мачеху за то, что та бросила все дела и отправилась с ней покупать платье.

Дженнифер все чаще казалась ей старшей сестрой, которой ей так не хватало.

— Твой наряд имел успех?

— О да. Некоторые женщины вырядились в длинные платья, но я бы не пожелала оказаться на их месте. Я бы себя чувствовала глупо.

— В твоем возрасте можно позволить себе ходить в коротких платьях даже на официальные вечера. Еще успеешь поносить юбки в пол. — Она засмеялась. — Что сказал о платье твой Тони?

— Он был в восторге. И вечер получился прекрасным.

Дженнифер выслушала подробный рассказ Изабеллы и принялась задавать вопросы, радуясь, что падчерица хорошо провела время.

Стоило Иззи повесить трубку, как позвонил Энди. Они не общались с самого Рождества. В тот раз Энди рассказал, что как раз выбирает специализацию и склоняется к педиатрии.

Раньше они общались гораздо чаще. По сути, их осталось двое, — брать в расчет Шона было бессмысленно, он существовал теперь только номинально, поэтому Энди и Изабелла старались держать связь.

— Как твои дела? — сразу спросила Изабелла.

— Давай-ка начнем с твоих, — засмеялся он. Энди любил болтать с Изабеллой. При этом у него возникало уютное чувство близости к дому.

— У меня все здорово! — немедленно ответила счастливая Иззи. — Вчера ходила на балет, на премьеру спектакля. Кстати, а где твои родители? Я давненько их не видела.

— Кажется, они куда-то уехали. Я тоже звонил, но решил, что мама с папой на вызове, — немного виновато признался Энди. — А что насчет балета? Тебя кто-то пригласил? Какой-то щедрый поклонник?

— Вроде того, — уклончиво ответила Изабелла.

— Выкладывай, мне очень любопытно.

— Мы познакомились под Новый год на одной вечеринке. Потом обедали в Напа-Вэлли, а вчера были на премьере. Он богат и хорош собой, — похвалилась она.

— Чем же он занимается? Надеюсь, он не врач? Потому что в этом случае ты вообще не будешь с ним видеться. Мы с Нэнси за последние две недели пересекались разве что в лаборатории. У нас полное несовпадение практических занятий и коллоквиумов. Полагаю, ей начинает это надоедать, — с досадой сказал Энди. — Это тяжело, я и сам понимаю. Пытаюсь разгадать, как моим родителям вообще удалось сохранить брак. Если мы долго не видимся с Нэнси или спим по отдельности, у нас неизбежно возникает ссора. Тогда она ведет себя как настоящая стерва, а я выхожу из себя.

Иззи засмеялась.

— Ничего. На все нужно время. Вы же любите друг друга, значит, притретесь, — попыталась она приободрить друга.

— Надеюсь. Иногда я думаю, не послать ли все к черту.

А ведь именно к этому стремился Энди. Он хотел быть врачом, пропадать на вызовах, спасать жизни. Он хотел сделать мир лучше, как и Шон, просто выбрал для этого иной способ. Жизнь Изабеллы, ее работа в Этвуде, была более простой и удобной, чем у ее друзей. Правда, и платили за такую работу значительно меньше.

— А что еще творится в твоей жизни, помимо коллоквиумов и недосыпа?

Изабелла никак не хотела заканчивать разговор. Ей не хватало общения с Шоном, и она компенсировала утрату болтовней с Энди. А это чувство, что в любой момент Шон может погибнуть, и вовсе пропитывало горечью все мысли о нем. Наверняка Конни уже второй раз прощалась с сыном навсегда, провожая на новое задание. Что ж, хоть Энди выбрал профессию, не требовавшую рисковать жизнью и пропадать на долгие месяцы. Дружить с ним, делиться с ним наболевшим было просто и удобно. Именно это Изабелла и делала на протяжении уже девятнадцати лет.

— Да ничего в моей жизни больше нет, — с досадой отмахнулся Энди. — Пашу, как вол, сама понимаешь. Хорошо, что Нэнси тоже будет врачом. Женщина другой профессии не потерпела бы такой образ жизни своей второй половины. Ты была права, когда послала меня. Прямо как в воду глядела.

Прежде они не обсуждали эту тему даже вскользь.

— Думаю, мне было бы трудно смириться с тем, что моего мужчины никогда нет рядом, — признала Изабелла.

— Вот-вот... — Энди помолчал. — Так вернемся к твоему парню. Каков он?

— Он старше меня. Он продюсер фильмов, весьма успешный.

— Серьезно?

— Конечно.

— У вас уже был секс?

— Нет, доктор. Ты прямо как мой гинеколог.

Энди расхохотался.

— Погоди, вот выберу гинекологию, тогда узнаешь! Мама постоянно твердит, что я должен пойти по ее стопам. Я бы мог проходить практику под ее началом. Но мне не очень нравится этот профиль... Так насколько он старше?

— Намного. Ему тридцать девять.

Изабелла знала, что Нэнси всего на год старше Энди, они даже учились на одном курсе, но Нэнси перед поступлением отправилась с родителями путешествовать. Конечно, Энди разница в пятнадцать лет показалась пропастью.

Он присвистнул.

— Ого! Не слишком староват?

— Возможно. Он такой взрослый и опытный. Но пока мне весело рядом с ним.

— Ну еще бы! Балет, киностудия и все такое. Мне подобные развлечения даже не снились. Вожу Нэнси в закусочные и кафе при местной клинике. Да и выбираемся мы нечасто. Обычно вечером такая усталость, что я засыпаю прямо за столом, уронив голову на конспекты.

Изабелла подумала, что Энди точно преувеличивает, чтобы его пожалели, но не сказала этого. Было ясно, что другу нужно сочувствие, и она готова была его утешать. Еще ей было любопытно, станет ли Энди хоть чуть-чуть свободнее, когда закончит наконец учебу и приступит к работе.

— Тебе надо бы отоспаться, — заметила Иззи.

— Да уж, не помешало бы, — простонал Энди. — Даже странно, что где-то есть люди, которые ходят смотреть спектакли и на вечеринки, занимаются сексом и спят по восемь часов в сутки. Это кажется частью совершенно другой жизни, какой-то, знаешь ли, выдуманной.

— И в твоей жизни такое возможно. Надо лишь перетерпеть.

— Я бы на это не поставил. Ты же знаешь нас, последователей Гиппократа. — Энди вздохнул. — Ладно, давай прощаться. Позванивай. Я люблю тебя, не забывай об этом!

— И не подумаю. Я тоже тебя очень люблю.

Оба рассмеялись и отключили связь.

Изабелла решила заняться уборкой квартиры, а Энди вернулся к конспектам, потому что на следующий день у него был экзамен.

В Бостоне выдался отвратительный день, сырой, ветреный. Многие сидели по домам с простудой, по городу гулял какой-то кишечный вирус. Энди уже утомился выписывать рецепты для маленьких детишек, которых мучили понос и тошнота. Он думал, что если привезут еще одного обезвоженного бледного трехлетку с неудержимой рвотой, он начнет биться головой о стенку. К сожалению, таким крохам были противопоказаны серьезные препараты, оставалась лишь восстановительная терапия и борьба с обезвоживанием организма. Также было зафиксировано несколько случаев пневмонии: небольшой кашель, на который вовремя не обратили внимания, перерастал в мучительный лающий, требовавший серьезного лечения.

Энди весь день носился по отделению. Он был второкурсником и работал с интернами, а по вечерам строчил отчеты, которым не было числа. Нэнси наконец дождалась выходного после трехдневного дежурства и свалилась спать, едва добралась до постели. Энди находился на ногах уже тридцать шесть часов, и ему было очень паршиво.

К концу рабочего дня он все еще скакал, как кузнечик, когда в отделение привезли восьмилетнюю девочку с очень высокой температурой. У нее было красное лицо, зрачки лихорадочно двигались под полуприкрытыми веками. Она тихонько хныкала и жаловалась, что у нее все болит. Врач-куратор велел давать ей побольше воды и прописал жаропонижающее. Мать девочки ждала в зале ожидания с тремя другими детьми. Отец уехал из города, а лечащий врач была в отпуске.

Жаропонижающее не помогало. Температура только росла, как росла и нагрузка на сердце. Дыхание становилось сбивчивым и сиплым.

К десяти вечера Энди позвонил своему куратору.

— Мне не нравится, что с ней творится, — сказал он как можно спокойнее, чтобы не показаться врачу запаниковавшим новичком.

Врач пришел в палату, осмотрел девочку и покачал головой. У малышки были сильно увеличены лимфоузлы. Дыхание становилось все более шумным.

Внезапно Энди обратил внимание на то, что девочка как-то странно потягивает шею, словно у нее свело мышцы.

— Что думаете? — спросил он.

— То же самое, что и в самом начале. Сильный вирус. Возможно, грипп. Будем надеяться, ночью жар спадет.

После этого вердикта врач ушел. Его срочно вызвали для интубации шестимесячного младенца.

Ночка выдалась тяжелая. Энди остался с восьмилетней пациенткой один. Через полчаса он заметил, что дыхание ее стало чуть тише, но не успел обрадоваться, так как сообразил, что она потеряла сознание.

Он немедленно вызвал бригаду реаниматологов. Пока девочку торопливо осматривали, он стоял чуть в стороне и чувствовал себя совершенно беспомощным.

Подоспевший врач-куратор был мрачен.

— Похоже на менингит, — сказал он. — Ты был очень внимателен к ней. Почему? Подозревал, что это не простой грипп?

Энди молчал. Это было похоже на экзамен. Он действительно насторожился, когда девочка подергивала запрокинутой назад головой.

— Возможно. Но я не был уверен...

— Любой симптом должен становиться для врача мотивом к немедленным действиям, — назидательно произнес куратор. — Всегда лучше проверить, чем упустить время. Сейчас мы возьмем анализы. — Он сделал знак медсестре.

Девочка все еще была без сознания.

Ее интубировали. Энди стоял и смотрел. К сожалению, все усилия оказались напрасны. Сердце девочки не выдержало нагрузки и остановилось. Бригада реаниматологов пыталась запустить его, давая разряд тока за разрядом. Энди не чувствовал, как слезы катятся по щекам. Он был бессилен и мог только наблюдать.

— Все кончено, — устало произнес врач, констатируя смерть. — Это был менингит.

— Откуда вы знаете? Анализы еще не готовы. — Энди чувствовал себя виноватым. Он не смог бы спасти малышку в любом случае, но все равно чувствовал вину.

— Откуда? — переспросил куратор и поморщился. — Она умерла, вот откуда. Двенадцать часов с начала острого периода болезни. Двенадцать часов мучений и страшный финал. Менингит убивает быстро. Особенно таких маленьких детей.

Тело девочки накрыли простыней. Медики убирали оборудование и подставку для капельницы. Энди смотрел на худенький силуэт под белой тканью. Он должен был сообщить матери о том, что ее малышки больше нет.

Куратор посмотрел на него и вздохнул.

— Я пойду с тобой, — сказал он. Приносить дурные вести — часть профессии врача, и это тоже входило в обучение. — Я буду рядом, но скажешь ей ты.

Они прошли в зал ожидания, где женщина пыталась справиться с тремя сорванцами, жизнь которых теперь тоже была под угрозой. Она подняла взгляд и испытала острый приступ ужаса, увидев их лица. Энди чувствовал, что это худший момент в его жизни. Он принялся мямлить, и тогда врач-куратор пришел на помощь и объяснил ситуацию.

Врач использовал очень простые выражения. В его словах не было эмоций, только констатация факта. Девочка умерла от менингита, спасти ее было невозможно, а у детей необходимо взять анализы.

— Даже если бы вы приехали раньше, это ничего бы не изменило, — добавил он. — Болезнь уже нельзя было остановить. Она могла подхватить вирус где угодно. В школе, во дворе, в автобусе. Вашей вины тут нет, это трагическая случайность.

Пока женщина рыдала, врач быстро осмотрел ее детей.

Обезумевшая мать внезапно подлетела к Энди и принялась лупить его по груди кулаками.

— Как вы могли не сказать мне? Вы знали, что она умирает! Я могла бы быть рядом, держать ее за руку, а вы лишили меня этой возможности!

Энди готов был провалиться сквозь землю. Он повторял, что диагноз поставлен посмертно, что никто ничего не подозревал. Однако безутешная женщина ничего не хотела слышать и продолжала бить его кулаками, завывая, словно раненое животное. Пришлось позвонить подруге несчастной женщины, чтобы та забрала ее домой. К счастью, трое других детишек пока были в безопасности, но за их здоровьем в ближайшие дни требовалось внимательно следить. Менингит — болезнь коварная...

Энди отпустили только в два часа ночи, когда он дописал отчет и оформил все справки. Тело девочки перевезли в морг. Энди заперся в подсобке и рыдал там, вытирая слезы простыней. Там его и застал врач-куратор. Мягко, но настойчиво он повел его в свой кабинет.

— Послушай меня внимательно. Мы не могли спасти девочку. Ее смерть — не твоя вина. Да, ты заподозрил менингит, но это ничего не меняет. Я пропустил явный симптом, но даже если бы я сразу все понял, смерть была неизбежна. Перестань реветь и не вини во всем себя. Ты не воскресишь ее слезами. — Он перевел дух. — Да, это первый ребенок, которого ты потерял. Да еще реакция матери... тут бы разревелся любой. Но ты не можешь рыдать над каждым ребенком, которого потеряешь. Работа врача требует не сострадания. Она требует внимания к симптомам, хороших знаний и своевременных действий. А сейчас иди домой. Тебе надо выспаться.

— Я в порядке, — горестно помотал головой Энди. Он был очень бледен, и его слова никого не могли убедить.

Он все равно винил себя. Куратор просто утешал его, чтобы побыстрее вернуть в строй. Энди ненавидел себя.

— Я хочу, чтобы ты выспался, — твердо сказал врач. — Нам всем приходится терять пациентов. Иногда в этом наша вина, а иногда шансов просто нет. Мы же не механики, которые чинят машины. Мы лечим людей. А люди смертны. Иди домой, Уэстон. Иди спать.

Энди понимал, что куратор прав, но уходить не хотел. Никогда в жизни он не чувствовал себя так плохо, однако молча убрал в свой шкафчик стетоскоп, повесил халат и позвонил Нэнси. Он думал, она давно спит, но очень хотел услышать ее голос. Она ответила раздраженным тоном: ее подняли с постели по срочному вызову.

— Что произошло? — спросил он вяло.

— В рыбном магазине была перестрелка. Четыре огнестрельных ранения, — ответила Нэнси. — А что у тебя?

— Я еду домой. Надеялся тебя застать.

— Что-то случилось? Я думала, ты проторчишь в клинике до утра.

— Меня... меня отпустили, — пробормотал Энди. Он не мог признаться, что сегодня почти у него на руках погибла восьмилетняя девочка. К тому же у Нэнси впереди было еще одно тяжелое дежурство, а он не хотел ее расстраивать.

— Ладно, увидимся позже, мне пора. У двух парней синий код. — Это означало, что случаи крайне тяжелые. Возможно, ребята с огнестрелом обречены.

Нэнси отключилась раньше, чем он ответил. Он надеялся, что его подруге повезет чуть больше и у нее не погибнет ни один пациент.

Энди уныло вышел из клиники.

Девочку звали Эми. Он знал, что отныне это имя станет для него самым горьким из имен. Он навсегда запомнит ее частое дыхание, а также ярость и отчаяние на лице ее матери.

Когда он пришел домой, постель была не убрана. Судя по разбросанным вещам, Нэнси убегала в спешке. В квартире давно царил беспорядок: ни у кого из них не было времени прибраться. В холодильнике, куда он заглянул, оказался лишь кусок недоеденной пиццы — ужин Нэнси, — не вызвавший у него никакого аппетита. Он отправился в ванную, умылся и уставился на свое отражение в зеркале. Он видел перед собой убийцу и ненавидел себя. А так хотел быть правильным, жить правильно, делать хорошее, правильное дело.

Энди криво усмехнулся. До этого дня он жил именно так — правильно. Ему не в чем было упрекнуть себя. До этого дня. Он знал, что никогда не сумеет себя простить. Отныне он не мог быть врачом. Он не был целителем. Он был убийцей.

Он вышел из ванной и побрел в спальню. У него был пустой бессмысленный взгляд. Звонил мобильный, но Энди не стал его брать. Нэнси уже услышала, что произошло, и позвонила узнать, как он себя чувствует. Энди не хотел ничего обсуждать. Он повалился на кровать и уставился в потолок.

Квартира была в мансарде, потолок подпирали деревянные балки, неравномерно покрытые лаком, словно это было швейцарское шале, затерянное в горах. Энди некоторое время смотрел на эти балки, а потом встал с кровати.

Он достал из шкафа бельевую веревку, забрался на письменный стол и принялся обвязывать ее вокруг балки. Петлю он связал очень медленно и аккуратно, как его учили в отряде скаутов. Подставил под балку стул, залез на него и надел петлю на шею. Затем, не раздумывая ни секунды, сделал шаг вперед одной ногой, одновременно выбивая второй из-под себя стул.

Это был единственный путь. Он задолжал малышке Эми и ее матери. И сам выбрал для себя наказание.

Телефон звонил еще очень долго. К тому моменту, когда села батарейка, Энди уже давно был мертв.

Глава 22

На похороны Энди собралось очень много народу. Здесь были даже известные люди — сенаторы, конгрессмены, доктора, издатели, — все те, кто был так или иначе связан с отцом покойного. Из друзей Энди была только Изабелла. Она сидела на задней скамье церкви с отцом и мачехой. Здесь же были и родители ее друзей, в основном покойных. Теперь всех их объединяло одно общее горе. Нэнси сидела рядом с матерью Энди и безутешно плакала. Хелен обнимала ее и тоже плакала. Нэнси была для нее несостоявшейся невесткой. Энди на момент смерти было двадцать четыре, и он лишил себя жизни почти ровно через пять лет после смерти Гэбби и спустя два года после смерти Билли.

Когда взял слово отец покойного, речь его стала именно тем, чем и могла стать речь подобного человека, — панихидой по его собственным надеждам и чаяниям. Никто не был удивлен.

— Я никогда не думал, — начал он трагичным голосом, — что со мной может произойти нечто подобное. — Он взглянул на Хелен и поправился: — Произойти с нами. Да, думал я, некоторые люди теряют детей, но мне уготовано другое. И все же я потерял его... потерял своего сына... — И вдруг, произнеся это, он умолк и разрыдался. И тотчас превратился в обычного человека, раздавленного горем.

Он стоял и плакал очень долго, а все присутствующие безмолвствовали, и лишь всхлипывания Нэнси разрывали тишину. Все ждали, пока отец Энди снова заговорит. И он заговорил, на этот раз он говорил только о своем ребенке. О том, каким талантливым был Энди. Талантливым студентом, талантливым врачом, талантливым спортсменом, настоящим другом. Иззи ощутила, как остро сжалось ее сердце, когда он произнес:

— Энди стал бы прекрасным врачом. Самым лучшим, я знаю это. Но, не сумев помочь маленькой девочке, Энди не смог простить себя. Он не поверил в то, что в случившемся нет его вины, и отдал свою жизнь, потому что считал себя виноватым, потому что желал искупить грех, которого не совершал...

Он объяснял толпе, словно пытался оправдать сына, а заодно и самого себя за недостаточное внимание к собственному ребенку.

У Изабеллы ныло сердце, а голова прямо-таки раскалывалась. Она не могла думать, не могла размышлять — просто сидела на твердой скамье и смотрела вперед, туда, где стоял гроб. Она чувствовала себя так, словно ее жизнь кончилась. Иззи даже не могла разделить свою боль, свое отчаяние с Шоном, потому что не знала, где он находится. Он был недостижим и почти призрачен, и она ненавидела его за это.

А потом она стояла у свежевырытой могилы и смотрела, как опускают гроб в черную зияющую яму. Она слишком часто видела все это, словно раз за разом смотрела дурную сцену в надоевшем фильме.

Она даже не пошла к Уэстонам домой. Просто не смогла себя заставить. Ей не хотелось никого видеть. Особенно Уэстонов. Только не Уэстонов... с их шоком, болью и отчаянием.

Джефф позвал Иззи домой, но и туда она не пошла. Ей хотелось запереться в своей квартирке и побыть в одиночестве. В итоге Джефф и Дженнифер отступились, оставив возражения при себе. Они оба опасались, что этой потери Изабелла просто не вынесет.

Она сидела на кровати до самой ночи, в тишине и полумраке перебирала старые снимки. На одну из фотографий Энди она смотрела особенно долго. Он был таким красивым парнем и прекрасным другом. Они говорили утром того самого дня, когда он отнял у себя жизнь. Разговор был чудесным и закончился привычным «я люблю тебя».

Вечером позвонил Тони, чтобы пригласить Изабеллу на ужин. Он понятия не имел о том, что произошло. Да, он видел заголовки в газете о том, что сын известного человека покончил жизнь самоубийством, но не знал, что это был близкий друг Изабеллы.

— Составишь компанию? — спросил он интимным тоном.

— Не могу, — ответила Иззи как-то отстраненно и словно издалека.

— Может, во вторник? — не сдавался Тони. — В среду я лечу в Лос-Анджелес, но в пятницу снова буду здесь. Так что насчет вторника? — Ему не терпелось ее увидеть.

— Я не могу. Я только что похоронила лучшего друга. Полагаю, мне пора. — Изабелла и сама не знала, какой смысл вкладывает в эти слова, но они показались ей весьма уместными.

— О, мне так жаль. Что с ним случилось?

— Он покончил с собой. — Изабелла не стала вдаваться в детали, но Тони сразу понял, о ком речь.

— Кажется, я читал. Сочувствую, детка. Хочешь, я приеду?

— Нет. Но спасибо, что предложил. Мне нужно подумать.

Это не показалось Тони хорошей идеей.

— Уверена? Может, хотя бы в выходные поужинаем, когда я вернусь?

— Нет. — Изабелла помолчала. — Я думаю, нам больше не стоит видеться, — произнесла она негромко, но твердо. — Нам было хорошо вместе, но больше так продолжаться не может. В итоге кому-то все равно будет больно. А на мою долю досталось немало. Я не хочу, чтобы больно опять было мне.

Изабелла инстинктивно знала, что исцелить ее может только общество близких людей, а Тони никогда не относился к их числу. С ним было весело и интересно, но не более того. Ей требовалась настоящая духовная близость, а Тони на близость был не способен. Ему просто нечего было ей дать.

— Но ты ведь это говоришь не всерьез, ты просто немного...

— Давай не будем. Просто остановимся на этом моменте. Зачем все портить?

Тони молчал. Он был ошарашен, но спорить не стал. По тону Изабеллы было понятно, что она не шутит. По сути, разве он мог ее остановить? Чем? Премьерой спектакля? Ужином в долине Напа? Его собственное сердце было запечатано под семью замками так давно, что замки эти успели порасти мхом. Он не мог помочь Изабелле.

— Прости, Тони, — искренне сказала она. — Мне правда жаль.

— Ничего. Если станет совсем скучно, звони.

В этом и состояла разница между ними: он мог позвонить не тогда, когда отчаянно нуждался, а лишь тогда, когда ему было скучно. Он не умел чувствовать по-настоящему, а Изабелла чувствовала каждый момент, жила каждой секундой. Сейчас ей казалось, что веревка Энди привязана прямо к ее сердцу и пережимает жизненно важные клапаны сильной хваткой.

Смерть Энди украла частицу ее души. Сколько их было, этих украденных частиц? Осталось ли там хоть что-то?

Когда Тони повесил наконец трубку, Иззи посмотрела на себя в зеркало и задумалась о том, что делать дальше.

Она взяла недельный отпуск и бродила по Сан-Франциско, размышляя. Она шагала бесцельно, совершенно не понимая, куда хочет попасть. В какой-то момент Изабелла заставила себя навестить Хелен Уэстон и извиниться. В доме она застала Нэнси, собиравшую вещи.

Изабелла понимала, почему Энди выбрал именно Нэнси. Они были даже внешне похожи с Хелен. Высокие, худые, аристократичные блондинки с тонкими чертами лица. У них получились бы красивые дети, подумала Иззи.

Обнявшись с Нэнси на прощание, она отправилась к Конни, у которой стало еще больше морщинок под глазами, словно они размножались в геометрической прогрессии. Мать переживала за Шона, гонявшегося за плохими парнями. Теперь его занятие казалось каким-то особенно бессмысленным. Конни жила в постоянном ужасе и ожидании, что сын погибнет на очередном задании. Изабелла проклинала Шона за ту боль, что он причинял своим близким.

Гуляя с Дженнифер, Иззи поделилась с ней своей задумкой. Она хотела уехать в отпуск, чтобы обо всем забыть. К сожалению, учебный год заканчивался только в июне, бросать класс Изабелла не хотела. И все-таки ей необходим был отпуск. Она вспоминала свою поездку в Аргентину.

Весенние каникулы, решила она. Только бегство могло дать ей передышку. Нельзя сидеть дома и оплакивать навеки ушедших друзей, иначе так и самой недолго до могилы. Их осталось всего двое, но Шон почти не существовал для Изабеллы. Разве это друг, если видишь его всего неделю раз в году?

Когда Изабелла вернулась к работе, Венди смотрела с жалостью. Она знала мать Энди и тоже была на похоронах. Изабелла не видела ее, потому что в своем отчаянии не видела вообще никого и ничего — только гроб, опускающийся в могилу. В голове Иззи все еще звучали слова, сказанные отцом Энди. Он думал, что его никогда не постигнет подобная участь. Однако она постигла их всех и его, как и других родителей, потерявших детей. Как будто гадкий червь изгрыз спелое яблоко, превратив его в гниль и тлен. Родители пытались дать своим детям лучшую жизнь, но их отпрыски все равно уходили по цепочке, которая никак не хотела порваться.

Да, родители научили Энди быть лучшим во всем. И возможно, его последнее решение было отчасти истолковано этим фактом. Множество людей в подобных условиях жило бы дальше, перешагнув трагические обстоятельства. Почему Энди не смог? Почему давление Ларри на психику Билли сделало его столь уязвимым к потерям и перенесенной боли?

Изабелла купила билеты в Японию на свои деньги. Она мечтала увидеть не только Токио, но и маленькие городишки, посмотреть на цветущую сакуру, собственными глазами взглянуть на Фудзияму. Она выглядела очень сосредоточенной последнее время, словно одержимая какой-то идеей, и это здорово пугало ее отца. Дженнифер успокаивала его, утверждая, что Изабелла все делает верно.

Ее самолет вылетал днем, всего через несколько часов после окончания школьной четверти. Изабелла показала малышам, как можно раскрасить яичную скорлупу кисточкой, а затем расцеловала всех и пожелала хорошо отдохнуть. Затем села в такси и поехала в аэропорт.

Зарегистрировавшись на рейс, она направилась на таможенный досмотр с паспортом в руке. Багажа у нее не было, только ручная кладь, поэтому все формальности не должны были занять много времени.

Покупая пару журналов, Изабелла почувствовала вибрацию в сумке — разрывался ее телефон. Звонила Конни.

— Какое счастье, что ты еще не улетела! — выдохнула она с облегчением.

— Почти улетела. Скоро объявят посадку. А что такое? Конни не стала терять время:

— В Шона стреляли и...

Изабелла закрыла глаза, чувствуя, как по спине пробежал ледяной холодок.

— Шон...

— Он жив, — тотчас добавила Конни. — Но в тяжелом состоянии. Одна пуля пробила ногу, две попали в грудь. Не знаю, как ему это удалось, но он полз по джунглям целую неделю и сумел послать сигнал. Его подобрали неделю назад, а сейчас перевозят в Майами. Мы с Майком вылетаем сегодня же. Я подумала, что ты захочешь составить нам...

— Зачем? — внезапно перебила Изабелла.

— Что это значит? — осеклась Конни. — Ты же его друг! Ты же любишь его! Вы всегда поддерживали друг друга, а сейчас вас осталось лишь двое.

— Он давно меня не поддерживает, Конни, — холодно сказала Изабелла. — Шон выбрал другую дорогу. Он не думал обо мне, выбирая. Он не думал о матери и отце. Он повернулся на этих шпионских играх и полицейских боевиках! Он с пяти лет мечтал быть копом, и вот его мечта сбылась. Да, сейчас он ранен. А в следующий раз его непременно убьют.

— Следующего раза не будет, — сказала Конни. — Я так думаю. Говорят, он сильно пострадал. Еще неизвестно, сумеет ли выкарабкаться. Он очень плох... — Конни говорила так тихо, что ее слова едва можно было разобрать.

Реакция Изабеллы потрясла ее.

— Нет, Конни, он вернется. Как только он сможет ползать на четвереньках, он поедет в контору и будет умолять дать ему новое дело. И ты снова будешь сидеть и ждать звонка, зачеркивая в календаре дни.

— Мне очень жаль. Я думала, ты захочешь знать, что с ним случилось.

— Спасибо, Конни. Я люблю тебя, как люблю Шона. Но все, что он делает, неправильно. И я не хочу, чтобы, погибнув в далекой стране, он разбил вдребезги остатки того, что когда-то было моим сердцем. Я должна построить стену, иначе и сама не долго задержусь на этом свете. Передай Шону, что я люблю его. И что я улетела в Японию.

— Береги себя, — прошептала Конни и повесила трубку.

Иззи заплатила за журналы, тщательно и неторопливо отсчитав мелочь, и устроилась в кресле в ожидании, когда объявят посадку. Она двигалась очень медленно, потому что ее тошнило. Все, о чем она могла думать, — это насколько тяжело состояние Шона. Неделю ползти по джунглям, это же надо! С тремя пулями в теле! И почему Шон не умер? Но даже если сейчас он не погиб, в следующий раз погибнет непременно. Он словно обезумел, захваченный идеей изменить мир.

Изабелла сказала Конни жестокие слова, но она действительно так думала. Она даже не была уверена, что хочет видеть Шона. Встречи были слишком болезненными, а расставания — невыносимыми.

Объявили посадку. Изабелла встала и пристроилась к хвосту очереди. Когда подошел ее черед протянуть посадочный талон, она замялась, глядя на улыбчивую девушку в форме.

Разве она могла улететь?

В этот момент Изабелла ненавидела Шона так сильно, как никогда прежде. Как он мог так с ней поступить? Он не имел никакого права...

Она просто повернулась и зашагала назад к терминалу. Купила билет на ближайший рейс до Майами и сразу же зарегистрировалась.

О, как же сильно она ненавидела Шона!

Глава 23

Изабелла оказалась в аэропорту Майами раньше родителей Шона и была уже в больнице, когда подоспели Конни и Майк. Конни смотрела с невероятной благодарностью и облегчением. Врач сообщил, что Шону только что сделали переливание крови и перевели в отделение интенсивной терапии. У близких было всего несколько минут, чтобы повидать раненого.

Сначала пустили родителей. Изабелла терпеливо ждала своей очереди.

Ее потрясло увиденное. Он казался маленьким и худеньким на больничной кровати. Его грудь была забинтована; трубки торчали почти отовсюду; нога была подвешена. В том месте, откуда достали пулю, был наложен гипс, — пострадала кость. Трудно было представить, чтобы этот израненный человек вообще мог ползти по джунглям, да еще так долго. Выглядел Шон лет на двадцать старше, глаза были прикрыты, но когда Изабелла вошла в палату, его веки дрогнули. Зрачки смотрели прямо на Изабеллу, казалось, в них застыло глубокое удивление.

— Что ты тут... — начал было он и приподнял руку, потянувшись к ней.

Изабелла сразу же присела рядом и сжала его пальцы своими. Другой рукой она осторожно погладила его по щеке и волосам.

— Мне все равно было нечего делать. Поэтому я отправилась в Майами тебя проведать. — Она криво улыбнулась. — Кажется, ты не слишком берег себя.

Шон хотел рассмеяться, но спазм в груди заставил его сжаться в постели.

— Это еще фигня, — сказал он шепотом. — Ты бы видела, какая судьба постигла тех парней...

Шон отправил на тот свет шестерых, но Изабелле детали были ни к чему. Остальные сочли его покойником и бросили в яму. Они до сих пор считали его мертвым, и ФБР это было на руку.

— Ты вернешься туда? — спросила Изабелла, вцепившись в его пальцы двумя руками. Почему-то ей казалось, что от его ответа зависит и ее жизнь тоже.

Шон долго молчал, а затем медленно кивнул.

Иззи не удивилась. Она была права.

— Я знала. Ты просто псих, Шон О'Хара. И это совсем не комплимент. Да, я рада, что ты выжил, но это ничего не меняет. Мучения, которые переживают твои родители, на твоей совести.

Она думала о Конни. О ее надеждах, что Шона «спишут», что он перестанет пропадать на заданиях и рисковать жизнью.

Изабелла не стала говорить ему о смерти Энди. Он был слишком слаб для такого потрясения. Однажды, думала она, кто-то побоится сказать о смерти Шона ей, сочтя ее слишком слабой для такого потрясения. Но она давно была готова к этой потере. Одержимый маниакальной идеей, Шон и не думал останавливаться на достигнутом. Его нельзя было переубедить или отговорить, поэтому Иззи не собиралась даже пытаться.

Веки Шона смежились, и он отключился. На губах играла слабая улыбка: он был рад видеть Изабеллу.

На другое утро она снова пришла его проведать. Поболтав пару минут, она попрощалась и улетела в Сан-Франциско. Следовало отменить поездку в Японию. Она и так потеряла два дня каникул, так что путешествие могло подождать до лета.

Сообщив отцу и мачехе о своем возвращении, Изабелла уединилась в своей квартирке. Остаток каникул она планировала просто гулять по городу и заниматься домашними делами. Она постоянно вспоминала Шона, и каждый раз сердце ее сжималось при мысли о будущей потере.

Через две недели, когда Иззи вернулась из школы, ей позвонила Конни и сообщила, что они тоже вернулись домой. Шон был по-прежнему в больнице, его раны оказались серьезнее, чем предполагали врачи, но жизни давно ничего не угрожало.

— С ним все будет в порядке, — сказала Конни в трубку.

«Если это можно так назвать», — подумала Изабелла с горечью.

В солнечный майский день, выходя из школы, Иззи увидела Шона. Он стоял на противоположной стороне улицы, заросший, словно дикарь, и опирался на трость. Когда он двинулся через дорогу, стало ясно, что каждый шаг причиняет ему сильную боль. У Изабеллы затрепетало сердце. Она смотрела, как он идет, и едва не плакала. Они были двое оставшихся в живых последних обитателей чудесного мира, которого больше не существовало, он рассыпался после смерти остальных.

— Зачем ты пришел? — спросила она, когда Шон приблизился.

Они обнялись.

Он казался окрепшим, плечи расправились, и даже с тростью Шон выглядел очень мужественным и привлекательным.

— Хотел всех повидать, — тихо сказал он. Его взгляд настойчиво пытался пробиться через завесу враждебности, которой прикрывалась Иззи. — Хотел увидеть родителей и тебя.

— Меня-то зачем? Какая разница, увидимся мы или нет? Все равно ты скоро умрешь, как и все остальные.

— О, спасибо за вотум недоверия, — грустно откликнулся Шон. — Но ведь в этот раз я вернулся живым.

К этому моменту он, конечно, уже знал о самоубийстве Энди и горько оплакивал его в душе.

— Возможно, и в следующий раз тебе тоже повезет, — кивнула Изабелла, но по ее голосу было ясно, что она не верит в чудеса. Она не хотела больше жить пустыми надеждами.

— Может, выпьем кофе где-нибудь? — осторожно спросил Шон.

— Давай. Можно у меня. — Она хотела добавить, что ее квартира в двух шагах, но взглянула на трость и промолчала.

Оказалось, Шон приехал на машине матери. Они добрались до дома Иззи, где ему пришлось мучительно долго подниматься по ступеням.

В гостиной Иззи он присел на диван, с трудом переводя дух. Всюду были фотографии «Большой пятерки», а также несколько снимков, где был только он. Шона тронул и удивил этот факт.

Изабелла, казалось, прочла в его глазах невысказанный вопрос.

— Твоих больше, потому что ты остался в живых. — Она протянула ему чашку с кофе. — Когда ты умрешь, останется один снимок. Самый лучший...

— Иззи... — начал он, но не закончил.

Прежде чем они успели осознать, что происходит, Шон уже обнимал Изабеллу, а она целовала его в губы.

Это было похоже на помешательство. Пожалуй, со стороны можно было подумать, что они едва ли не дерутся, сжимая друг друга в объятиях. Как будто некая необъяснимая сила взяла верх над каждым из них и побуждала к действиям, совершенно им несвойственным. Казалось, само выживание зависело от того, смогут ли они заняться сейчас любовью.

Даже с больной ногой Шон был гораздо сильнее Изабеллы. Схватив ее в охапку, он перенес ее в спальню и стянул с нее одежду, несмотря на удары, которыми она покрывала его тело. О такой неистовой страсти ни Шон, ни Изабелла даже не подозревали. Они отчаянно нуждались друг в друге, ибо только так могли утолить нестерпимую страсть.

Когда все кончилось, оба лежали на кровати обессиленные, глубоко и часто дыша. Изабелла прижалась к Шону и, чуть приподнявшись, заглянула ему в глаза. Она всегда знала, что однажды может случиться нечто подобное. Но что это будет столь ярко, столь безумно и ослепляюще...

— Что это было? — шепнула она. Ей все еще казалось, что они слиты воедино, превращены неведомой силой в целое существо.

— Не знаю. Я люблю тебя, Иззи. Именно это я и хотел тебе сказать. И я не знаю, что мне делать. Только мысль о тебе вытащила меня из этих проклятых джунглей. Я выжил потому, что должен был еще хоть раз тебя увидеть.

Она смотрела ему в глаза и заглядывала, казалось, прямо в душу.

— Но ты же снова уедешь... — Больше всего на свете она хотела услышать «нет», но знала, что надежда тщетна.

— Да. Я должен вернуться.

Иззи кивнула, чувствуя, как осыпается осколками ее сердце. Затем вскочила с постели и встала рядом, глядя на Шона сверху вниз.

— Тогда проваливай! — резко сказала она. — Проваливай из моей постели и из моей жизни! Уходи навсегда. Ты не смеешь так со мной поступать! Я не позволю тебе, ясно? Каждый из ушедших забрал часть моей души. Если ты погибнешь... когда ты погибнешь, ты заберешь то, что осталось. А я не хочу этого! Я хочу вернуть себе свою душу, я хочу вернуть себе свою жизнь. Можешь делать все, что тебе угодно, но больше никогда не приходи ко мне, не говори, что любишь меня, и не разбивай мое сердце! Проваливай!

Он не сказал ни слова, зная, что Изабелла не шутит. И стал молча одеваться под ее пристальным взглядом. Розовое тонкое платье Иззи валялось на полу. Все, чего хотел Шон, — это обнять ее нежное обнаженное тело.

Изабелла следила за ним с непроницаемым лицом. Ее боль была столь острой, что об нее можно было резать вены. Она знала, что именно этого всегда и желала: оказаться в объятиях Шона, проснуться, стать самой собой... Он пробудил в ней страсть, о которой она не подозревала. А теперь она должна похоронить то, что обрела.

— Мне очень жаль, — мрачно сказал Шон, прежде чем уйти. — Я не имею права так с тобой поступать. Я люблю тебя, но это ничего не меняет.

Изабелла молчала. За Шоном закрылась дверь.

Она слушала, как тяжело стучит трость по ступеням, и по ее лицу катились горячие слезы. Всякий раз, когда Шон уходил, она прощалась с ним навеки. Она ненавидела его за это, потому что не представляла, как можно убить в себе любовь, которая росла и крепла целых девятнадцать лет.

Изабелла передумала ехать в Японию, предпочтя Индию. Она купила билет на середину июня в один конец. В планах было путешествие длиной в месяц.

Кроме этого, Иззи подписала контракт о работе в младших классах Этвуда еще на год. Однако это должен был стать последний год, после которого Иззи планировала поехать учиться в Европу. Кроме отца и мачехи, ничто теперь не держало ее в Сан-Франциско. Друзей у нее не осталось.

Готовясь к поездке, Иззи тщательно изучила материалы по Индии. По приезде она собиралась взять напрокат машину и проехать по побережью и в глубь страны. Она совершенно не боялась путешествовать одна.

Последний учебный день стал подлинным событием. Со следующего года малыши приступали к настоящему обучению. По сути, маленький выпускной был шагом в более взрослую жизнь, если ее можно было так назвать. Изабелла и Венди провожали детишек, как своих собственных, обнимая и целуя на удачу, вручая каждому книжку, где написали по маленькому напутствию. У самой Иззи все еще хранилась книга со сказками, которую вручила ей на первом выпускном мисс Джун.

Наведя порядок в классе, Венди и Иззи присели выпить чаю.

— Вот и год прошел, — сказала Венди с улыбкой. — Еще один год. — Ей не верилось, что Изабелла сможет оставить любимую работу ради учебы в Европе.

Венди нравилось смотреть, как подрастают малыши, как уходят в новый класс, взрослеют, меняются, порой забегают в гости спустя годы.

Но Изабелла не была уверена, что хочет навеки застрять в Этвуде. Она стремилась к большему, искала себя. До сей поры ее всегда что-то держало в Сан-Франциско, но теперь последние ниточки порвались, отпустив ее на свободу. Она чувствовала, что пришла пора попробовать что-то новое. Страсть, эмоции, бурлившие в ней, требовали выхода, как и предупреждала когда-то мать. Да, ее большой страстью мог стать Шон... Но каждый делает свой выбор. Две недели назад Шон уехал в Вашингтон, чтобы продолжить восстановительное лечение, а затем отправиться на новое задание. Всем своим существом Иззи желала ему вернуться живым и невредимым, но жить ожиданием, жить страхами она больше не желала. Она любила Шона, любила все эти годы и, как оказалось, взаимно, однако это была одна из тех сказок, которым не суждено сбыться. Изабелла ни о чем не жалела.

— Пришлешь карточку из Индии? — спросила Венди, обнимая подругу на прощание.

— Пришлю что-нибудь получше, — улыбнулась Иззи. Ей нравилось работать с Венди. Она научилась от нее терпению и стала лучше понимать детей. Она взрослела вместе с ними и все же не забывала, каково это — быть ребенком. — Я привезу тебе сари, хочешь?

У Иззи был целый список национальных вещиц, которые она планировала купить в Индии. Но главной целью, естественно, был не шопинг. Изабелла хотела найти в Индии покой и разобраться в себе. Эта страна могла собрать воедино все кусочки, на которые развалился ее мир. Она надеялась на исцеление.

Попрощавшись с Этвудом, Иззи вернулась домой. Она открыла общую дверь и как раз собиралась закрыть ее за собой, когда увидела его. Он стоял у дерева — чисто выбритый, подстриженный, одетый в джинсы и камуфляжную куртку. У него была трость, но он не опирался на нее.

Шон.

Изабелла смотрела на него молча. Она не кивнула и не улыбнулась. И тогда он медленно направился к ней.

— Я вернулся, — сказал он, подойдя ближе.

— Вижу, — безразлично промолвила Изабелла. — А ведь я просила не возвращаться.

Ее глаза сузились. Она смотрела без злости, просто отстраненно, как смотрят на совершенно постороннего человека. Ее уже не было в Сан-Франциско, не было в ее квартире или на работе. Ее существование здесь окончилось. Она хотела стать другим человеком, с другой судьбой и другой географией.

— Я хотел поговорить. Не по телефону, а лично. Это не признание в любви. Зачем признаваться в том, что и так ясно... — Шон смотрел в ее глаза, пытаясь заглянуть в душу, как когда-то заглядывала в его душу Изабелла, но натыкался на невидимую стену. — Я вернулся. Совсем. Я возвращаюсь домой. Ты была права. Я не могу так поступать со своими близкими, с мамой, отцом. У них тяжелые времена, отец не говорил мне, как идут дела, но бизнес трещит по швам. Они ни о чем меня не просили, но кажется, я сильно им задолжал. Думаю, я отдал свой долг стране и Кевину. Теперь пора отдавать другие долги. И все мои усилия не были напрасны. Мы накрыли одну из крупнейших группировок в Колумбии. Их лидеры мертвы, часть группировки поймана. Конечно, на их место придут другие, но всех не переловишь. Теперь я понимаю, что замкнутый круг иногда легче разорвать. Для меня настало время уйти. Я написал заявление два дня назад. Просто хотел, чтобы ты знала. Если, конечно, это для тебя важно.

— А что? Должно быть важно? — Изабелла смотрела холодно, не в силах простить Шона. Родители, должно быть, сразу простили его, но она не могла. — И что, теперь все будут счастливы, а на земле воцарится мир? Думаешь, сейчас я обниму тебя, и мы пойдем вперед, держась за руки и не оглядываясь?

— А это невозможно? Я знаю, что причинил много боли, но я делал то, что считал правильным. И сейчас ни о чем не жалею. Я такой, какой есть. Я отдал часть себя борьбе со злом — большую часть, но ведь что-то и осталось. И возможно, то, что осталось, сможет жить дальше... — Голос Шона на несколько мгновений прервался. — А я хочу жить, Иззи, хочу жить. И я хочу разделить эту жизнь с тобой, если ты этого хочешь. Видит Бог, я люблю тебя. И моя любовь сильнее желания сделать мир лучше. Все, чего я хочу, — это сделать его лучше для тебя одной.

Она долго смотрела на него, пытаясь понять, насколько Шон отдает себе отчет в том, что говорит. Он прошел долгий путь, но мог ли он измениться так, как изменилась она сама? Мог ли он так же сильно любить ее, как она любила его эти годы? Любить, не сознавая этого?

Столько слов внезапно захотели прорваться наружу. Она так много хотела ему сказать, так много объяснить!

Вместо этого она посторонилась.

— Зайдешь?

Он кивнул и вошел.

В молчании они поднялись по лестнице: сначала шла Изабелла, следом Шон. Он смотрел ей в спину и боялся протянуть руку и дотронуться до нее. Ему казалось, пальцы пройдут сквозь ее тело, как будто перед ним мираж.

На кухне Изабелла молча насыпала кофе в кофеварку.

Шон подошел сзади, обнял ее и осторожно поцеловал в затылок. И та же невиданная по силе страсть вновь захватила обоих, лишив контроля и закружив в пестром водовороте чувств и эмоций. Яркое пламя пылало, сплетая тела воедино, стирая все грани, разрушая все стены, заставляя забыть о потерях и боли.

Они были живы. И они имели право жить дальше.

Потом они долго лежали в постели, обнявшись. Изабелла улыбалась. В ее улыбку Шон влюбился с первой же встречи, когда они играли в кубики и пили чай из пластиковых чашечек. Он был самым счастливым мужчиной на свете. Странная пустота, жившая в нем долгие годы, постепенно заполнялась теплом, источником которого была любовь к Изабелле.

Она прижалась губами к его губам, затем отстранилась и произнесла слова, которых он так ждал:

— Добро пожаловать домой.

Литературно-художественное издание

16+

Стил Даниэла

Только с тобой

Роман

Редактор О.М. Тучина
Ответственный корректор И.М. Цулая
Компьютерная верстка: А.С. Грених
Технический редактор О.В. Панкрашина

Подписано в печать 03.09.13. Формат 84х108 $^1/_{32}$.
Усл. печ. л. 15,12. Тираж 14000 экз. Заказ № 7668.

Общероссийский классификатор продукции
ОК-005-93, том 2; 953000 — книги, брошюры

Наши электронные адреса: WWW.AST.RU
E-mail: astpub@aha.ru

ООО «Издательство АСТ»

127006, г. Москва, ул. Садовая-Триумфальная,
д.16, стр. 3, помещение 1

Отпечатано в ООО «Тульская типография»
300600, г. Тула, пр. Ленина, 109.